LE TRICYCLE ROUGE

Né à Nancy en 1975, Vincent Hauuy vit au Canada avec sa famille. Concepteur de jeux vidéo et fan incontesté de Stephen King, J. R. R. Tolkien et George R. R. Martin, Vincent Hauuy construit un monde fictif fait de paranormal, de sang et de complexité qui donne à ses romans des intrigues très riches.

VINCENT HAUUY

Le Tricycle rouge

HUGO ET COMPAGNIE

ISBN : 978-2-253-01445-4 – 1re publication LGF

Tricycle rouge

Jeremy Harrington sourit devant son rosier, car il a toutes les raisons d'être heureux. Dans deux jours, il fêtera ses cinquante ans. Iris va enfin mettre un pied hors de sa maison de Pittsburgh et venir lui présenter le petit Lucas.

Cela fait plus de trois ans qu'il attend ce moment. Cerise sur le gâteau, il n'aura même pas à subir la présence de son imbécile de gendre qui a eu la bonne idée de partir en voyage d'affaires à Miami. Alors, tout est parfait, en ce jour d'été : de l'odeur du gazon fraîchement tondu jusqu'au fumet des petits fours qui s'échappe de la fenêtre de la cuisine. Il ne pense plus à l'arthrite qui le gangrène peu à peu ni aux lettres de rappel qu'il vient de passer au broyeur dans son bureau. Son regard croise celui de sa femme qui étend le linge dans leur grand jardin. Ils échangent un sourire complice. Oui, la plus belle journée de l'été, sans aucun doute. Jeremy décrispe sa main et la secoue pour tenter de lui redonner vie, puis il saisit le sécateur planté dans la terre retournée. Et alors qu'il coupe une rose et que la vision de la tête bouclée de son petit-fils l'emplit de bonheur, il ne remarque pas le petit tricycle rouge qui dévale Howard Drive.

Timothy Carter s'apprête à glisser sa clé dans la serrure de sa Toyota MR flambant neuve, lorsque la porte de sa maison s'ouvre et cogne sur la façade. Lucy Carter passe la tête à travers l'embrasure, le hèle puis balance devant l'entrée deux gros sacs noirs, dont l'un, éventré, laisse dépasser le couvercle d'une boîte de raviolis. Il grimace et pose son front sur la portière. Il a encore oublié de sortir les poubelles. Et voilà que son cerbère de femme lui passe déjà le troisième sermon de la journée. Le premier pour avoir laissé chauffer le lait sur la plaque, un autre pour avoir modifié l'ordre des chaussures dans le dressing et le dernier, à l'instant, pour l'oubli des sacs. Mais qu'importe. Qu'elle aille au diable, cette pimbêche. Car à peine sera-t-elle rentrée qu'il sera déjà sur la route du bonheur. Et lorsqu'elle sera enfoncée dans le canapé et videra des boîtes de crème glacée, sa tête à bigoudis rivée sur le poste de télévision, il sera au septième ciel. Un paradis prenant la forme d'une chambre d'hôtel au Days Inn & Suites. Et tous les sermons seront envolés lorsqu'il sera logé bien au fond de la jeune stagiaire qu'il convoite depuis une semaine.

Alors, cela vaut bien un sourire forcé et de plates excuses bafouillées à la va-vite, et même, soyons fous, un bisou sur le front de sa femme. Et pendant qu'il se baisse, ramasse les sacs noirs et avertit Lucy qu'il rentrera tard du travail, il pense au cul moulé dans la mini-jupe en skaï et aux lèvres charnues qui l'attendent à Plattsburgh. Lorsqu'il retourne vers sa voiture, le tricycle rouge est déjà passé devant l'entrée de son garage.

Antonio Da Silva vide sa sixième Budweiser de la matinée et jette la bouteille vide dans le seau en métal qui repose à côté de sa chaise à bascule. Il se fiche du soleil et de la température déjà élevée pour un matin d'août. Son frère repose entre la vie et la mort, et c'est sa faute. S'il n'avait pas blagué avec Jackie et raconté pour la dixième fois de la journée sa stupide histoire drôle sur les juifs et les arabes, il aurait pu avertir Franck lorsque le chariot élévateur a basculé et peut-être aurait-il évité qu'une caisse d'une tonne ne lui broie l'abdomen.

Antonio saisit le deuxième pack de Bud, le place sur ses genoux, sort une bouteille et la décapsule avec ses dents.

Il pense à ses soirées barbecue avec son frère alors qu'il la vide d'une seule rasade. À la tienne, Franck ! dit-il avant de jeter le cadavre et de manquer le seau en métal.

S'il n'avait pas éclaté en sanglots et plongé sa tête entre ses mains, il aurait pu voir passer le tricycle rouge à l'angle de Howard Drive et Haynes Terrace.

Rebecca Law a bien vu le tricycle rouge, elle l'a vu voler par-dessus le pare-brise alors qu'elle redressait la tête peu après s'être penchée du côté passager pour aller chercher du doigt sa boucle d'oreille égarée parmi ses feuilles de cours. Son index a pu la toucher juste au moment où le choc et un bruit sourd lui ont fait penser que sa Buick Grand National avait heurté un animal ou un bout de bois sur la chaussée.

Sauf que non. Ce n'est ni un animal, ni un bout de bois.

Elle arrête la voiture sur la chaussée, laisse le moteur tourner et ouvre la portière. Puis elle hurle comme jamais elle n'avait hurlé, pas même le jour où Jenny lui avait placé une vraie mygale sur le bras pour lui faire une surprise.

Ses ongles sont plantés dans ses joues et ses yeux grands ouverts fixés sur la scène du drame.

Jeremy Harrington pose le sécateur et se précipite vers la route.

Timothy Carter retire la clé de contact et sort de sa voiture.

Antonio Da Silva lève la tête, se désembue les yeux d'un revers de manche et court vers l'endroit d'où proviennent les cris.

Et alors que les voisins sortent un à un des maisons et que Rebecca continue de hurler, ils voient tous le tricycle rouge, la flaque de sang qui s'écoule et… le petit garçon nu étendu sur l'asphalte.

Jeremy cesse alors de sourire et ne pense plus au petit Lucas qui doit venir dans deux jours.

Timothy Carter n'est plus excité à l'idée de poser ses mains sur le cul moulé dans la jupe en skaï.

Et Antonio Da Silva a oublié que Franck respire grâce à une machine.

Non. À ce moment précis, ils savent que leur vie vient de basculer et qu'elle ne sera jamais plus la même, à Peru, dans l'État de New York.

Callipyge

Noah a les yeux fixés sur son écran, mais son regard porte bien plus loin que le cadre lumineux. Le moniteur affiche depuis une dizaine de minutes le contrat d'assurance de M. Alvarez, mais il ne le lit pas. Il ne voit pas les mots, ni même les caractères, juste des taches noires sur un fond blanc. Son regard porte au-delà, derrière un voile invisible où son esprit se retrouve prisonnier.

Noah inspire, bloque son diaphragme, ferme les yeux et se concentre sur son environnement pour émerger des brumes que les pensées parasites ont tissées dans son esprit. Vient en premier le staccato frénétique des touches du clavier que martèle son voisin du box d'en face, puis le ronronnement tranquille des ventilateurs de l'unité centrale qui repose à ses pieds et enfin l'odeur du café qui s'échappe par grosses volutes de la tasse Starbucks posée sur le bureau d'à côté. Noah expire pour chasser le brouillard, et ouvre les yeux. La magie a opéré. Les taches noires ont pris la forme de lettres et il distingue enfin les phrases affichées à l'écran.

Il jette un rapide coup d'œil à l'horloge et grimace. La Gorgone exige la remise du dossier pour midi.

Il secoue son clavier, souffle sur les touches et chasse les dernières miettes de croissant qui s'y étaient coincées.

Avec un peu de chance, ce calvaire sera fini dans les temps, à condition qu'il ne perde pas pied de nouveau.

Mais Noah est confiant, les crises se sont espacées et la rééducation commence à porter ses fruits. Si l'on exclut les migraines, les tremblements et les nuits blanches, tout va pour le mieux.

Il saisit le carnet de notes sur son bureau et griffonne « Alacrité » en dessous de la liste de mots qui noircit déjà les pages.

Puis, ses deux index prennent place sur les touches et il commence à taper.

Nom : Alvarez

Prénom : Eduardo

Il s'apprête à saisir le numéro de sécurité sociale du client, lorsqu'il aperçoit Rachel du coin de l'œil ; elle vient de sortir du bureau de la Gorgone. La grande rousse en tailleur croise son regard, lui sourit et prend la direction de son box.

Noah baisse les yeux, clique sur la souris et tape du pied. Son cœur s'emballe, c'est l'effet qu'elle lui fait… entre autres.

Il déglutit alors qu'elle prend place à côté de lui.

— Salut Rachel, dit-il en lui adressant un pâle sourire.

La rousse sourit en retour, pose la main sur son épaule et regarde son écran.

— Tu devrais t'activer Noah, la Gorgone t'a à l'œil.

Il marque une pause avant de parler. Ses cheveux sentent le shampoing à la pomme, il voudrait les toucher, plonger sa main dans l'épaisse tignasse.

— Tiens, tu l'appelles comme cela aussi, la mère Wood ?

— Oui, je crois que tu as lancé une mode, et puis je trouve que l'image est bien choisie.

Noah lâche un rire nerveux.

— C'est sûr, mais cette femme ne m'aime déjà pas, alors si ça se propage et qu'elle apprend que je suis à l'origine de son surnom, elle va me haïr.

Rachel secoue la tête.

— Non, ce n'est pas toi qu'elle déteste, c'est ta lenteur : il faut bien avouer que tu rédiges un rapport pendant que les autres ont le temps d'en taper dix.

La voix rauque de Carl rugit depuis le box voisin :

— Tiens, j'en ai un nouveau pour toi, Noah ! « Pusillanime. »

Noah reprend le carnet et note : « Pusillanime ».

Le choix de Carl était-il anodin ? C'est vrai qu'il a peur de l'aborder. Elle est si belle.

— Encore avec tes mots complexes ? demande Rachel.

— Complexes ou peu usités, mais oui, cela fait partie de ma thérapie. Ma psychiatre, Mme Hall, m'encourage à le faire. Et je dois bien avouer que cela m'aide.

— Et les douleurs aux jambes ?

Noah prend la boîte de Vicodine posée à côté du moniteur et la secoue.

— J'ai l'impression d'être le docteur House.

Il désigne la canne calée sur l'unité centrale.

— Tu vois, j'ai toute la panoplie, et ce n'est pas encore Halloween.

Il rit, même s'il ne se trouve pas drôle.

Mais pas Rachel. En revanche, elle lui sourit. Dans son expression, il décèle une vraie tendresse. Pas l'habituelle compassion feinte ou l'air gêné qu'on lui sert à chaque fois.

Puis, la belle rousse lui parle de son dossier en cours, enchaîne sur les problèmes au bureau et évoque son manque de reconnaissance dans l'entreprise.

Mais il ne l'entend pas, il a décroché et fixe un point invisible derrière sa tête. À un moment, il sort de sa bulle, baisse son regard et se demande à quoi peuvent ressembler les aréoles de ses seins.

— Noah ? Tu m'écoutes ?

— Désolé *(je matais ta poitrine),* j'ai perdu le fil.

Il secoue la boîte de médicaments.

— Effets secondaires…

— Pas grave, je comprends. Par contre, je dois te laisser, j'ai du travail… et toi aussi on dirait. On se revoit plus tard.

Rachel s'éloigne de lui, mais le regard de Noah reste rivé sur son dos.

Une fois la jeune femme disparue de son champ de vision, il prend son calepin et griffonne d'une main tremblante : « Callipyge ».

Il soupire. Le Noah d'avant n'aurait pas hésité, il aurait ri aux éclats avec elle, fait la démonstration de son humour, de la vivacité de son intellect, de son sens de la repartie. Ils seraient allés prendre un verre dans un bar avant de manger au restaurant où il l'aurait fait rire à nouveau. Et puis, la soirée se serait achevée sur une nuit torride dans un bel appartement.

Mais rien de tout cela pour le Noah d'après. Juste quelques regards dérobés et des rêves qui se brisent sur les remparts de sa nouvelle réalité.

Pourtant, une partie de lui espère encore que tout peut redevenir comme avant l'accident. Comme avant qu'il ne perde Maggie.

La porte du bureau de la Gorgone vient de claquer. Noah redresse la tête, la femme avance vers lui d'un pas décidé.

Sa tête ronde surchargée de fond de teint et peinturée de rouge tremble au rythme de ses pas. Elle met une telle ardeur dans sa démarche qu'il se demande si ses talons aiguilles ne vont pas déchirer la moquette.

Des vapeurs d'un parfum capiteux précèdent son arrivée. Elle a dû se verser la bouteille de N° 5 sur le corps, pense-t-il.

— Monsieur Wallace. Nous sommes en 2016 et vous n'avez pas de téléphone portable ?

— C'est prévu, madame Wood, mais pourquoi cette question ?

Ses grosses lèvres se tordent en un rictus de dégoût. Il ne manque plus que les serpents surgissant de ses larges boucles blondes pour qu'il se transforme en statue de pierre.

Il sourit malgré lui.

— Il y a un certain Steve Raymond qui demande à vous parler, il vous attend devant la porte d'entrée au rez-de-chaussée. Et c'est la dernière fois ! Je ne suis pas votre messagère personnelle !

Steve ?

Alors son intuition était bonne. Si Raymond passe le prendre, cela signifie qu'il va pouvoir reprendre du service.

Noah s'abaisse pour prendre sa canne, puis il range son calepin et sa boîte de Vicodine dans la poche intérieure de sa veste.

— Mais vous faites quoi au juste, monsieur Wallace ?

— Je laisse la Gorgone à son sort. J'ai un autre monstre à attraper.

Ou est-ce l'inverse ? En quittant IFG Companies, Noah a l'étrange impression qu'une main invisible lui broie l'estomac.

Chenu

Les essuie-glaces luttent contre le rideau de pluie qui s'écrase sans discontinuer sur le pare-brise du SUV.

Steve Raymond frotte ses moustaches grisonnantes entre son pouce et son index puis augmente le volume.

C'est Sinatra ; une excuse suffisante pour saturer les enceintes. *New York, New York* envahit l'habitacle et la voix de crooner chasse le silence pesant.

La voiture s'engage sur le pont qui enjambe le fleuve Saint-Laurent et Noah plaque sa joue sur la vitre glacée pour se perdre un instant dans les méandres gris fouettés par les gouttes.

Steve attrape le hot-dog froid posé près du levier de vitesse et en arrache un morceau du coin de la bouche. Il l'avale sans le mâcher.

— Temps de merde. C'est fou de se dire que c'est un pays voisin, alors qu'il doit faire quinze degrés de moins que chez nous. C'est la première fois que tu viens au Québec ?

Noah secoue la tête. Il n'a pas beaucoup parlé depuis que son ancien collègue est venu le chercher au bureau. Il l'a surtout écouté lui raconter sa vie depuis l'accident. Tout y est passé. Depuis la vasectomie imposée par sa femme – qui s'est barrée deux mois après l'opération – jusqu'au dernier Noël qu'il a passé en tête à tête avec un père qui s'obstinait à vouloir fumer par sa trachéotomie. Peut-être en a-t-il raconté plus, mais Noah n'a écouté que d'une oreille.

Il était ailleurs, avec Rachel. Il pense à sa longue chevelure cuivrée dans laquelle il voudrait plonger sa main. Il aimerait tant être plus qu'un ami pour elle…

Alors que le véhicule s'approche des rives de l'île, il observe son collègue qui avance sa tête près du pare-brise et essuie la pellicule de buée d'un revers de manche. Son regard s'attarde sur ses ongles noirs, sur ses doigts jaunis par le tabac, sur les taches sur le col de sa chemise froissée.

Il voit un homme seul, brisé. Il se voit lui.

Puis, il se demande combien de temps il lui reste à vivre : son gros visage mafflu couperosé, la sueur au front et les cernes qui lui plombent les yeux. Le cœur ou les reins ? Noah hésite. Peut-être bien les deux. L'abus de sel, le stress et le cholestérol ; tes artères vont lâcher, Steve, pense-t-il en regardant le bout de hot-dog que son collègue a reposé.

Et comment as-tu pu te laisser aller comme cela ? Le Steve d'avant était en forme, un sportif accompli.

La voiture vient de franchir le pont. Ils sont désormais sur les routes de l'île d'Orléans. Et Sinatra chante Noël.

Steve se passe un mouchoir sur le front.

— Tu sais qu'on dit que les Canadiens sont des gens sympas, hein ? Bah écoute, si tu veux mon avis, ce Bernard Tremblay n'a pas été conçu dans le même moule. Il n'apprécie pas qu'on vienne piétiner ses plates-bandes, surtout que je ramène un civil. Vaut mieux que tu me laisses parler, OK ?

Noah hoche la tête. Cela lui convient, il ne compte pas intervenir. Là, il pense juste à calmer les tremblements qui secouent sa main droite, et il craint que son cerveau ne lui fasse défaut au moment critique. Cela fait cinq ans qu'il n'a pas mis les pieds sur une scène de crime.

— Bon sang, j'ai honte de le dire, mais je suis excité. Toi et moi, comme au bon vieux temps !

Noah est plus mitigé dans ses sentiments. Une partie de lui sent la flamme se raviver, l'autre est rongée par le doute.

— On vient de passer Saint-Pierre. On y est bientôt, d'après le GPS. Je me demande ce qui nous attend. Ça n'a pas traîné en tout cas. Je crois que la Gendarmerie royale du Canada est intervenue auprès de la Sûreté du Québec.

Noah est préoccupé par autre chose.

— Je trouve étrange que nos noms aient été retrouvés sur la scène de crime, dit-il.

Steve ricane.

— Il faut croire que la dernière affaire a fait de nous des stars !

Elle a surtout fait de moi un légume… et un veuf, pense Noah.

Ils passent le panneau Saint-Pierre et continuent sur la QC-368 avant d'atteindre la ferme Roberge.

« Vous êtes arrivés à destination », informe la voix féminine du GPS, faisant taire Frank en plein *White Christmas*.

Steve pointe du doigt les quatre Dodge Charger de la Sûreté du Québec déjà présents sur les lieux. Il se sert de la lumière des gyrophares pour s'orienter sous le déluge de pluie et se gare sur l'herbe fatiguée.

Une longue silhouette abritée sous un parapluie se précipite vers eux.

Steve coupe le contact et ouvre la vitre de sa portière. La tête de la silhouette s'invite dans l'habitacle.

— Vous êtes bien Steve Raymond et Noah Wallace ?

Steve sort sa plaque de la Vermont State Police.

— C'est bien nous, je suis le lieutenant Raymond, on a fait une longue route !

— Inspecteur Bernard Tremblay. *Crime*, dépêchez-vous bon sang ! Suivez-moi, hurle le policier.

Steve grogne et sort de la voiture, tandis que Noah saisit sa canne en grimaçant.

Un sol humide et spongieux accueille ses pas. La pluie a creusé de larges sillons dans la terre, dans lesquels s'écoule une eau mordorée.

Le policier les invite à le suivre d'un geste de la main puis s'aventure sur le chemin boueux. Steve fait de grandes enjambées pour éviter les flaques dans le vain espoir de protéger son costume. Noah n'a pas la même mobilité que son collègue et se contente de marcher droit. Sa canne s'enfonce et patine. Son visage lutte pour masquer les efforts surhumains qu'il doit déployer afin de suivre les policiers. Un vieillard, déjà, alors qu'il n'a pas quarante ans.

Bernard Tremblay s'arrête devant l'entrée d'un labyrinthe de maïs et sort une boîte de Tic-Tac. Il la tend à Steve qui en prend une poignée, puis à Noah qui décline d'un geste poli.

— Je sais pas pour vous, mais moi, je n'ai jamais vu ça de ma vie ! hurle l'inspecteur Tremblay. *Criss*, un de nos gars a dégueulé.

Noah regarde la grosse goutte de pluie qui pend au bout du long nez aquilin du policier. Elle l'agace, il voudrait l'ôter avec son doigt.

— Il est où, votre cadavre ? demande Steve qui sautille sur place pour lutter contre le froid.

— On n'a pas un cadavre, mais deux. Et c'est pas joli à voir. Le tueur les a placés sous une bâche. Je suppose qu'il tenait à ce que la pluie ne dénature pas son œuvre. Et il a mis ça dans une attraction pour enfants, cet *ostie de fucké* !

Noah fixe l'inspecteur Tremblay.

Son visage est légèrement jaunâtre. Problème hépatique ? Il doit avoir cinquante ans, pas plus. Mais ses cheveux blancs sont déjà ceux d'un vieillard.

Il sort son calepin de sa veste, le protège de la pluie avec une main et de l'autre il griffonne : « Chenu ».

— Il fait quoi, votre collègue ? demande l'inspecteur.

Steve hausse les épaules.

— Vous verrez, il a des tics, mais c'est un as dans son domaine. Le meilleur profileur que je connaisse.

Le visage de Bernard Tremblay se fige et il grimace avant de faire craquer un Tic-Tac entre ses molaires.

— Ouais… c'est ce qu'on va voir. Suivez-moi.

Mais alors que l'inspecteur s'avance dans le labyrinthe de maïs, une violente migraine frappe Noah de plein fouet.

Il saisit sa tête entre les mains, titube, puis se plie en deux.

Non… Pitié, ne faites pas ça… Pas elle, je vous en supplie…

La voix de l'homme a jailli dans son esprit, comme un écho lointain. Puis l'envahit une odeur d'essence, de plastique brûlé et de cochon grillé.

Noah hoquette. De la bile remonte le long de son œsophage et se coince dans le fond de sa gorge.

Il réprime une nausée et se redresse. La voix et les odeurs ont disparu.

— *Crime !* Il est-tu malade votre collègue ?

— Pas vraiment, enfin c'est un effet secondaire des médicaments qu'il prend, répond Steve.

Ils traversent ensuite le labyrinthe et parviennent à une étroite clairière. Une bâche en plastique protège la scène de crime de la pluie. Des policiers encadrent les techniciens qui rangent leur matériel.

Steve fait quelques pas vers les cadavres et plaque ses doigts contre ses lèvres.

— Oh mon Dieu, lâche-t-il.

Noah vomit.

Avanie

Steve porte la main à sa bouche grande ouverte et ses yeux s'écarquillent, mais Noah ne le remarque pas.

Autour de lui, les sons se tordent et s'étirent comme le ferait un enregistrement sur une vieille bande magnétique qui se serait coincée. Un bourdonnement pulsatile s'amplifie puis donne naissance à un acouphène qui siffle dans ses oreilles comme une théière sur le feu. Il décrispe sa mâchoire et fait jouer ses mandibules pour chasser les bruits qui envahissent sa boîte crânienne. En vain.

Il prend un mouchoir dans la poche de sa veste et essuie la bile qui perle à la commissure de ses lèvres. Il relève la tête et prend appui sur sa canne pour se redresser. L'inspecteur Tremblay se tient devant lui, ses yeux bleu-gris sont des phares dans un visage jaunissant. Son nez aquilin et ses cheveux blancs le font ressembler à un rapace nocturne. Ses lèvres bougent, mais Noah ne perçoit qu'un charabia entrecoupé de syllabes.

Ew kew caw vaw mowsieuw wawlawace

La bande magnétique se décoince un peu, le bourdonnement s'éloigne, sa tête se vide.

— Est-ce que tout va bien, monsieur Wallace ? répète l'inspecteur Tremblay.

L'acouphène a disparu. Noah inspire. Il vient d'émerger des abysses.

— Cela va aller. Merci, inspecteur.

Les traits du policier sont durs, accusateurs.

— Ouais… on verra ça.

D'où il est, Noah ne distingue pas encore bien la scène. Mais il a une idée de ce qui l'attend. La pluie diluvienne n'a pas réussi à chasser l'odeur d'essence, de plastique et de chair brûlée.

Steve a déjà franchi la ligne de cordons jaunes qui délimitent le périmètre de l'investigation. Il discute avec un homme, un civil en costume abrité sous un parapluie noir. Près de la bâche, deux agents en parka kaki avec le sigle de la section de l'identité judiciaire dans le dos prennent des photos.

Une main ferme se pose sur son épaule. C'est Bernard Tremblay.

— Avant que vous n'alliez inspecter la scène de crime, je vous rappelle que c'est une enquête de la SQ. Nos techniciens ont déjà ratissé les indices, le coroner a rédigé son rapport préliminaire et il ne reste plus qu'à emballer les corps pour procéder à une analyse approfondie. Je vous donne dix minutes, pas une de plus. Ah oui, et voici la carte postale retrouvée avec vos noms et le nom des victimes présumées. Vous me la restituerez après votre inspection.

Noah prend la carte. Elle est scellée dans un sac plastique transparent. Il chasse les gouttes de pluie d'un revers de manche.

C'est un souvenir du Château Frontenac, à Québec.

Au dos, il est écrit :

« Un cadeau pour Noah Wallace et Steve Raymond
Jean-François Duval et sa fille Élise »

Malgré le scellé, la carte dégage un parfum qui lui est familier.

Il la porte à ses narines.

De la myrrhe.

Noah frissonne. Le tueur laissait toujours de la myrrhe près de ses victimes. Pourtant… il est mort il y a cinq ans. Noah était même aux premières loges.

Un *copycat* ? Non. Ce détail n'était pas connu du public.

Réfléchis, Noah !

Il range la carte dans la poche de son blouson, sort son carnet de notes et progresse vers la bâche. Lorsqu'il pose son regard sur les deux cadavres, il ne voit pas une scène, mais une fresque.

L'une des victimes – certainement Jean-François – est placée la tête en bas, attachée à l'aide de fil barbelé à des planches qui forment une croix inversée. Encore une fois, Noah est frappé par la similitude avec l'ancienne affaire. C'est une offense, une désacralisation. Il griffonne « Avanie » dans son carnet. Face au cadavre de l'homme, une silhouette se tient à genoux, dans une parodie de prière. Mais sa tête n'est plus qu'un morceau de charbon sur un crâne apparent, et un pneu de voiture à demi fondu lui encercle le cou.

Noah progresse encore, il a besoin d'en voir plus. La vérité est dans le détail. C'était le credo de l'Autre, l'homme qu'il était autrefois. Il dépasse Steve, qui est toujours en discussion avec le coroner. Noah remarque que son collègue a collé les quatre phalanges de sa main droite sur sa moustache – c'est le signe qu'il ne supporte déjà plus ce que lui raconte le médecin. Steve n'est pas une créature de scène de crime, c'est un flic du monde des vivants ; efficace pour traquer les failles chez l'homme, vif pour repérer les incohérences et les mensonges, mais incapable de regarder la mort dans les yeux. Noah fixe son attention sur l'homme crucifié et rentre dans une bulle de réflexion que seules les paroles du médecin parviennent à pénétrer.

... section de la sclérotique à l'aide d'un objet tranchant. Le geste est méticuleux, la coupe est droite, mais il s'est acharné au niveau de la caroncule lacrymale. Pour l'arme, je dirais un scalpel ou une lame de rasoir...

Concentre-toi, Noah. L'Autre aurait déjà trouvé. Tu es lent.

Pourquoi ne lui avoir tranché qu'un seul œil ? Pour qu'il puisse continuer à voir, qu'il soit témoin de la suite. Sa fille, Élise, dont la tête a flambé.

... les techniciens ont trouvé des seringues et des capsules de mépivacaïne, avec les diverses marques d'aiguilles sur son corps cela corrobore l'idée que la victime a subi plusieurs anesthésies locorégionales...

Ce n'est pas la douleur qu'il cherche à infliger, pense Noah.

... le pénis a été sectionné...

Puis montré à la victime, conclut Noah dans sa tête. Pas de la douleur, non. Mais une terreur induite par la mutilation. La même façon de procéder que l'ancien tueur.

... il a coupé les os, cubitus, radius, sûrement avec une scie... le tissu musculaire au niveau des

fléchisseurs-pronateurs a été arraché, les mains ne sont plus liées que par l'extenseur commun…

Pourquoi avoir retourné ses mains, puis les avoir attachées à ses bras avec du barbelé ?

… *la peau au niveau des flancs a été retirée*, continue le médecin.

Et fixée aux planches à l'aide d'agrafes industrielles, constate Noah. Quel est le sens ? Que veux-tu exprimer ?

Noah serre les dents. L'Autre aurait trouvé, il aurait extrapolé chaque détail, bâti un scénario. Il aurait vu le tueur, l'aurait entendu penser, l'aurait compris ! Concentre-toi, Noah !

Alors qu'il saisit son carnet, ses mains tremblent à nouveau et son pouls s'accélère.

Son esprit est une eau trouble et calme, et chaque pensée est une goutte qui tombe et en agite la surface. Trop de questions, trop de pensées, trop de cercles sur l'eau.

Il n'entend plus le médecin parler, il ne voit pas non plus la couperose de Steve laisser place à un faciès blêmissant. Pas plus qu'il ne sent le regard appuyé de Bernard Tremblay qui n'a cessé de l'observer comme s'il était une anomalie.

Son esprit s'emplit de brume et les voix surgissent.

Non… Pitié, ne faites pas ça… Pas elle, je vous en supplie.

Papa !

(Hurlements)

Élise !

L'odeur de brûlé, et la sensation de chaleur sur sa peau.

Puis il entend la voix d'un enfant, presque un chuchotement dans son oreille :

C'est un secret. C'est notre secret.

Et une forme nette, lumineuse, apparaît soudain dans les méandres caligineux de son esprit.

Noah ouvre les yeux, sa bulle éclate. Steve s'avance vers lui et l'interroge du regard.

Il lit l'espoir sur les traits de son collègue. Noah sait que Steve attend les révélations de l'Autre.

— Alors Noah ? Qu'en penses-tu ? Tu as vu quelque chose ?

Il secoue la tête.

— Juste un tricycle rouge.

Un simple courriel…

Grumpy a faim. Et comme chaque matin, le chat miaule et saute sur le lit.

Les yeux mi-clos, Sophie l'observe progresser vers sa tête en ronronnant. Elle attend qu'il fourre son museau humide dans son oreille et lui en lèche le lobe.

Elle ne bouge pas, elle voudrait rester encore lovée dans les draps chauds et prolonger sa nuit. Rien que quelques instants, et profiter de ces petits coups de langue râpeuse. Mais dans sa tête, une voix autoritaire lui ordonne de décoller sa bouche humide de son oreiller et de bouger ses fesses. Elle pourrait presque voir la mine réprobatrice de son père et ses gros sourcils se froncer. Et si son chat n'obtient pas satisfaction, elle sait que son prochain stratagème sera de lui mordiller le lobe ou pire encore, d'aller faire ses griffes sur son poster de *Top Gun*.

Et pas question que Grumpy massacre davantage Tom Cruise, surtout qu'il est d'époque.

Sophie bascule sur le côté, s'étire en bâillant, chausse ses pantoufles en fourrure, se lève, met en route la théière posée sur son bureau et lance la playlist de son iPod. Le hasard choisit *It's raining again* de

Supertramp. Une chanson tout à fait adaptée à cette fin de matinée d'automne new-yorkaise.

Sophie traîne ensuite sa langueur en patinant vers la salle de bains. Un endroit dans lequel elle n'a pas prévu de s'attarder, comme chaque matin depuis son retour de Californie. L'eau est trop précieuse et ne doit pas être gâchée. Elle sort de la douche deux minutes plus tard et enfile son t-shirt préféré, sur lequel il est inscrit *No Meat, No Dairy, No Kidding*. Ce n'est pas qu'elle soit une végétalienne militante – même si certains de ses amis la trouvent casse-couilles –, mais elle aime affirmer ses convictions. « Exprime haut et fort tes opinions, fuis les hypocrites et ignore les qu'en-dira-t-on », lui disait son père. Et c'est ce qu'elle a toujours fait.

Deux toasts au beurre de cacahuète plus tard, la voilà assise à son bureau, une tasse de thé Macha fumante posée à côté de la photo de famille : la dynastie des Lavallée au complet devant le chalet de Mont-Tremblant ; même David était présent. Sophie réajuste sa queue de cheval et grimace. Il est onze heures, et une masse de travail l'attend.

Elle ouvre son MacBook – elle n'est pas pro-Apple, mais Charlie l'a convaincue qu'il était plus écologique du fait de ses batteries – et se redresse sur sa chaise. La journée ainsi qu'une partie de la soirée vont y passer. Pas question de chômer lorsqu'on décide d'habiter à Manhattan. Avec un loyer mensuel de deux mille six cents dollars pour son petit appartement au sud de Harlem, elle doit aligner les piges au kilomètre – et les articles sont loin d'être toujours passionnants.

Mais d'abord, trier ses courriels, avant de passer sur son blog pour répondre aux commentaires.

C'est le mail de Charlie qu'elle attend avec le plus d'impatience. Elle est folle de ce type. Son séjour au Farm Sanctuary d'Orland était déjà magique avant sa rencontre ; elle avait pu y partager son amour des animaux avec une grande communauté de bénévoles. Mais depuis que cet Adonis aux faux airs de Brad Pitt avait rejoint le groupe et lui avait souri, l'enchantement était passé à un autre niveau. Et il n'était pas simplement beau, c'était un garçon brillant, réfléchi et sensibilisé aux problèmes de la planète. Bon Dieu, comme elle a hâte qu'il vienne lui rendre visite à New York. Ne serait-ce que pour montrer aux voisins qu'ils ne sont pas les seuls à beugler pendant leurs ébats.

Sophie parcourt ses nombreux courriels à la recherche de Charlie Travis. Son cœur fait un bond lorsqu'elle l'aperçoit. C'est au moins le vingtième sur la liste, mais c'est le premier qu'elle ouvre. Toujours avec un peu d'appréhension. Il s'est écoulé deux mois depuis leur rencontre, et elle craint que l'adage « loin des yeux, loin du cœur » ne fasse d'elle sa prochaine victime.

Ouf. Elle respire. Pas de rupture annoncée à distance, mais un laconique « Je t'aime mon ange » et une photo en pièce jointe.

Elle clique sur le fichier *GoodMorningHoney.png*.

C'est un selfie de son homme, torse nu. Bon, le *duck face* forcé est un tue-l'amour, mais il se rattrape avec le cœur tracé dans le sable en arrière-plan.

Drôle et romantique à la fois. À se demander comment elle a fait pour rester deux ans avec son ex. Rien que de penser à cet intellectuel cynique et égoïste la fait frissonner de dégoût.

Mais bon, c'est de l'histoire ancienne. Et là, rien de tel pour commencer une journée que de se sentir aimée… même si la source de cet amour est située à une distance de quatre mille cinq cents kilomètres.

Sophie passe en revue les autres courriels. C'est son moment préféré. Ce sont principalement des messages de lecteurs de son blog. Elle commence à être célèbre avec ses histoires d'affaires classées et ses théories conspirationnistes. Ce qui est parti d'un travail d'étudiant pour un atelier de journalisme à l'université Columbia est devenu un blog fréquenté. Et la voilà, deux ans plus tard, devant répondre à une armée de fans – et de trolls – qui commentent chacun de ses articles.

Le premier courriel provient d'un Charles Wilkins.

« J'adore ce que tu fais, t'es vraiment la meilleure, je suis ton plus grand fan. J'habite Brooklyn si tu veux qu'on se voie pour discuter… ou autre, laisse-moi un message. Bises, Charles. »

Sophie déplace le mail et l'archive dans le dossier « Psychopathe potentiel ». L'expression « Je suis ton plus grand fan » lui a fait penser à la folle dans *Misery* de Stephen King, qu'elle a eu le malheur de lire à douze ans.

Le deuxième provient de WhitePenis97.

« Salope, je suis sûr que tu prends ton pied dans des gang-bangs de négros. »

C'est élégant, raffiné, la grande classe ! Celui-là, elle hésite. « Raciste » ou « Harceleur sexuel » ?

Allez, ce genre de gars mérite bien sa propre catégorie. Elle crée un nouveau dossier « Harceleur sexuel raciste à petite bite » et y fait glisser le message.

Elle prend une rasade de Macha et sourit.

Blake, son meilleur ami, s'est déjà moqué d'elle et de sa manie de tout conserver. Il pense que c'est une prolongation numérique de son dévouement à la planète. Pas de déchets inutiles, tout se recycle.

Une pièce jointe est attachée au courriel suivant. Un fichier. Onion.

Émetteur : Anonyme.

Message : « Si vous voulez en savoir plus sur Edgard Trout, suivez mes instructions sur le fichier joint. Mais d'abord, commencez par télécharger un navigateur Tor. »

Edgard Trout !

Un journaliste disparu dans les années soixante-dix. Une affaire classée sur laquelle elle enquête. Certes pas aussi célèbre que Seymour Hersh, Trout s'était distingué comme reporter de guerre au Vietnam par son militantisme contre les épandages de gaz orange sur les Vietnamiens. L'expéditeur anonyme avait dû suivre les investigations de Sophie sur son blog.

Pour l'instant, celles-ci patinent. Trout n'a pas donné signe de vie depuis 1977 et personne ne s'est vraiment inquiété de sa disparition.

Sophie hésite, elle connaît le Darknet de réputation. Mais c'est une journaliste, et la curiosité la pousse à aller plus loin.

Alors elle installe le navigateur Tor et clique sur la pièce jointe.

… peut changer une vie

Sophie est fébrile. Elle se mordille la lèvre inférieure et reconnaît cette petite boule au ventre qu'elle ressent chaque fois qu'elle met le doigt sur un indice important. Ses petits paquets-cadeaux, comme elle les appelle.

Et puis, c'est une première pour elle de s'aventurer sur le Darknet, ce lieu mystérieux, le repaire des pirates de l'ère numérique et des rebelles antimondialistes : « cypherpunks » et « cryptoanarchistes ».

Mais aussi des vendeurs d'armes, des trafiquants de drogue, des groupes d'extrême droite, des réseaux pédophiles. Tu devrais être plus prudente et moins naïve, ma Sophie. Sa conscience a encore parlé avec la voix de son père.

Soudain, le doute l'assaille. Et si ce n'était qu'un piège, destiné à lui voler ses données bancaires ? Ou prendre le contenu de son disque dur en otage pour lui extorquer une rançon ? Comme à son habitude, elle s'est précipitée sans réfléchir.

Trop tard pour reculer, désormais.

Et puis il met un temps fou à se déballer, ce paquet-cadeau, se dit-elle alors que le curseur de la souris affiche un sablier depuis dix bonnes secondes.

La page apparaît et Sophie pousse un soupir de soulagement. Elle est totalement blanche, à l'exception d'un vieux réveil au centre. En dessous, un compteur se décrémente.

5'39… 5'38…

OK. « Bon, je n'ai plus qu'à prendre mon mal en patience si je veux mon cadeau », se dit Sophie.

Elle prend une gorgée de thé et…

Dring !

… la sonnerie la fait bondir sur son siège. Grumpy saute du lit et se carapate dans la cuisine. Sophie ferme machinalement son MacBook, comme si le simple fait de regarder cette page était compromettant.

Qui peut bien sonner ? Il est presque midi. Elle considère son ordinateur d'un air suspicieux. Et si…

Non, ridicule. Quel pourrait être le lien entre un clic et… stop ! Sophie, ton imagination s'emballe. Tu regardes trop de films d'horreur.

Elle recule le siège de son bureau, se lève et progresse à petits pas feutrés vers la porte, puis elle jette un coup d'œil à travers le judas.

Personne.

Un frisson lui remonte le long du dos. Mince, c'est louche, quand même.

Réfléchis un peu Sophie, il ne peut y avoir aucun lien entre le fichier et cette sonnerie.

Soudain, un œil apparaît dans le judas.

Son cœur manque un battement et elle pousse un cri de terreur.

— Woh woh ! Hey Sophie, calme-toi, c'est juste nous, fait une voix familière.

Blake !

Sophie se tape le front sur la porte.

Quelle conne tu fais, ma pauvre…

Elle déverrouille les trois loquets, retire la petite chaîne et ouvre.

— Surprise ! crient les deux voix à l'unisson.

Bethany et Blake se tiennent devant elle, tout sourire. Son meilleur ami porte un sac plastique d'où s'échappe un fumet qui la fait grimacer. Du bœuf, du bacon… *Beurk.*

Puis Bethany lui tend un panier en osier garni de tisanes et de pilules.

— Joyeux anniversaire, Sophie !

Elle recule d'un pas, surprise.

— Mais c'est en avril ! proteste-t-elle.

— C'est pour fêter ton émancipation. Cela fait un an jour pour jour que tu as quitté notre super coloc. Bon, on n'a pas été très originaux sur le coup, mais on t'a mis un mot.

Sur une petite carte blanche, il est écrit :

« À Sophie qui nous manque », signé « B & B ».

Elle sourit. Beth et Blake.

— Merci, mais tu sais que ça sonne comme une marque de scotch, votre signature, ironise Sophie.

— *No way,* proteste son ami avant de franchir le seuil de la porte et de s'inviter chez elle. Cela sonne comme un cabinet d'avocats. B & B, ça en jette.

— Ouais, je ne suis pas sûre qu'un informaticien et une actrice forment la meilleure des défenses, mais pourquoi pas !

— Tu vois Sophie, proteste Blake, c'est exactement à cause de ce genre de préjugés que j'ai du mal avec les journalistes. Oh sinon, tu as aussi le bonjour de Mme Lim, tu lui manques beaucoup.

— Sérieux ? Cette vieille bique ne m'a jamais supportée.

— … et je suis sûr que cela n'a aucun rapport avec l'espionnage des voisins ou le crochetage des boîtes aux lettres…

Bethany, restée sur le seuil, consulte sa montre.

— Ouh là, ce n'est pas que je ne vous aime pas, mais je dois filer, sinon je vais être en retard à mon audition. Soyez sages, les amis. On se voit toujours pour le spectacle ?

Du coin de l'œil, Sophie aperçoit Blake enfoncer deux doigts dans sa bouche et faire semblant de vomir.

— Bien sûr ma puce ! Bonne audition et merci pour tout.

Sophie referme puis verrouille la porte.

— Hey, tu n'es pas sympa avec Beth !

Blake ne répond pas, sort son burger du sac et l'agite devant son nez.

— Checke cette merveille, le must de la boulette de viande, tout droit sorti de chez Five Guys… Miam ! Et puis sens-moi ce bacon grillé… et plein de bonnes hormones de croissance pour donner du goût !

Blake plante ses dents blanches dans le burger et s'acharne dessus avec un faciès de requin en pleine frénésie.

— Hey, je ne te fais pas chier avec mes boulettes de pois, alors ne me fais pas chier avec ta viande. Sale tueur d'animaux !

En réponse, il mâche la bouche ouverte.

— Et on dit que les gays sont plus distingués…

— Oh… ce vieux cliché… Tu devrais peut-être t'écrire un mail et ajouter ton message à un de tes dossiers, tu sais celui intitulé « Raciste et Homophobe ».

Sophie lève son majeur en guise de réponse, mais un sourire lui fend le visage.

— Moi aussi je t'aime, ma chérie.

Et Blake lui embrasse le front.

Sophie a à peine posé le panier sur son lit que Grumpy vient jouer les curieux et tourne autour.

— Ah au fait, tu tombes bien… il faut que je te montre quelque chose sur l'ordinateur.

Sophie s'installe et ouvre le Mac. Le compteur s'est transformé en bouton « Continuer ? ».

— Woh, attends, là. Je rêve ou c'est un navigateur Tor ?

— Ouais, longue histoire.

— Bah ça tombe bien, j'ai le temps, chérie. Tu racontes ?

Blake reste silencieux tout au long du récit de Sophie, puis reprend la parole :

— Donc si j'ai bien suivi, un type anonyme t'envoie un fichier .onion suite à un article paru sur ton blog concernant la disparition d'un certain Edgard Trout.

— Oui, j'avais déjà fait des recherches sur lui, je sais qu'il s'est installé dans l'État de New York, près de Plattsburgh, peu de temps avant de disparaître.

— Woh. Alors de deux choses l'une. Soit ce lien est un canular et ce qui t'attend derrière ce bouton risque de te choquer, genre un meurtre ultra gore ou de la zoophilie bien dégueu ; soit t'as mis le doigt sur un truc assez énorme.

— Oui, sinon pourquoi avoir choisi le Deep Web ?

Blake se renfrogne.

— Bon, déjà, ne confonds pas Darknet et Deep Web, s'il te plaît Sophie. Le Deep Web est constitué de tout ce qu'on ne peut pas trouver avec un moteur de recherche classique, alors que le Darknet est un réseau virtuel privé qui peut être créé par n'importe qui, et pas le genre que tu aimerais croiser dans la rue, tu vois ?

— OK, alors je clique ou pas ?

Blake lui sourit, toutes dents dehors.

— T'inquiète, je suis là !

Sophie prend cela comme un oui. Elle place le curseur sur le bouton rouge, se mordille la lèvre inférieure, et clique.

Une vieille photo apparaît au centre de l'écran. En haut à gauche, un compteur commence à décrémenter.

— Bordel, mais c'est quoi ce truc ? lâche Blake.

La photo montre un homme de type afro-américain, vêtu d'une veste en cuir beige. Un micro dans une main et un enregistreur cassette dans l'autre, il pose dans le jardin d'un imposant manoir victorien, que l'on devine en arrière-plan.

— C'est lui ! C'est Trout ! s'emballe Sophie. On dirait qu'il est en plein reportage, il s'enregistre sur un vieux modèle. On ne voit pas bien, un Four star apparemment, mais bon la photo n'est pas super.

— Vache, t'es calée…

— Oui, les seventies et les eighties c'est mon dada.

— Il n'est pas seul. Et si le type qui t'a envoyé ce lien était le gars qui a pris le cliché ? Putain, j'aurais presque préféré que ce soit un canular, lâche Blake.

La photo disparaît au moment où le compteur atteint zéro.

Un bouton « Télécharger » la remplace, ainsi qu'une question.

« Êtes-vous prête à m'aider à découvrir la vérité ? »

Sophie jubile. Elle est sur quelque chose de gros, elle le sent.

Tu vois, papa, je pense que tu seras enfin fier de ta fille, après toutes ces années à critiquer mes choix.

Et elle clique, sans savoir à quel point ce geste va changer sa vie.

Remugles

Noah reste un moment devant la porte de son appartement. Il a peur de rentrer, peur de la nuit blanche qui l'attend de l'autre côté, peur de la sonnerie du lendemain qui le remettra sur les rails de sa vie de simple agent administratif.

Il a échoué. N'importe quel débutant aurait pu déduire que le tueur jouissait de la terreur de la victime face à sa mutilation. Bon sang, il y avait des capsules d'anesthésiant et des seringues sur les lieux. C'était la seule information concrète qu'il avait pu tirer de la scène de crime. Il n'avait rien déduit de plus : juste des sensations diffuses, et rien de tangible mis à part ce maudit tricycle rouge. D'ailleurs, il aurait dû garder cela pour lui. Il voit encore les traits du visage de Steve passer de l'incompréhension à la gêne et de la gêne à la pitié. Son collègue le croit fou, désormais. Non, pire, il le croit malade et il a raison. Quant à ce rapace d'inspecteur Tremblay, il l'avait regardé comme s'il était le dernier des imbéciles.

« Ouais… on verra ça », peut-il l'entendre dire, un Tic-Tac dans la bouche.

C'est tout vu. Qui voudrait de l'infirme timbré sur une scène de crime après ça ?

Réalité : 1, Espoir : 0. Pas de match retour.

Tant pis. Au moins il y a Rachel, une petite lueur dans l'obscurité, un phare dans son monde de brumes.

« *Home sweet home* », murmure Noah, alors qu'il accroche sa canne au portemanteau.

Il retrouve l'appartement tel qu'il l'a quitté. Le repas de la veille est toujours sur la table, une moitié de steak et un reste de purée dans une assiette ébréchée. Un verre de vin californien rempli aux trois quarts côtoie une bouteille presque vide.

Son frigo fait toujours le même bruit d'avion qui décolle. Les pièces vides de meubles et les cartons répartis çà et là puent toujours autant la solitude.

Alors c'est tout ? Tu abandonnes ? Tu crois que l'Autre aurait lâché le morceau ?

J'emmerde l'Autre ! Il n'existe plus.

Noah rit dans l'obscurité.

Peut-être est-ce le stress ? Et s'il n'avait pas tout donné ?

Son esprit s'est montré incapable de cerner les détails de la scène, mais cela ne veut pas dire que l'indice n'était pas là, à son attention. L'autre tueur avait toujours joué avec lui, il lui laissait des messages, il lui parlait à travers ses « œuvres ». Et aussi invraisemblable que cela puisse paraître, ce meurtrier a exactement le même mode opératoire. En toute logique, il aurait dû aussi s'adresser à lui. Il a dû manquer quelque chose, mais quoi ?

Il est peut-être temps de se replonger dans les vieux dossiers, tu ne crois pas, Noah ?

Il jette un regard à l'horloge cerclée de métal posée à même le sol. 23 heures.

Le moment parfait pour tirer avantage de ses insomnies.

Oui, les vieux dossiers, les vieilles notes, les photos, il va tout reprendre depuis le début.

Et il va trouver.

Car lui et l'Autre ne font qu'un.

Noah déplace les cartons vers sa chambre, puis il les pose sur son lit.

Il ouvre le premier carton et saisit le dossier placé en haut de la pile. Sur la tranche, il est écrit : Timothy Carter.

L'unique victime à avoir été retrouvée seule sur la scène de crime. Noah parcourt ses notes. Timothy avait été émasculé, toutes ses phalanges avaient été tranchées une par une. D'après le médecin légiste, il avait même été forcé par le tueur à ingérer tout ce qui avait été ôté de son corps. Il n'y avait pas eu d'allusions à la religion. Pas de profanation, ni de myrrhe. En revanche, un mot tapé à la machine avait été abandonné près du cadavre.

« Puisse ton âme pourrir en enfer. »

Le contenu du dossier est mince. La victime était un concessionnaire automobile auquel on ne connaissait pas d'ennemis déclarés, hormis peut-être sa femme, qui avait demandé et obtenu le divorce dix ans plus tôt. Niveau casier judiciaire, il avait été arrêté pour possession de cocaïne dans une chambre de motel où il avait passé la nuit avec deux prostituées.

À l'époque, Noah n'avait pas pu analyser la scène de crime, car rien ne laissait supposer que le tueur allait frapper de nouveau. Ce cas avait été traité par la police du Vermont comme un cas classique, l'histoire d'une vengeance particulièrement violente.

La piste privilégiée par le sergent chargé de l'affaire avait été celle du crime passionnel.

Il n'y avait pas eu de message non plus.

Ce n'est qu'à partir de la deuxième victime, c'est-à-dire précisément au moment où Noah est entré en scène, que le tueur a commencé à s'adresser à lui.

Noah range le dossier. Sans doute est-il plus pertinent de s'intéresser au moment où le dialogue a été établi.

Noah fouille le carton, saisit puis ouvre le dossier en question : Iris et Lucas Levrault.

Lorsqu'il le prend en main, Noah est pris de vertiges.

Quelque chose ne va pas. Pourquoi cette soudaine odeur de myrrhe ?

Foutus médicaments, foutu cerveau malade ! Vous ne pouvez pas me laisser en paix ? Puis il écarte les pans du dossier et se fige.

Une enveloppe se trouve à l'intérieur, collée sur le carton. Il a beau avoir des problèmes de concentration, des pertes de conscience ou même des difficultés d'élocution, il est certain que c'est la première fois qu'il voit cette enveloppe. Il la détache d'un geste sec et la retourne. Il ouvre la bouche sous l'effet de la surprise. Il écarquille les yeux et, de la main qui ne tient pas l'enveloppe, se les frotte comme pour tenter de faire disparaître ce qu'il vient de voir.

Mais non, il n'a pas halluciné. Son nom est bien marqué dessus, avec la date de la veille, ainsi qu'un simple mot : « Remugles ». Il la porte à ses narines. C'est bien de là qu'émane l'odeur de myrrhe. Puis il réalise.

Le tueur est venu ici, chez lui. Il a glissé cette lettre dans ce dossier. Comment pouvait-il savoir qu'il allait l'ouvrir ? Et surtout, comment est-il entré chez lui ?

Est-il là, à l'observer ?

Son cœur s'emballe.

Noah prend la lettre, quitte sa chambre en boitillant et se dirige vers la fenêtre de sa cuisine. Il ouvre les rideaux en grand. Toutes les lumières sont éteintes dans l'immeuble d'en face. Il regarde dans la rue, mais ne voit rien, hormis un chien errant qui passe sous la lueur d'un réverbère.

Non. Il n'est pas là. Il a dû repartir.

L'esprit de Noah commence à s'embrouiller, il sent les remous agiter ses pensées. Les cercles troublent la surface.

Pas le moment de faire une crise.

Il arrache le papier de l'enveloppe et extirpe la lettre.

Premier constat : elle est tapée à la machine. Pas un traitement de texte. Une vieille machine à écrire.

Noah a la présence d'esprit de saisir son deuxième carnet, celui qui lui sert d'aide-mémoire. Il écrit : « Important : analyser l'encre, le type de papier, le type de machine. » A priori, il opterait pour du ruban carbone.

Puis il repose les deux carnets sur la table de sa cuisine, s'installe dans une chaise et lit la lettre.

Cacochyme

Noah tremble alors que ses yeux se posent sur les premières lignes de la lettre.

« Bonsoir Noah,

J'avoue que je ne sais pas par où commencer.
Tu risques de ne pas le comprendre, mais il suffit d'un mauvais mot pour que tous les efforts mis dans cette lettre soient anéantis.
Je connais l'importance des mots dans ta vie.
Et je sais aussi à quel point tu te sens brisé et perdu. Mais je suis là pour toi, maintenant.
Mon passé et le tien pourrissent dans le même tombeau.
Mais si tu cherches à l'ouvrir, ne sois pas étonné des remugles qui en sortiront.
T'ai-je déjà parlé de ma famille d'accueil ?
Non, c'est vrai, comment aurais-je pu ? Et puis, cela ne fait pas si longtemps que je peux m'exprimer avec lucidité.
Oui, tout comme toi.

D'ailleurs, j'espère que tu trouveras une résonance dans cette petite histoire de ma vie que je vais te raconter. »

Noah pose la lettre sur ses genoux, saisit le verre de vin posé sur la table et boit une rasade avant de poursuivre.

« La femme (appelons-la Sarah) chez qui l'on avait décidé de me placer était une faible.
Si, d'extérieur, rien ne paraissait l'ébranler, je savais qu'il n'en était rien : cette brave Sarah que tout le monde voyait comme une force inexpugnable savait juste habiller sa tristesse d'assurance et farder son désespoir de gaieté. Sous cette carapace, sous la croûte fragile faite de fond de teint et de mascara, tout était fissuré et prêt à s'écrouler.
Il a suffi d'un homme pour la briser : Ted.
La rencontre a eu lieu à une garden-party organisée par la femme du maire, une bigote qui ne pouvait passer un jour sans s'entourer de ses ouailles.
Sarah était déjà perdue dans les vapeurs de l'alcool, vissée aux tréteaux sur lesquels reposaient les saladiers de punch.
Le dandy au délicieux accent britannique l'avait abordée sous la tonnelle.
Prétextant une soif soudaine, il s'était empressé de l'abreuver avec son baratin de dragueur de bal.

Oh, son discours était impeccablement rodé et le jeune blond vénitien n'avait eu aucune peine à la séduire.
De mon côté, j'avais ressenti une répulsion viscérale. Sa tenue beige et blanc du parfait sportif dominical, son sourire qui lui creusait d'adorables fossettes, cet air candide de premier de la classe, rien de tout cela ne parvenait à dissimuler sa noirceur. Pour moi, Ted était une plante carnivore, et Sarah la petite mouche.
Les premiers jours passés en compagnie de cet Écossais rieur furent joyeux, car Ted savait se comporter en gentleman. Mais au bout d'un mois, l'ombre que j'avais perçue nous a enveloppés.
Il disparaissait chaque soir et revenait dans la nuit, la mine déconfite et l'haleine chargée. Il s'apitoyait sans cesse et se plaignait du manque d'argent, arguant que notre famille méritait mieux. Il avait un plan pour nous sortir de notre "misérable condition". Bien sûr, pour cela, il fallait que Sarah reprenne le travail, afin qu'il puisse disposer d'assez d'argent pour l'investir dans son projet.
Teddy était un parasite, attiré par le malheur comme la phalène l'est par la lumière du réverbère. Mais loin de s'y cogner comme l'insecte, il s'y était confortablement lové, et y avait planté ses crocs.
Son projet était simple : il suffisait de gagner au jeu. Poker, Blackjack et que sais-je encore ?

Entre danse et tance, Sarah vivait et respirait au rythme des humeurs de cet alcoolique bestial. Euphorique à l'extrême lorsqu'il gagnait, violent et injurieux lors de ses mauvaises soirées.
Et puis, ils passaient leur temps à hurler et à copuler comme des bêtes enragées. À tel point que je ne savais plus faire la distinction entre les cris de douleur et les cris de plaisir. Mais que veux-tu : elle était accro, elle l'avait dans la peau. Elle le nourrissait, comme une tête gorgée de sang nourrit un pou. Elle se tuait au travail pour qu'il puisse mieux l'abreuver de rêveries fallacieuses et lui donner son saoul de stupre. Et moi dans tout cela ? Un fantôme transparent pour Sarah, une ombre insignifiante pour Ted. J'avais cinq ans lorsqu'elle a fini par se faire exploser la cervelle devant sa coiffeuse. Je n'ai pas pleuré. Ni quand elle est morte, ni quand les "services sociaux" sont venus me chercher.
Voilà, tu es la première personne à laquelle je me confie.
Je t'enverrai d'autres lettres. En attendant, méfie-toi des apparences, Noah. Elles sont trompeuses. Tiens, par exemple. Cette histoire est-elle vraiment la mienne ? Ou encore, sais-tu que tu es sous surveillance ?

PS : D'autres cadeaux vont t'attendre, Noah. Je ne les laisserai pas te retirer l'affaire. Fais-moi confiance là-dessus, mon ami. Ils vont avoir besoin de toi. »

Noah repose la lettre sur ses genoux d'une main tremblante.

Que veut-il dire par « résonance » ?

Cette histoire est-elle aussi la mienne ?

Insinue-t-il que c'est un épisode de mon enfance ?

Surveillé par qui ?

Il a dû avoir accès à mes dossiers médicaux.

Il sait pour l'amnésie qui m'empêche de me souvenir de mon enfance. Aurait-il découvert des faits que j'ignore ?

Et Maggie ?

Ce n'était pas ma faute ! C'était un accident ! Je suis bien placé pour le savoir, avec ces jambes qui me font un mal de chien et mon cerveau en compote.

Il essaie de t'embrouiller. C'est un narcissique manipulateur. Pense comme l'Autre. Défais les nœuds. Réfléchis, Noah.

... Tu étais si brillant.

— Je le suis encore !

Noah a hurlé dans son appartement vide. Les larmes lui embuent les yeux.

— Je le suis encore, répète-t-il dans un murmure.

Pas question d'être pris dans les rets de ce psychopathe.

Il prend son deuxième carnet et un stylo.

« Le tueur a laissé la lettre dans le troisième dossier. Un lien entre Ted, Iris et Lucas ? Femme bigote, mariée au maire. Recoupement ? Vérifier. État ? Vermont ? »

Noah réfléchit.

« Difficile à dire, si ce Ted n'a jamais été retrouvé. Vermont ou État voisin. État de New York ? »

Noah sourit. Il ressent enfin les vibrations de l'enquête. Il a repris sa place de traqueur.

« Garden party. Extérieur. Saison, été ? Accent britannique… Écossais, dettes de jeu. Famille d'accueil. Suicide. "Services sociaux." Pourquoi des guillemets ? »

Une douleur fulgurante lui traverse les tympans.

Suivie d'une pulsation lancinante.

Noah chancelle sur sa chaise et manque de tomber. Il s'agrippe au rebord de la table. Sa vision se brouille et des étoiles scintillantes dansent devant ses yeux.

Trop de questions. Trop de cercles sur l'eau.

La douleur s'estompe, mais pas les pulsations qui s'amplifient dans sa boîte crânienne.

— Noah ?

Son sang se glace. Une voix. Familière.

Il se redresse sur sa chaise. Une silhouette se tient debout dans l'embrasure de la porte de la cuisine.

Il se frotte les yeux. Impossible.

— Maggie ?

Il cligne des paupières. La silhouette a disparu.

L'acouphène s'amplifie.

Noah balaie la cuisine du regard, haletant.

Il n'y a personne. Son traitement lui joue des tours.

— Tout va bien se passer, Noah.

Sa femme est juste à côté. Son visage à quelques centimètres du sien. Belle. Livide. Morte.

Noah lâche son carnet de notes et crie, mais sa mâchoire se crispe.

— Mag…

Les mots refusent de venir. Noah comprend : AVC.

Le téléphone. Vite.

Noah tente de se lever, mais ses jambes se dérobent, il tombe à plat ventre, sa canne roule sur le sol.

— ow sec our, à… aide.

Il rampe, ses ongles crissent sur le carrelage, ses doigts tentent de toucher le bout de la canne.

Sa femme se penche à son oreille. Il sent le froid, le vide.

— Tout va bien se passer, Noah, l'entend-il murmurer.

Sésame…

Sophie approche sa tête de l'écran, comme elle le fait à chaque fois que l'excitation la gagne. Bientôt son père va pouvoir la comprendre, lui qui aurait voulu la voir travailler au *New York Times*. Après tout, pourquoi aurait-il financé ses études à la prestigieuse université Columbia pour moins que cela ? Blogueuse à la recherche de la vérité ? Très peu pour lui, il était presque aussi cynique que son ex sur ce point. Pourtant, elle n'avait fait que suivre certaines des valeurs qu'il lui avait inculquées.

— Hey, s'il te plaît, je ne vois rien là, proteste Blake.

Sophie marque une pause avant de reculer. Elle est hypnotisée par l'écran.

— Désolée, mais tu crois que ça pourrait être un virus ? Et pourquoi c'est si long ?

Blake hausse les épaules.

— Je serais quand même étonné. Il t'aurait déjà piégée au premier clic. Pour la longueur, je pense qu'il tente de joindre des adresses relais, il y a sûrement du cryptage aussi derrière. Cela me paraît bien sophistiqué, d'ailleurs, comme procédé. Pourquoi tant de mystère ?

— Tu sais, Blake, ce reporter a quand même disparu sans laisser de traces, et sans que cela fasse le moindre remous dans les médias.

— Oui, c'est bien cela le problème… ça a l'air dangereux.

Sophie se tourne vers lui et lève ses mains vers le plafond.

— C'est pas possible, tu parles comme mon père !

Blake esquisse un sourire moqueur.

— Un homme d'une grande sagesse, sans doute. Il faudra que tu me le présentes.

Sophie grimace.

— Oui, un type charmant qui t'apprécierait beaucoup… enfin si tu étais moins noir et plus hétéro.

Blake rit, puis sa mine se renfrogne.

— Non, attends, tu ne vas pas me dire que ton père…

Sophie lève son index pour couper court à la discussion.

— Stop. Je préfère ne pas en parler, hein. Déjà qu'il me fait la gueule depuis que je fais cuire mon tofu à part sur le barbecue…

Blake étire ses jambes et soupire.

— Je ne peux pas lui en vouloir pour celle-là. Raciste, homophobe… mais carnivore, tout n'est pas à jeter chez ton paternel.

— Bon, et si on revenait au fichier ? Tiens, regarde, ça y est, il est disponible. On va pouvoir l'ouvrir.

La page du navigateur vient de changer. « Jenny1973 » s'affiche au centre, à côté d'un nouveau compteur.

Blake montre l'écran du doigt.

— Woh, note ça. J'imagine très bien le type te donner une clé de décryptage et faire disparaître la page une fois le temps expiré.

Sophie tape son index sur son front.

— Pas besoin de noter, j'ai quand même assez de mémoire pour retenir ce truc.

— Allez, ouvre donc ce fichier…

Sophie navigue et sélectionne le « .rar » qu'elle vient juste de télécharger.

À l'ouverture, un mot de passe est requis.

— Tu vois, je te l'avais dit, fanfaronne Blake. Une clé.

Sophie saisit « Jenny1973 » et dit :

— Sésame…

Elle grogne et lâche un soupir qui fait trembler ses lèvres.

Déception. C'est un simple fichier texte, nommé laconiquement : Edgard Trout.

Elle l'ouvre d'un clic de la souris et lit le contenu à voix haute.

> « Sophie. J'ai besoin de vous pour découvrir ce qui est arrivé à Edgard Trout. J'ai parcouru votre blog et d'après ce que j'ai pu lire, je pense que vous êtes sérieuse et que vous allez jusqu'au bout des choses. Et puis surtout, vous êtes peut-être la seule personne à vous intéresser à lui. La photo que je vous ai fait parvenir est la seule piste matérielle en ma possession, toutes les autres ont été effacées ou détruites. Outre le fait qu'il a disparu, sa maison a été pillée. Sachez aussi que je ne peux vous révéler mon identité pour le moment.

Pour votre bien comme pour le mien. D'ailleurs, ne contactez pas la presse ni la police. Et ne parlez de ceci à personne d'autre. Je n'ai moi-même pas d'autre choix que de rester dans l'ombre. Si j'ose réclamer votre aide, c'est que vous n'êtes pas encore surveillée. Et si vous restez prudente, vous n'attirerez pas leur attention. Je ne sais pas qui ils sont, mais ils sont dangereux. Alors j'insiste. Si vous sentez venir le moindre danger, arrêtez tout de suite. Je vais maintenant vous révéler une information qu'il m'est impossible d'exploiter dans ma position actuelle. Edgard Trout enquêtait pour le compte d'un certain Giovanni Napolitano, affilié au célèbre Dominick Napolitano. Tout ce que je sais, c'est qu'il a pris part à l'opération Donnie Brasco. Après avoir arrêté son métier de reporter, Trout était devenu détective et s'était spécialisé dans la recherche des personnes disparues. Giovanni Napolitano voulait retrouver quelqu'un et je pense que Trout est mort à cause de cela. Le problème, c'est que Napolitano est introuvable. Peut-être est-il sous la protection du gouvernement ? J'ai l'impression de jeter une bouteille à la mer en vous écrivant, mais vers qui d'autre puis-je me tourner ? Si vous trouvez Napolitano, peut-être pourrez-vous remonter la piste jusqu'à Trout. »

Sophie expire en faisant trembler ses lèvres.

— Woh. C'est du lourd, finit-elle par dire, en laissant tomber ses bras le long de la chaise.

Blake la regarde en secouant la tête.

— De mieux en mieux… Deep Web, mafia italienne… C'est quoi la prochaine étape ? Un complot des Illuminati ?

Sophie ne répond pas. Elle fixe un point sur le mur.

Est-ce un canular ? Pourquoi se serait-il donné autant de peine si c'était le cas ?

Non. Il y a quelque chose là-dessous. Une pépite. Mieux encore, une bombe. Le genre d'investigation qui pourrait…

Blake place ses mains en porte-voix.

— Blake à Sophie… Blake à Sophie… Votre meilleur ami vous parle, je répète, votre meilleur ami vous parle.

— Désolée, je réfléchissais. Merde, qu'est-ce que je dois faire ?

— Déjà, tu vas transférer le fichier .onion sur ma boîte mail. Pour le reste, j'espère que tu n'es pas sérieuse ? Tu oublies ce que tu as vu !

Sophie ferme le navigateur d'un clic.

— Woh ! Attends, c'est qui ce canon en fond d'écran ? s'exclame Blake.

— C'est mon mec, c'est Charlie.

— Merde, pourquoi cet Adonis est hétéro ? Ce n'est vraiment pas juste.

— Et vegan, ajoute-t-elle, un sourire en coin. Voilà, je t'ai transféré le truc. Bon, il ne me reste plus qu'à passer un coup de fil pénible.

Elle se lève et repousse sa chaise.

— Pénible à quel point ?

— Au point de revoir mon ex. Mais je crois qu'il peut m'aider sur le coup.

Blake grimace de dégoût. Au même moment, Grumpy saute sur ses genoux et ronronne.

— Tu sais que tu es le seul gars à qui il fait ça ?

— On se comprend entre carnivores, répond-il en lui caressant le cou.

Sophie ne relève pas.

— Ça me coûte autant que de bouffer un steak saignant, mais je n'ai pas le choix. Il faut que je lui parle.

Blake embrasse la paume de sa main et expédie un baiser virtuel en direction du fond d'écran.

— Elle va se remettre avec son méchant ex petit ami, et tu seras mien, mon beau Charlie.

Sophie lui écrase le pied d'un coup de talon.

— Dans tes rêves, Blake.

— Aïe, si on ne peut plus plaisanter ! Psychopathe, va !

Puis il plante ses yeux dans les siens sans lui sourire.

— Tu ne vas pas m'écouter, hein, petite sotte. Tu vas continuer.

Sophie hoche la tête et prend le téléphone portable posé sur le bureau.

Elle cherche le nom qu'elle n'a toujours pas effacé de sa liste de contacts.

Benedict Owen.

Elle appuie sur la touche verte, puis elle se demande jusqu'à quel point le « préféré » de son père lui tient encore rigueur pour l'humiliation qu'elle lui a infligée le soir de leurs fiançailles.

… ouvre-toi

Blake est parti et Sophie lambine devant l'écran sans pouvoir avancer dans son travail. Elle accumule du retard sur son article consacré à la prolifération des cafards dans le quartier de Hell's Kitchen. Tant pis, celui-là sera bâclé. Elle n'a même pas pris la peine d'aller sur place et d'interroger les habitants. Une honte.

Benedict ne devrait plus tarder maintenant. Elle avait hésité entre venir le voir à son bureau et l'inviter chez elle. Elle avait tranché en faveur de la solution qui ne l'obligerait pas à sortir par un temps pluvieux et lui permettrait de continuer à avancer sur ses dossiers. Son ex avait accepté sur-le-champ, sans l'ombre d'une protestation. Chose encore plus étonnante, il avait même eu l'air heureux qu'elle le contacte. Pourtant, la dernière fois qu'elle l'avait vu, c'était devant une vingtaine de convives et cela ne s'était pas bien passé.

Sauf qu'elle n'avance pas. Elle est bloquée depuis une heure sur la même phrase. Toutes ses pensées sont accaparées par l'affaire Trout et ce qu'elle va devoir demander à son ex petit ami. Elle va devoir lui mentir, une fois de plus.

La sonnerie l'extirpe de son flegme.

Benedict.

Elle s'électrise sur le siège.

Puis elle se lève.

Elle ouvre la porte et pendant un court instant, elle croit revivre une scène de son passé : son homme, le visage hâlé, tout sourire, élégant dans un costume sans plis, qui apporte le repas du soir.

— Salut Benedict, merci d'être venu.

Par réflexe, elle détourne ses yeux des siens. C'est un piège dans lequel elle est tombée plus d'une fois. Ce regard perçant et autoritaire. Il lève les paquets et elle y reconnaît le logo de « by CHLOE », son restaurant végétalien préféré.

— J'ai pris deux Guac burgers et des frites de patate douce, j'espère que je ne me suis pas trompé.

Non. Il a même tapé dans le mille. Et il a dû faire un détour par Soho pour aller les chercher, en plus.

Mais elle ne le lui montre pas.

— Merci, il ne fallait pas, c'est gentil, dit-elle en baissant le regard.

— Je me suis dit que tu aurais faim, il va être 17 heures. Tu permets que je rentre ?

— Oui, bien sûr.

— Tiens, ça sent le bacon ? Tu as changé de régime ? fait-il remarquer.

— Non, c'est Blake, il est venu me voir ce midi.

Benedict hoche la tête en silence. Ils n'ont jamais été amis tous les deux.

Il pose ensuite les sacs sur la table et sa veste de costume sur le lit. Son regard s'attarde sur le panier apporté par Beth.

— Tiens, t'as eu droit à un cadeau… C'est signé B & B.

— Beth et Blake.

Benedict ne relève pas.

Sophie marque une pause. Il faut qu'elle crève l'abcès avant qu'elle ne lui demande le service qui risque de le mettre dans une situation délicate.

— Je suis désolée, Benedict. Pour ce qui s'est passé au restaurant.

— Écoute, c'est derrière nous. Tu n'étais pas prête, je peux comprendre. Tu avais de la pression de ma part et de la part de ton père. Je t'en ai voulu, bien sûr, mais j'ai pris sur moi. Tiens, comment va Louis-Philippe, à propos ?

Sophie sourit.

— Toujours à demander des nouvelles de son gendre préféré et me supplier de retourner avec lui.

Elle a parlé trop vite. Elle n'aurait jamais dû dire ça.

Benedict esquisse un sourire amer. Puis il se dirige vers la table et tire une chaise.

— Bon, ne tournons pas autour du pot, je te propose qu'on s'attaque à la chose « urgente qui ne peut pas attendre » dont tu m'as parlé au téléphone. On en discute en mangeant, ça te va ?

Cela lui va très bien. Avec tout le temps passé avec Blake sur l'affaire, elle n'a rien dans le ventre, à part un thé Macha.

Elle saisit la chaise de son bureau et le rejoint.

— Tu t'es mis au végétalien ? demande Sophie.

— J'ai voulu essayer, je mange de tout, tu sais ? Bon alors, qu'est-ce que tu veux de moi ? J'imagine que c'est en rapport avec ton… blog.

Sophie tique. Tout se passait pourtant si bien, et il a suffi qu'il prononce « blog » avec cette pointe de condescendance qu'elle lui connaissait pour tout foutre en l'air. Le vrai Benedict n'était pas si loin, finalement.

— Je mène une enquête sur les vieux dossiers criminels de New York, ment-elle. Et j'ai besoin de conduire un entretien avec un type actif dans ces milieux-là dans les années soixante-dix.

Benedict prend une bouchée de burger et hoche la tête pour l'inviter à continuer.

— Tu connais le dossier Donnie Brasco ?

Il arrête de mâcher et pose son burger sur la table.

— Attends, tu parles bien de l'histoire de la famille Bonanno infiltrée par Joseph D. Pistone, la légende du FBI ?

Sophie hoche plusieurs fois la tête et pique une frite de patate douce dans le paquet.

— C'est une vieille histoire et on parle d'un dossier qui relevait du FBI et non du bureau du procureur. Que veux-tu au juste ?

Sophie réfléchit. C'est le moment délicat.

— Le parrain de l'époque, celui qui s'est fait assassiner pour avoir laissé un agent du FBI infiltrer la famille, s'appelait Dominick Napolitano. D'après… mes sources, il aurait un cousin nommé Giovanni Napolitano. Il serait peut-être sous protection du gouvernement ou sous un programme de protection des témoins. J'aurais besoin de lui parler. C'est le reportage de ma vie, Benedict, le genre qui pourrait m'ouvrir les portes du *New York Times*, baratine-t-elle.

Benedict engouffre la dernière bouchée et s'éponge les lèvres avec une serviette en papier avant de s'exclamer :

— Eh ben ! Je ne m'attendais pas à ça.

— Alors, tu peux m'aider ou pas ?

— Sérieux, tu as conscience de ce que tu me demandes ? Je suis l'assistant du procureur, pas David Copperfield !

Il a haussé le ton. Un autre travers vient de refaire surface, réalise Sophie.

— Écoute, je te demande juste de te renseigner, tu connais des gens importants, je le sais. Pourrais-je déjà au moins savoir si le type est vivant ?

Benedict lâche un soupir.

— Ça, je peux essayer de le savoir tout de suite. Tu permets que je t'emprunte ton ordinateur ?

— Oui, vas-y, je t'en prie, lui répond Sophie avant de replacer la chaise du bureau.

Benedict s'installe et ouvre le MacBook.

Il reste un moment immobile, ses mains figées sur le clavier.

— C'est qui, le hippie blondinet en fond d'écran ?

Sophie baisse la tête et lâche un *fuck* silencieux.

— C'est Charlie, j'étais avec lui en Californie l'année dernière.

Il n'a pas besoin de savoir qu'ils sont encore ensemble, se dit-elle, un peu honteuse de le manipuler.

Benedict ne répond pas et commence à taper sur le clavier.

Sophie reste à table et mange le burger auquel, trop occupée à parler, elle a à peine touché.

— Il est vivant. Par contre, il va falloir que je passe quelques coups de fil. Et le résultat n'est pas garanti. Le gars avait un contrat sur sa tête. Tu as une carte de presse ?

— Oui, je suis journaliste, même si je ne suis pas aussi connue que le voudrait mon père.

— Je peux te poser une question ?

— Oui, bien sûr.

— Ce hippie-là, tu es encore avec ?

Bon. Celle-là, il fallait s'y attendre, se dit Sophie.

— Oui, on est ensemble.

Benedict grimace.

— Tu vas quand même m'aider ? demande-t-elle.

Il plante ses yeux bleus dans les siens.

— Tu sais Sophie, contrairement à toi, je n'ai qu'une parole.

Catharsis

Noah fait passer son nouveau téléphone d'une main à l'autre.

Cet objet qu'il a toujours refusé de posséder pourrait bien lui sauver la vie à la prochaine crise. Et puis, Rachel a insisté pour qu'il l'achète. Comment pouvait-il dire non ?

— T'as quoi aux jambes ?

Noah lève la tête.

C'est une petite fille aux grands yeux qui vient de lui parler.

Il ne répond pas tout de suite, il l'observe, elle a un léger strabisme, serre une peluche sous son bras droit et entortille une mèche de ses cheveux blé-or autour de l'index de sa main gauche. Non, se dit Noah, ce n'est pas elle qui vient consulter. Son regard oblique alors vers la femme assise à côté d'elle.

Sa mère, sans doute.

Elle est mince, presque sèche, ses mains osseuses ne tiennent pas en place, tantôt elle fait jouer ses doigts sur la jupe de son tailleur comme s'il s'agissait d'un tambour, tantôt elle se gratte le lobe de l'oreille ou saisit le bout de son nez entre son pouce et son index.

C'est elle qui vient consulter.

Il désigne la canne posée sur sa chaise.

— Tu vois ça ? répond-il. C'est une canne magique, grâce à elle je n'ai pas mal.

Enfin, c'est surtout grâce aux antidouleurs qu'il ingère toute la journée quitte à bousiller son foie et ses reins, mais il lui épargne ce « détail ».

La petite fille hoche la tête et lui sourit. Sa mère n'a même pas réagi, son regard fixe le mur depuis qu'elle est arrivée.

— Ils sont mignons les enfants, non ? commente Rachel.

Noah se tourne vers son amie.

Elle est la seule conclusion positive à son épisode d'AVC. Rachel était venue dès le lendemain lui rendre visite à l'hôpital. Il était devenu plus qu'évident pour lui que cette fille n'était pas une simple relation de bureau. Elle tenait à lui. Et là, elle l'avait accompagné à son rendez-vous chez la psychiatre, comme elle l'avait aussi accompagné chez le neurologue. Ce soir, ils doivent dîner ensemble à la Tratoria delia, son restaurant préféré à Burlington. Il a réservé une table près du feu de cheminée. Il a hâte de lui faire découvrir la finesse des *insalate di stagione*, et la tendresse du *filetto di manzo al barbera*.

Alors, certes, il n'a pas été aussi véloce que l'Autre, mais les choses semblent bien engagées pour la suite.

Malgré tout, une étrange question flotte comme un nuage gris dans ses pensées. Une tache dans ce tableau presque idyllique. Maggie serait-elle d'accord ?

— Monsieur Wallace ? interroge la secrétaire.

Noah saisit sa canne. Rachel hoche la tête.

— Je ne suis pas inquiète, cela va bien se passer, dit-elle.

C'est sûr, cela ne pourra pas être pire que ma visite chez le neurologue, se dit-il en entrant dans le grand bureau.

Le docteur Elizabeth Hall l'attend debout comme à son habitude, et se précipite vers lui la main tendue, un sourire dévoilant de parfaites dents blanches.

Dommage qu'elle soit botoxée, se dit Noah, c'est une superbe femme.

— Bonjour Noah, contente de vous voir. J'ai appris pour votre accident cérébral. Si vous voulez en parler pendant cette séance, sentez-vous libre.

— Bonjour, docteur Hall. Je n'ai pas de séquelles, j'ai eu de la chance. Tout va bien.

Si l'on exclut, bien sûr, la petite tumeur que le scanner a révélée, mais dont il préfère ne pas faire mention.

La psychiatre l'invite ensuite à prendre place sur le divan pendant qu'elle s'installe dans le fauteuil. Elle saisit son carnet de notes et croise les jambes.

Avant de s'allonger, Noah observe à travers la fenêtre les trois enfants qui jouent dans les feuilles mortes tombées des arbres bordant Pearl Street. L'automne touche à sa fin, et l'hiver sera long, se dit-il.

Une fois lové, il entame son monologue habituel. La traque du tueur, la capture de Maggie, la course-poursuite en voiture, les tonneaux. Comme à chacune des séances, il se demande ce qu'elle recherche dans la reviviscence de ses souvenirs. Est-ce la meilleure façon de traiter son stress post-traumatique ?

Puis elle parle à son tour et part dans son discours sur la fatalité, la culpabilité, le lâcher-prise, l'acceptation de soi. Pendant une dizaine de minutes, c'est Elizabeth la psychologue qui parle. Elizabeth la psychiatre se contentera de lui signer une prescription pour ses petites pilules à la fin de la séance. De quoi l'assommer et soulager ses angoisses.

Mais après tout, il n'en demande pas plus.

Noah n'écoute que par bribes. Son regard a déjà glissé vers son décolleté. Il s'attarde sur la poitrine large et opulente prisonnière de la chemise blanche. De faux seins, gonflés aux silicones, il se demande si la cicatrice est apparente.

Puis il oblique ailleurs, d'abord sur la lourde bibliothèque qui occupe toute la surface du mur derrière le bureau, ensuite sur le vase en céramique et les cinq roses qu'il contient, puis enfin sur le cadre posé à côté de l'écran. Malgré l'angle et le trait lumineux blanc qui masque une partie de la photographie, il distingue le docteur et son mari.

Un raclement de gorge le ramène à la réalité.

Les joues de la psychiatre sont empourprées, aurait-elle remarqué son regard insistant sur sa poitrine ?

— J'ai noté que vous avez parlé de Maggie avec plus de légèreté que lors de nos séances précédentes. Pour moi, il s'agit d'un grand pas.

— Croyez-vous au surnaturel, docteur Hall ?

Le sourire mécanique de la psychiatre laisse place à une mine circonspecte.

— J'ai peur de ne pas comprendre, monsieur Wallace.

Noah hésite, mais il a besoin de se confier. Pas à Rachel, c'est encore trop tôt.

— J'ai vu… ma femme, Maggie, juste avant de faire mon attaque. Je l'ai vue comme je vous vois.

Noah peut presque distinguer les rouages s'animer dans la tête d'Elizabeth Hall. Et il anticipe déjà sa réponse rationnelle.

— Eh bien, ce ne serait pas étonnant qu'une réaction à un grand stress puisse causer ce genre de vision. Dans ce cadre particulier, cette apparition pourrait être une catharsis au sens freudien du terme. Cette manifestation, cette vision de votre femme serait une émanation de votre psyché, née d'une prise de conscience de votre traumatisme causé par son décès brutal. Cette… vision, vous a-t-elle parlé ?

Tout va bien se passer, Noah.

— Non, ment-il. C'était juste une vision, vous devez avoir raison.

La psychiatre hoche la tête. Heureuse de son interprétation, contente qu'une réponse rationnelle puisse satisfaire une question qui l'est beaucoup moins.

— Bien, je crois que notre séance s'achève. On se revoit dans trois semaines, monsieur Wallace.

Noah s'apprête à s'extirper de la tiédeur du divan, mais se fige dans son mouvement. Puis il fixe la psychiatre.

— Il va réussir, dit-il.

— Je vous demande pardon ?

— Votre mari. Il va le battre, son stade 4. Ne vous inquiétez pas, il va survivre à son cancer.

Il se lève, prend sa canne et observe le visage de la psychiatre passer de l'incompréhension à l'étonnement. Puis il la voit fondre en larmes.

— Bonne journée, madame Hall.

Noah sourit. Il vient de réaliser qu'il possède peut-être un « truc » que l'Autre n'avait pas. Quelque chose qui lui permet de deviner à l'avance le coup de téléphone qu'il reçoit alors qu'il sort du bureau.

Il n'a même pas besoin de regarder le nom qui s'est affiché. Il décroche et dit :

— Salut Steve, j'imagine que tu passes me prendre ?

Vésanie

Le SUV s'arrête sur l'aire de stationnement située aux abords du centre nautique de Lac-Beauport.

Steve tire sur la poignée du frein à main, saisit le gobelet Tim Hortons, prend une rasade de café froid et secoue sa tête de morse en grimaçant.

— Foutu café canadien, s'exclame-t-il avant de broyer le carton et de le jeter sur le siège arrière.

Puis il frotte ses globes oculaires irrités par la fatigue. Des cernes noirs lui encrent le bas des yeux et ses paupières sont gonflées ; stigmates d'un trajet fait d'une traite depuis Burlington alors qu'il venait déjà de passer une nuit blanche au bureau.

Il se tourne vers Noah.

— Bon, j'espère que t'as le ventre bien accroché. D'après le père Tremblay, c'est plutôt dégueulasse.

Comme si les autres ne l'étaient pas, pense Noah.

Et puis, il n'a jamais eu peur des cadavres. Les vivants sont bien plus effrayants à ses yeux, il sait lire les expressions de leurs visages et décrypter leurs gestuelles, mais sa perception ne s'aventure jamais au-delà de la surface, dans les abîmes de leurs personnalités profondes, là où les monstres sont tapis.

Les deux portières claquent de concert alors qu'ils sortent de la voiture.

Steve se frotte les mains, les place sur ses lèvres et souffle dessus afin de les réchauffer.

— Je hais le mois de novembre, peste-t-il. Foutu automne canadien, j'aurais dû prendre des gants.

Noah ne relève pas. Il s'appuie sur sa canne et avance vers les trois Dodge de la SQ garés en oblique sur la route.

Les bandes jaunes « Police » clôturent l'accès au centre nautique. La bâtisse principale, un grand chalet de bois, est visible en contrebas, à quelques mètres seulement de la chaussée. Deux barques sont arrimées aux pontons et quelques kayaks gisent sur le sable mouillé. Les policiers de la SQ et les techniciens de la SIJ sont agglutinés sous le balcon du chalet.

Vu d'ici, le lac est paisible en cette pâle fin de journée d'automne. La lueur du ciel crépusculaire filtrée par les feuilles des érables fait danser des couleurs jaspées rose et or sur ses eaux chromées et un mince filet brumeux glisse sur sa surface comme un souffle spectral.

Noah serre les dents lorsqu'il aperçoit la longue silhouette de l'inspecteur, obombrée par le contre-jour de la lumière vespérale.

Le Chenu affiche une mine revêche. Ses yeux de vautour nichés sous d'imposants sourcils blancs sont fixés sur lui.

— Merci d'être venus, mais encore une fois vous êtes lents à la détente. Mon équipe s'impatiente. Suivez-moi.

Steve ouvre la bouche puis se ravise. Noah le connaît assez bien pour savoir qu'il est comme une cocotte sur le feu. La prochaine remarque de Tremblay risque de mal passer.

L'inspecteur fait coulisser la porte grillagée qui donne accès au centre.

— Trois cadavres cette fois-ci. Ils sont facilement identifiables, le tueur a laissé leurs habits et leurs affaires bien en évidence. Heureusement pour nous, vous allez vite comprendre pourquoi, dit-il. Puis il descend les escaliers en bois qui mènent à la plage.

— C'est comme cela qu'il fonctionne, vous ne trouverez pas d'indices, intervient Noah. Il ne vous laissera voir que ce qu'il veut bien montrer. Il veut vous faire connaître l'identité des victimes, c'est important pour lui.

— Ouais… on verra ça, répond le rapace, en braquant sur lui un regard noir.

— Il n'a pas tort, ajoute Steve. L'autre tueur procédait de la même façon. Pas de traces, pas d'ADN. Ce sont malheureusement des rusés, ces types. Des gens doués… dans leur domaine.

Tremblay hausse les épaules et se tourne vers eux. Une froide détermination brûle dans son regard acéré.

— Chaque puzzle a sa solution, monsieur Raymond. Et les casse-tête, c'est plus qu'un métier, c'est ma passion.

— Justement, je serais curieux de connaître votre théorie et d'en savoir plus sur vos découvertes. Qu'ont donné les analyses faites sur la première scène de crime ? Avez-vous trouvé un lien avec les victimes ? demande Steve.

— Nous allons en parler, c'est prévu, répond Tremblay. Pour l'instant, comme convenu, vous allez pouvoir analyser la scène. On se rejoint après, pour mettre nos infos en commun. Et cette fois-ci, j'aimerais avoir quelque chose de votre part de plus consistant qu'un tricycle rouge.

Noah l'espère aussi, d'autant qu'il se sent plus en confiance que la dernière fois. Depuis l'AVC, ses tremblements ont diminué.

Steve lui met la main sur l'épaule et lui souffle à l'oreille.

— Cloue le bec à ce connard prétentieux, fais-le pour moi, Noah.

Les trois hommes progressent à présent vers la scène.

— D'après le coroner, le décès date de la nuit dernière. Les trois victimes ont été endormies à l'aide d'un sédatif, puis transportées jusqu'aux berges. Il les a réveillées puis il a fait… son truc.

— Ils n'ont été découverts que maintenant ? demande Noah.

— Le tueur a caché les corps sous une bâche en plastique, c'est un ado qui a eu la curiosité de regarder en dessous. Le pauvre gamin est bon pour une thérapie… Ah, avant que j'oublie. Le tueur a encore laissé un mot doux. Pour Noah seulement. On dirait qu'il vous boude, lieutenant Raymond.

L'inspecteur tend alors une lettre sous scellés plastique à Noah.

— Vous pouvez la lire, mais sans ouvrir. Cela évitera qu'on retrouve vos empreintes dessus.

Noah chasse les quelques grains de sable sur le plastique et pose son regard sur le mot.

> « J'espère que cela va mieux, Noah. Il est important que tu restes en bonne santé. Sans toi, tout ceci n'aurait aucun sens. J'ai besoin de toute ton attention et je compte sur toi pour lire entre les lignes. Tu en es capable. À bientôt. »

Quelque part, cette lettre confirme son ressenti. C'est le tueur qui l'a sauvé de son AVC. Il l'observait ce soir-là.

Noah rend le scellé à l'inspecteur.

— Lors de notre petite discussion, il va falloir m'en dire plus sur vos échanges épistolaires. Il ne fait pas que vous narguer, il y a un lien fort entre vous.

Noah secoue la tête.

— Ce ne sont pas des échanges, inspecteur, je n'ai écrit aucune lettre. Ah oui, avant que je m'attaque à l'analyse de la scène, je pourrais avoir le nom des victimes et leur âge ?

— Yves Coté, soixante-dix ans, son fils Raphaël Coté, quarante-sept ans, et son petit-fils Sylvain Coté, vingt-cinq ans.

— Yves n'avait pas d'autres enfants ? demande Steve.

— Il faudra vérifier plus en profondeur dans les fichiers, mais d'après une première analyse, Raphaël serait son seul enfant. Sylvain a une sœur de quinze ans, Chloé, mais elle est chez sa mère. Les parents sont divorcés.

La profession de l'aîné serait une donnée intéressante, mais il pourra l'avoir après l'inspection. Il est temps pour lui de se confronter au puzzle laissé par le tueur.

Alors que Steve et Bernard Tremblay discutent encore, il se détache du groupe et progresse vers la scène de crime.

Lorsque ses yeux se posent sur les cadavres, Noah sort son carnet et griffonne : « Vésanie ».

Hubris

Oui. La folie, c'est la première impression qu'il ressent. Elle est presque palpable et colle à la peau comme une fine couche de poisse. On la lit dans les regards des policiers et des techniciens, on la sent s'infiltrer dans la chair et les os.

La main droite de Noah se crispe sur le pommeau de sa canne.

Il n'a pas le droit à l'erreur, cette fois-ci. Et ce n'est pas pour apaiser les doutes du Chenu ni pour revoir naître l'admiration dans le regard de Steve qu'il doit réussir. Non, c'est pour prouver à l'Autre qu'il est à la hauteur, qu'il peut continuer sans lui.

Alors il va repousser ses limites, puiser dans ce qui lui reste de matière grise, quitte à emballer la machine, quitte à…

Tout va bien se passer, Noah.

Il ferme les yeux et inspire. Puis il expire et ouvre les paupières. Il contourne ensuite un groupe de trois policiers afin d'avoir un meilleur angle de vision.

Une fois sur place, il coince le bout de son nez entre son pouce et la deuxième phalange de son index puis il bloque sa respiration ; cela stimule sa concentration.

Ce sont les deux victimes à genoux qu'il voit en premier. Les corps sont nus, leurs têtes sont orientées vers le ciel de manière à ce que leurs cous forment un angle droit avec l'axe de leurs troncs. Leurs bras sont tirés vers l'arrière presque au point de disloquer leurs épaules, leurs poignets sont cloués à leurs chevilles. Le ventre du plus jeune, Sylvain Coté, est comme un ballon prêt à exploser. L'autre a une partie de la boîte crânienne manquante ; quelques bouts de cervelle sont collés au sol.

Des prêcheurs ?

Non, c'est trop évident. Le tueur lui a dit de lire entre les lignes, il ne faut pas qu'il tire de conclusions trop hâtives.

Noah expulse l'air accumulé dans ses poumons puis porte son regard sur la troisième victime.

Le corps est attaché sur un morceau de grillage fixé sur le mur du chalet. La peau de son dos a été arrachée et déployée comme des ailes de chaque côté du tronc, des plumes de paons ont été collées par-dessus. Là où devrait se trouver le visage, il y a une tête de cheval. Elle est cousue sur le cou et le sternum à l'aide d'agrafes industrielles. Les pieds de la victime ont été tranchés au niveau de la cheville. Les péronés ont été taillés en pointe et le tueur a fixé des pattes de poulets à leurs extrémités. Des restes de résine de myrrhe sont encore visibles dans un petit bol en laiton.

En observant la peau, Noah conclut qu'il s'agit du plus âgé des trois, Yves Coté.

Maintenant vient le vrai défi.

Pour comprendre ce puzzle, il va devoir plonger dans les abysses. Son regard devra porter au-delà des apparences pour espérer déceler l'ombre du tueur dans la mosaïque sanglante. L'Autre envisageait toujours les scènes de crime comme des symphonies silencieuses, il en percevait le rythme, le tempo et les notes. Il pouvait deviner la rage ou la colère dans la forme des blessures, la méticulosité dans le découpage ou le placement, la vanité dans l'exposition.

Noah ne voit plus la partition, mais peut-être peut-il encore entendre la musique.

Il se rapproche des corps agenouillés. Une odeur de vase le prend au nez. Il sort une petite lampe de la poche droite de son blouson et éclaire le visage du plus jeune. De l'eau remplit sa bouche ouverte jusqu'aux dents. Il constate aussi que les globes oculaires ont été ôtés.

Il oriente le faisceau vers le deuxième cadavre.

Il a les incisives brisées ; des éclats de dents et des traces noires sont visibles à l'intérieur du palais. Un trou lui perfore le fond de la gorge et s'élargit en cône à l'arrière du crâne. Le tueur a dû placer un pistolet dans sa bouche et faire feu, conclut Noah.

La sueur perle à son front, et les tremblements gagnent sa main droite. Noah serre les dents. Son cœur manque un battement et il doit prendre appui sur sa canne pour ne pas tomber. Il éponge son visage moite d'un revers de manche.

La pièce maîtresse est le père. La forme choisie est la clé du puzzle. Noah croit reconnaître une figure biblique. Serait-ce un démon ? Si oui, lequel ?

Ensuite, le petit-fils, à côté du fils. Tous deux face au père. Cette disposition n'est pas anodine.

Noah prend son carnet et y écrit :

« Démon, paon, tête de cheval, pattes de poulet. Placé devant prêcheurs ? Auditoire ? »

Puis il entoure « Démon ».

Au moment où il range ses notes, un acouphène strident jaillit dans son oreille droite.

Non, pas maintenant, murmure-t-il.

— Ça va Noah ?

La voix de Steve provient de derrière lui, mais elle est distordue.

Le volume du son augmente dans sa tête et il n'entend que sa propre respiration et le flux de sa circulation sanguine. Le reste n'est plus que chuintement et bourdonnement inaudible.

Noah desserre le col de sa chemise qui est devenu un collet autour de son cou.

Tout va bien se passer, Noah.

Il respire deux fois par le ventre et il s'ancre sur le rythme régulier des battements de son cœur.

Une fois calmé, il ferme les yeux.

À peine ses paupières sont-elles closes qu'une cascatelle d'images et de sons éclabousse son esprit sous forme de flashs.

Il grimace lorsqu'il voit l'entonnoir en métal placé dans la bouche de Sylvain. Il crispe sa main lorsqu'il entend le crissement que fait le canon du pistolet au moment où il se fraie un chemin entre les dents de Raphaël. Son cœur se serre lorsque Yves prononce « *Oh my God, no* » avant que sa voix ne finisse en un étranglement.

Son ventre se noue lorsqu'il perçoit le déchirement d'un père devant faire un choix impossible : désigner qui de son fils ou de son petit-fils aura le droit à une mort rapide.

Et tout s'envole lorsque l'acouphène disparaît. Noah respire un grand bol d'air comme s'il sortait d'une apnée.

Il sent une main qui se pose sur son épaule, il se retourne et cligne des yeux.

Dans le flou qui auréole sa vision, le visage inquiet de Steve se distingue.

— Ne me dis pas que t'as vu un tricycle rouge, mon pote, lui dit-il.

Il a mieux que cela, il sait désormais que ce tueur-ci est différent. Il a ressenti la colère qui alimente sa folie.

Pas d'orgueil, pas d'hubris, comme son prédécesseur. Seule une fureur incoercible. Une soif de justice.

Non. Une soif de vengeance.

Et puis il y a autre chose, que l'Autre n'aurait pas pu deviner.

Noah porte son regard vers Bernard Tremblay qui l'observe comme le ferait un faucon avec un rongeur.

— Yves Coté était-il juge ou procureur ? demande Noah.

— Pas vraiment, non, répond l'inspecteur. Il était dans l'immobilier.

Noah secoue la tête.

— Je pense qu'il l'était avant, je pense aussi qu'il n'est pas Québécois.

Le mépris s'imprime sur les traits de Tremblay.

— Qu'est-ce qui vous fait dire ça ? Les morts vous ont parlé ? ironise-t-il.

Oui, et en anglais, voudrait-il lui répondre.

Et puis Noah se fige, comme il l'a fait chez la psychiatre.

— Je le sais, comme je sais que vous nous avez menti. Il serait peut-être temps de nous dire qu'il y a eu un autre meurtre avant ceux-là, vous ne trouvez pas, inspecteur Tremblay ?

Cachectique

Noah défait le dernier bouton de sa chemise. La température est trop élevée dans la pièce exiguë et mansardée. Et puis il y a cette odeur de serpillière sale qui l'incommode. Sûrement la dernière salle nettoyée par les services d'entretien, se dit-il en s'imaginant la couleur noirâtre de l'eau. Sur la chaise d'à côté, Steve est sur le point de s'écrouler. Il a déjà vidé deux tasses de café, la cruche fumante est posée face à lui, mais il pique du nez et ses paupières se ferment à intervalles réguliers. Noah lui donne cinq minutes avant qu'il ne bascule la tête en arrière, ouvre la bouche et commence à ronfler.

Le Chenu est placé au bout de la table ovale. Il attend, debout, que le technicien termine de relier l'écran plat suspendu au mur au PC portable qu'il a apporté dans la salle de réunion. Son visage est apathique, il évite de croiser son regard depuis sa dernière remarque.

Noah sourit en coin.

Hubris. Il est vaniteux, ce Tremblay, sa carrière doit se jouer sur ce cas et il veut récolter tous les lauriers.

Et toi Noah ? N'est-ce pas l'orgueil qui te pousse ? N'est-ce pas pour regagner le respect ou, plutôt, l'admiration ?

Il fait taire sa conscience d'un bâillement et porte son attention sur deux autres personnes dans la salle.

La première, il l'a déjà croisée dans le labyrinthe de maïs. C'est le coroner qui avait fait la description de la scène de crime. Sous la lumière du néon, il distingue mieux son visage lunaire et plat, son nez droit qui est la parfaite prolongation de son front. Il n'a cessé de se pincer le lobe de l'oreille et de remettre en place ses lunettes tombantes depuis qu'il est entré dans la salle. Analytique, calculateur ; une machine, se dit Noah.

Et puis il y a cette inconnue. Cette fille étrange dont il ne peut détacher son regard. On dirait une gamine avec son t-shirt de Metallica trop grand et son bonnet en laine vert qui plaque sa chevelure sur ses oreilles ; elle est d'une extrême maigreur. Mucoviscidose ? Peut-être, ou bien anorexique. Elle l'intrigue : elle a aligné une rangée de trombones devant elle, et là, elle s'amuse à tendre des élastiques entre ses doigts de squelette.

Il se demande qui elle peut bien être et quel âge elle peut avoir. Tremblay n'a fait aucune présentation pour le moment.

En revanche, il a trouvé un adjectif qui lui convient. Il sort son carnet et griffonne : « Cachectique ».

Tremblay rompt le silence au moment où le bureau Windows apparaît sur l'écran plat.

— Bon, on va pouvoir commencer, dit l'inspecteur.

Noah tape sur l'épaule de Steve, qui a déjà ouvert la bouche et s'apprête à faire un somme. Son ami sursaute et reprend position sur la chaise.

La jeune fille fait claquer une bulle de chewing-gum, saisit un trombone et le déplie.

Bernard Tremblay se rapproche de son PC et affiche la première image de son diaporama.

— Première scène de crime. Comme en témoigne ce PowerPoint, j'avais bien l'intention de vous parler de ce premier meurtre.

Il évite mon regard, se dit Noah.

— Je ne l'avais pas encore évoqué pour une bonne raison. Pas de petits mots destinés à nos amis américains et il a eu lieu il y a deux mois. Une seule victime sur la scène de crime, un homme d'une soixantaine d'années. Leopold Blackburn, un courtier en assurance. Pour le reste, je vais laisser le soin à monsieur Lafrenière de nous en parler plus en détail.

Le coroner se lève et désigne l'écran.

— Comme vous pouvez le voir, les doigts ont été tranchés. Lors de l'autopsie, j'ai pu comprendre que le tueur lui avait sectionné les phalanges. J'ai retrouvé les morceaux dans son estomac. Il les lui a fait ingérer. Les gaines fibreuses qui entourent les doigts ont été déchirées, je suis presque sûr qu'une scie à bois a été utilisée pour pratiquer l'amputation. Cette hypothèse est d'ailleurs confirmée par le prochain cliché. Bernard, c'est à vous.

Noah et Steve échangent un regard et hochent la tête. C'est exactement le même *modus operandi* que pour le meurtre de Timothy Carter, cinq ans auparavant.

Tremblay clique et fait apparaître l'image suivante sur l'écran.

— Ici, on voit clairement que le pénis et les testicules ont été sectionnés… ou plutôt sciés, à en juger la grossièreté du découpage.

Noah observe la fille poser sur la table un cheval fabriqué à l'aide de trombones. Elle n'a pas jeté un seul regard à l'écran depuis le début de la présentation.

Steve réprime un bâillement, secoue la tête et lève la main.

— Donc, *a priori*, vous pensiez qu'il n'y avait pas de lien avec les crimes suivants ?

— Vous conviendrez que rien ne justifiait une mise en relation avec la police du Vermont. Par contre, nous avons rapidement fait le lien lors de la découverte des cadavres dans le champ de maïs.

— Et quel est-il ? demande Steve à nouveau.

— La myrrhe, lieutenant Raymond. Il y en avait aussi sur la première scène. Le tueur avait en outre également laissé une petite note :

« Puisse ton âme pourrir en enfer. »

Les mots prononcés par l'inspecteur sont comme autant de cercles qui agitent la surface de l'esprit de Noah. Il sent qu'il peut se perdre dans les remous. Étaient-ils deux ? Comment le tueur aurait-il pu recréer exactement les circonstances du crime : les phalanges, l'émasculation, le mot ?

En revanche, il n'y avait pas eu de myrrhe pour Carter, pourquoi ? Et l'hypothèse d'un deuxième tueur n'avait jamais été retenue à l'époque. Non, l'Autre l'aurait décelé, il ne commettait pas ce genre d'erreurs. Quelle autre explication, alors ? Aurait-il laissé un journal ? Un témoignage ? Un héritage ?

— Non, c'est ridicule ! laisse-t-il échapper, brisant le silence.

— Un problème, monsieur Wallace ? demande Tremblay.

— Non, aucun. Je réfléchissais.

Le regard de l'inspecteur oblique vers la jeune femme.

— Je vais laisser Clémence Leduc vous exposer sa théorie sur cette scène. Ensuite, pourquoi ne pas confronter nos avis ?

La fille se redresse et balaie d'un revers de main les quelques trombones posés devant elle.

— Bonsoir messieurs. Pour moi, il ne fait aucun doute que ce crime se distingue des deux autres. J'ai pu parcourir en détail le rapport d'autopsie effectué sur le cadavre de M. Blackburn. Premier détail important, le tueur n'a pas eu recours aux anesthésiants. L'objectif était de le faire souffrir. Je pense même qu'il voulait le faire parler.

— Et qu'aurait-il pu demander, à votre avis ? intervient Steve.

— Et pourquoi pas où trouver ses prochaines victimes, monsieur Raymond ? Je pense aussi que le tueur veut que nous comprenions cette différence, qu'il tente de faire passer un message. Et d'après ce que j'ai pu observer dans cette salle, je suis sûre qu'il s'adresse encore une fois à M. Wallace et que nos collègues américains nous font des cachotteries.

— Qu'est-ce qui vous fait dire ça, Clémence ? demande Tremblay.

— Le regard complice qu'ils se sont échangé. Ils ont été confrontés à quelque chose de similaire.

Clémence braque ses yeux vert pâle vers Noah et lui adresse un clin d'œil.

Elle le défie.

Noah sourit. Cette fille lui plaît déjà.

Tant va la cruche à l'eau…

Sophie révise une à une les questions qu'elle va poser, et pour cela, rien de mieux que le *Concerto n° 2* de Rachmaninov à fond dans les oreilles. Elle n'écoute de la musique classique que dans le but de se calmer. Sauf que cette fois-ci, cela ne suffit pas. Elle trépigne et ses pieds tambourinent sur le carrelage.

Dans moins de cinq minutes, elle va pouvoir parler à Lester Hollins, alias Giovanni Napolitano, un authentique gangster. Elle avait failli renverser sa tasse de thé quand Benedict lui avait confirmé son entretien et lui avait donné l'adresse. Puis elle avait lâché trois *fuck* successifs lorsqu'il avait ajouté qu'elle n'aurait que quinze minutes et que la visite était programmée pour aujourd'hui. Mais ce n'était pas un obstacle pour elle. Sophie avait foncé vers le Rent-A-Car le plus proche pour rallier la maison de retraite Winchester Gardens à Maplewood.

Et là, alors qu'elle est assise sur une chaise en plastique placée à côté de la porte de l'appartement de Napolitano, une question l'obnubile : comment aborder l'affaire d'Edgard Trout quand l'entretien a pour sujet « le dossier Donnie Brasco » ? Elle craint que le vieux mafieux ne se braque et ne la chasse. Elle sait qu'il va falloir de solides préliminaires pour l'amadouer, pour gagner sa confiance. Et si elle évoquait le passé pendant la première phase de l'entretien ? Le bon vieux temps, la camaraderie, jusqu'à la trahison de Brasco. Et quand le courant serait établi, paf, elle le ferrerait avec la question qui tue : quand avez-vous rencontré Edgard Trout ? Simple, non ?

Pas vraiment. La piste est ténue et il suffit d'un rien pour qu'elle disparaisse.

Trois coups successifs sont frappés à la porte de l'appartement.

Sophie sursaute et laisse tomber son iPhone.

Bravo, Sophie, si tu le casses tu n'auras plus rien pour enregistrer l'entretien, se dit-elle.

Bon. C'était le signal. Napolitano est prêt à la recevoir.

Elle expulse l'air de ses poumons en trois fois, comme dans ses séances de sophrologie.

Elle entre et une odeur de vieux linge et de naphtaline lui saute aux narines.

— Monsieur Hollins ? Vous êtes là ?

Le son de la télévision sature la pièce. Sophie reconnaît le générique des Tex Avery. Le gangster regarde des cartoons, se dit-elle un sourire aux lèvres. Puis elle entend un rire rauque et gras suivi d'une quinte de toux.

— Vous pouvez entrer, mademoiselle.

La voix vient du salon qui lui fait face. Elle avance, dépasse la cuisine sur sa gauche. La première chose qu'elle voit de Napolitano, ce sont ses deux pieds nus sur une table basse en verre et son gros bras tatoué posé sur l'accoudoir en bois d'un fauteuil en velours beige.

— Vous pouvez vous installer sur le siège en face, y a juste à retirer le linge dessus.

Elle reste immobile une seconde, comme si elle n'était pas sûre d'avoir compris la requête, puis elle s'exécute. Une fois assise, elle sort son iPhone et fixe son interlocuteur. D'après les photos qu'elle a visualisées sur internet, Giovanni Napolitano ressemble à son cousin, en plus obèse et en plus ridé. Au-delà de sa tenue – un slip kangourou et un marcel blanc –, c'est le large nez patatoïde qu'elle remarque en premier. Il émerge de son visage rond comme un gros champignon et vient presque lui recouvrir la lèvre supérieure. S'il n'avait ce regard de prédateur, il en serait presque comique.

Elle est prête pour sa première question, mais le son de la télé lui explose dans l'oreille gauche.

— Monsieur Hollins ? Pourriez-vous couper le son, s'il vous plaît ?

Il grogne mais s'empare de la télécommande posée sur l'autre accoudoir, juste à côté d'un bol de cacahuètes.

Sophie lâche un soupir lorsque Daffy Duck se tait enfin.

— Y a rien d'intéressant à regarder, de toute façon. Et pas de Hollins avec moi. Vous pouvez m'appeler Giovanni, poupée.

Le mafieux lui lance un regard lubrique qui la déstabilise.

Pourvu qu'il ne se touche pas, pense-t-elle alors qu'il la dévisage.

— Giovanni, selon mes sources, vous avez bien connu Donnie Brasco lorsque vous travailliez auprès de votre cousin Dominick Napoli…

— Sonny.

— Sonny ? répète Sophie.

Giovanni renifle, pose le bol de cacahuètes entre ses cuisses, en prend une et la fait craquer entre ses molaires.

— Vous êtes jolie, mais pas très calée, hein ? Sonny Black, c'était le surnom de mon cousin. Alors, petit code entre nous pour que cela fonctionne. On va dire Donnie, Sonny et Giovanni… *capisce* ? C'est dans vos cordes, poupée ?

Sophie se renfrogne. Elle sent qu'elle perd le contrôle de l'entretien. Ce type a l'air de s'amuser avec elle.

— *Capisce*, confirme-t-elle en hochant la tête. Vous avez travaillé avec Sonny et vous étiez donc proche de Donnie. Je voudrais que vous me parliez de votre rencontre. Quelle impression vous a-t-il faite la première fois ?

Giovanni fourre son index dans sa bouche pour traquer des bouts de cacahuètes coincés entre ses dents puis dit :

— Au départ, je l'ai pas senti. Oui, vous allez dire que c'est facile de dire cela après coup, mais c'est vrai. Lorsqu'on nous l'a présenté, j'ai flairé les emmerdes. Tout le monde pouvait voir que le gamin était rusé. C'était dans son regard, ça pétillait. C'était le genre de caboche qui tournait non stop. Et je me méfiais des gars comme lui, mais il avait tapé dans l'œil de Sonny, alors j'ai laissé couler.

Bon, on progresse, se dit Sophie, puis elle enchaîne :

— Comment qualifieriez-vous votre collaboration avec Sonny lors de vos séances de travail ?

— Comment ? Nos séances de travail ?... Mais c'est quoi cette foutue question, bordel ? Vous êtes journaliste ? On dirait une foutue étudiante, ouais. Posez vos questions directement et arrêtez de parler comme une coincée du derche.

Sophie se crispe sur sa chaise. Ce type est hérissé de piques. Le pire, c'est qu'elle s'en fout de son passé de mafioso. Bon, ma belle, il est temps que tu changes de stratégie, se dit-elle. Comment papa s'y serait-il pris ?

— Avez-vous déjà vu Donnie tuer quelqu'un ? Avez...

Giovanni la fixe en mâchouillant une cosse de cacahuète, un sourire moqueur est vissé sur ses grosses lèvres.

— Un problème mons... Giovanni ?

— Vous savez, ma jolie... j'ai presque quatre-vingts balais. Et j'en ai peut-être l'air, mais je suis loin d'être idiot. Des entretiens avec des journalistes et des gens du FBI, j'en ai connu. Alors, soit vous êtes la plus nulle en interview que j'aie jamais vue... soit vous êtes là pour autre chose.

Il se penche en avant, crache la cosse par terre, et lui demande :

— Alors poupée, vous êtes ici pour quoi, au juste ?

Sophie pousse un soupir. Elle est presque soulagée.

— Je veux savoir pourquoi vous avez engagé le reporter Edgard Trout.

Giovanni se fige dans son siège. Il la regarde comme si elle était une extraterrestre. Puis, sans crier gare, il lui balance la télécommande au visage. Elle a à peine le temps de la bloquer que le mafieux est déjà sur elle et lui assène un coup de poing dans le ventre.

Elle veut hurler, mais il plaque sa paume sur sa bouche.

— Salope ! Tu vas me dire pour qui tu travailles !

… qu'à la fin elle se casse

La main appuie si fort sur sa bouche que Sophie sent ses lèvres s'écraser contre ses dents. La tête de Giovanni est collée à son visage, il exhale son souffle chaud par saccades sur sa peau. Son regard est celui d'un prédateur face à une proie acculée.

— Écoute poupée, on inverse les rôles, c'est moi qui vais te poser quelques questions. Si tu réponds correctement, tu vivras, sinon je te briserai le cou comme je le ferais avec un biscuit sec, *capisce ?* Si tu as compris, hoche la tête.

Sophie lutte contre la montée des larmes, elle cligne des paupières et bouge sa tête de bas en haut.

Elle songe à se débattre, mais il est assis sur elle et doit peser dans les cent cinquante kilos.

— Bien. On va commencer par une question facile. Qui t'a dit que j'avais contacté Trout ?

Les yeux de Sophie s'écarquillent. La peur lui vrille le ventre. Comment répondre alors qu'elle ne connaît pas l'expéditeur des messages qu'elle a reçus ?

Giovanni enroule son bras gauche autour d'elle de façon à nicher son cou dans le creux au niveau du coude. La paume de sa main quitte ses lèvres et se plaque sur son front. Dans cette position, il n'a besoin que d'une simple torsion pour lui briser la nuque.

— Parle, j'ai pas la journée devant moi, dit-il.

— Je… Je… Je…

Le bras de Giovanni se resserre davantage et il commence à tordre son cou. Le visage du mafieux est déformé par la démence, un filet de bave s'échappe de l'écume au bord de ses lèvres et s'écrase sur le nez de Sophie.

Il va te tuer si tu ne dis rien, réalise-t-elle. Réagis !

— Un… contact… par… email.

La panique a vidé l'air de ses poumons et elle doit reprendre son souffle entre chaque mot. Les lèvres épaisses du mafieux se tordent. Il grogne, puis il la fixe et serre les dents. Elle sent l'hésitation dans son regard. Il hésite : doit-il la tuer ou lui laisser la vie sauve ?

— Attendez… je… tiens un blog sur Trout, je cherche à le retrouver… un blog c'est comme un…

La main posée sur son front s'abaisse sur sa mâchoire. Il pince sa bouche, la presse comme un citron.

— Tu me prends pour un vieux con, c'est ça ? Je sais ce qu'est un blog ! Continue !

— J'ai travaillé sur lui parce que c'était un reporter célèbre.

Il lève sa main et l'abat sur sa joue. La détonation de la claque lui arrache un hoquet.

— M'en branle du pourquoi ! Qu'est-ce que t'as trouvé sur Trout ?

Les yeux de Giovanni ne sont plus que deux billes fixes dans un tourbillon de rage.

Sophie ferme les paupières.

— J'ai remonté sa piste jusqu'à une maison qu'il a louée dans les environs de Plattsburgh, à Morrinsonville, c'était en 1977. La piste était froide, mais j'avais laissé l'article en ligne. Un type m'a contactée, il m'a envoyé une photo de Trout devant un manoir, il m'a dit qu'il cherchait à savoir ce qui était arrivé et m'a dirigée vers vous… Vous… vous êtes ma seule piste. C'est la vérité, je vous jure, ne me tuez pas !

Silence.

Sophie ouvre les yeux, elle était si concentrée sur son débit de paroles qu'elle n'a même pas réalisé que Giovanni l'avait lâchée. Il s'est assis à côté d'elle, son visage semble apaisé.

Elle reste un moment immobile, hésitante.

Bouge d'ici, ma Sophie.

Elle sèche ses larmes et prend appui sur ses mains pour se relever.

— Attends ! dit Giovanni d'une voix autoritaire. Tu veux toujours savoir pourquoi j'ai engagé Edgard Trout ?

Sophie renifle, puis se passe la paume dans le cou. Son instinct lui hurle de partir en courant. Mais une partie d'elle la pousse à rester.

Elle s'adosse au mur du salon et lâche un profond soupir.

— Oui, bien sûr.

Giovanni hoche la tête comme un automate. Il prend une cacahuète tombée par terre, casse la cosse et s'adosse à la table basse. Il lui sourit.

— Bien, mais est-ce que tu sais pourquoi je vais te le raconter ?

— Non… Giovanni, aucune idée.

Il lance la cacahuète en l'air, l'attrape avec sa bouche, puis il tape sur sa poitrine avec son poing.

— Je serai bientôt mort. Mes veines, mes artères, c'est du papier à cigarette. Alors je n'ai rien à perdre.

Puis il rit et renifle comme un cochon.

— Je ris parce que… c'est à cause de ma bite que Trout a disparu. C'est drôle, hein ?

Sophie approuve de la tête et force un sourire, pour l'inciter à continuer.

— Bref, à cette époque, je baisais tout ce qui me tombait sous la main. Belle, moche, maigre, grosse, peu importait. C'est facile quand t'es un affranchi, y a personne pour te dire non. C'est en 1972 que ça s'est passé, quelques années avant toute cette histoire avec Brasco. Betty était une strip-teaseuse que je sautais à l'occasion dans les loges du night-club où elle travaillait, et cette pute était venue me voir pour me dire qu'elle était en cloque. Devant mes gars, en plus, la salope. Je l'ai virée à coups de pompe et lui ai dit de ne jamais ramener son cul par ici. Il faut me comprendre, c'était une junkie. Ce brave Nixon avait beau avoir déclaré la drogue « ennemi public numéro un », tout le monde était camé à l'héro ou au hasch à l'époque. Et puis merde, les putes c'est pour la baise, et les enfants c'est pour ta femme. Question de respect, vous voyez. Bref, pour moi, c'était une affaire classée. Mais deux ans plus tard, la voilà qui rapplique avec la gamine. Une fille. Ma fille, je l'ai tout de suite vu. Et croyez-le ou non, il a suffi d'un sourire, hein… un simple sourire d'un petit ange pour me faire réaliser que… enfin vous voyez. Surtout qu'avec Mona, ma femme, la sauce ne prenait pas. Betty m'a affirmé qu'elle était *clean*, mais je l'ai quand même foutue dehors pour ne pas perdre la face devant les copains. La pire décision de ma vie. Plus tard, j'ai cherché à la retrouver, mais en vain. Elle avait quitté New York avec la petiote. J'étais obsédé par la gamine... Ma gamine, la chair de ma chair. C'était comme si j'avais vu le bonheur pour la première fois et que je l'avais perdu dans la foulée. J'en voulais plus. C'est comme ça que j'en suis venu à me payer un privé pour retrouver ma fille : Edgard Trout. Et c'est justement en 1977 que j'ai eu des nouvelles de lui pour la dernière fois. Il avait une piste, une famille d'accueil qui l'avait hébergée deux ans. C'était Noël avant l'heure. J'étais fou. Sauf qu'après ça, plus de nouvelles, plus de Trout.

— Vous n'avez pas cherché à le retrouver ou...

Il hausse les épaules.

— J'ai envoyé deux de mes hommes à l'adresse, ils ne sont pas revenus. Trois jours plus tard, j'ai reçu un avertissement, un courrier qui contenait des photos de moi et de Mona. Merde, je me suis dit. Qui est assez puissant pour menacer un affranchi, hein ? J'ai abandonné, j'ai été faible, Sonny avait besoin de moi et...

— Vous vous souvenez de l'adresse, Giovanni ? demande Sophie.

Le mafieux rit.

— Bordel, t'as des couilles, je respecte ça. T'as eu du cran tout à l'heure, la plupart des gars que j'ai interrogés m'ont pissé dessus.

Il renifle et reprend.

— Certaines choses restent gravées dans la tête d'un homme. Sa première gonzesse, sa première victime.

Dans mon cas, il y a aussi cette adresse qui est restée une énigme. C'est au 235 Hardscrabble Road, à Cadyville, dans l'État de New York, mais tu n'auras pas le temps de t'y rendre, désolé.

— Et pourquoi, Giovanni ?

Il fait craquer une cacahuète entre ses molaires.

— Parce qu'en venant ici, tu as signé ton arrêt de mort, poupée.

Vitupérations

Steve n'a plus les paupières qui se ferment, la fatigue a cédé sa place à la colère, Noah en reconnaît les signes distinctifs, le froncement du front, l'air expulsé par les narines par saccades, et les yeux qui grossissent dans leurs orbites. Son collègue se lève de son siège, se sert un troisième café et plaque sa main sur la table ovale.

— C'est ridicule ! On n'a rien à cacher. À quoi on joue exactement, ici ? On a tous le même objectif, attraper ce monstre !

Aucune réaction. Steve se fait dévisager en silence.

Noah ne lâche pas Clémence des yeux. La tête de la jeune femme est inclinée vers la table, un sourire étire la commissure de ses lèvres.

Cela l'amuse, remarque-t-il. C'est un jeu pour elle. Un puzzle à résoudre, rien de plus, le reste ne compte pas, ou si peu. Elle est comme l'Autre.

Steve se renfonce dans le siège avec la tasse coincée entre ses paumes et la porte à sa bouche.

Noah lève la main. Tremblay lui donne la parole d'un signe de tête.

— Nous avons eu un cas similaire il y a cinq ans. Timothy Carter a été la première victime du Démon du Vermont. Et quand je parle de similitudes, je n'exagère pas. Phalanges coupées et ingérées, émasculation, et le même mot laissé sur place. Je n'étais pas sur le cas à ce moment-là, on ne parlait pas encore de tueur en série, et puis Carter avait un casier et de potentiels ennemis. C'est plus tard que cette victime a été ajoutée au palmarès du Démon.

Le Chenu se sert un verre d'eau, en boit une rasade et dit :

— Cette déclaration est troublante, monsieur Wallace. Nous avons entendu parler du Démon du Vermont de ce côté-ci de la frontière, bien sûr, mais si ce que vous dites est exact, nous aurions affaire à un *copycat* ? Il pourrait s'agir d'un proche du tueur, d'un complice, ou encore…

— Du tueur lui-même ? coupe Noah. Non, il est mort. Je le sais, j'étais dans l'accident ainsi que…

Noah s'arrête.

— … ma femme, Maggie, reprend-il. Le tueur s'en est pris à moi, il s'est introduit chez nous. Je rentrais du bureau lorsque j'ai vu la silhouette d'un homme corpulent sortir de la maison, tenant fermement ma femme par le bras. Il l'a fait monter dans sa voiture. J'ai accéléré, mais je n'ai pas été assez rapide. Il a démarré et je l'ai poursuivi. Après, c'est le trou noir. Nous aurions eu un accident sur le pont qui enjambe la Winooksi River, nous nous serions heurtés de plein fouet. Lorsque j'ai émergé du coma, j'ai appris que la voiture du tueur avait brûlé. J'étais le seul survivant, et ne me souvenais de rien.

— Brûlé ? intervient Clémence. Étrange…

Puis elle sourit et attache deux trombones l'un à l'autre.

— L'identité du tueur n'a jamais été communiquée. Était-il méconnaissable ? demande Tremblay.

Steve hoche la tête.

— C'est un « John Doe », dit-il. Nous n'avons rien pu trouver sur lui. Les recherches dans les banques d'ADN et empreintes dentaires n'ont rien donné.

— Comme par hasard, fait observer Clémence. Alors comment pouvez-vous être sûrs qu'il s'agissait bien du tueur ?

— Qui d'autre, bordel ? Ce type était obsédé par Noah ! Et puis il n'y a pas eu de crimes pendant cinq ans ! Bon, de toute façon, on vous enverra le dossier. Vous aurez tout le loisir de parcourir l'enquête dans sa totalité, mais si ça ne vous dérange pas, j'aimerais qu'on se concentre sur les crimes qui ont eu lieu ici.

— Je suis désolé, lieutenant Raymond, mais tout renseignement peut être pertinent à ce stade. Surtout s'il peut nous conduire à l'arrêter avant qu'il ne commette d'autres meurtres. Pourquoi avez-vous écarté l'hypothèse d'un complice ?

Steve s'apprête à répondre, mais Noah lui pose la main sur l'épaule.

— Le tueur communiquait avec nous en laissant des indices sur les scènes de crime et même, quelquefois, des messages. L'... *(Noah manque de mentionner « l'Autre » et se reprend de justesse.)* J'avais dressé son profil. Il était méthodique, méticuleux, jouissait de la terreur de ses victimes et vouait une haine féroce à l'Église. Et puis, il y avait le choix de ses victimes. Pas de jeunes femmes, ce qui est souvent le cas chez les psychopathes tueurs en série. Dans le rapport que j'avais rendu à la police du Vermont, j'avais affirmé qu'il agissait seul et que ses actes étaient la conséquence d'un traumatisme vécu dans son enfance.

Clémence fait claquer un élastique entre ses doigts et ajoute :

— Une dernière chose, si ce n'est pas le même tueur. Il n'y a que deux possibilités : soit le profilage de Noah Wallace était faux, ce dont je doute. Soit il y a eu une fuite dans vos services et quelqu'un a eu connaissance du *modus operandi*.

Le poing de Steve s'écrase sur la table avec une telle violence que l'onde de choc fait déborder la tasse de café du coroner.

— Bordel, mais elle va se calmer, la gamine, avec ses insinuations et son arrogance !

— C'est juste une hypothèse, monsieur Raymond, répond la jeune fille d'un ton monocorde.

Steve éponge son front beurré de sueur d'un revers de main. Son visage est pivoine, des tremblements agitent ses paupières. Tremblay grimace puis clique sur son PowerPoint.

— Bien, nous allons continuer, il reste du travail.

Le Chenu aborde le deuxième cas, mais Noah ne l'écoute que par bribes. Son esprit tente d'accéder à cette séquence qui s'obstine à demeurer floue dans sa mémoire, le soir du drame. Il revoit le visage de sa femme plaqué contre la vitre arrière de la voiture du tueur. Le monstre reste, quant à lui, une silhouette sans visage.

Le coroner revient sur son analyse de la scène du labyrinthe, avant que Tremblay ne détaille les recherches effectuées sur les indices, agrafes et anesthésiants en tête. Noah sait que c'est peine perdue. Si le tueur est du même acabit que son prédécesseur, il ne commettra pas ce genre d'erreur. Non, pour le découvrir, il faudra le comprendre, le décoder.

Noah entend à peine le Chenu expliquer que les victimes n'ont pas d'ennemis connus et que leurs proches ont été interrogés.

Cette Clémence a fait germer le doute dans son esprit. Ses questions sont comme des aiguillons qui viennent se planter dans son ego et tentent de réveiller le monstre d'analyse qu'il était. Était-ce bien le tueur, ce soir-là ? Pourquoi a-t-elle tiqué lorsqu'il a dit que la voiture avait brûlé ?

L'inspecteur Tremblay enchaîne avec le troisième crime.

Noah n'écoute toujours pas. Clémence non plus. Ces rapports, les protocoles de recherche… ce n'est pas leur terrain de jeu.

L'objectif était de le faire souffrir. Je pense même qu'il voulait le faire parler.

C'était une remarque pertinente. Pourquoi l'Autre ne l'avait-il pas envisagé pour Timothy Carter ?

Et pourquoi pas où trouver ses prochaines victimes ?

Elle pourrait très bien avoir raison.

La voix de Clémence interrompt le discours de Lafrenière.

Noah lève la tête. Le cadavre d'Yves Coté a fait irruption sur l'écran.

— C'est un Démon, dit-elle. C'est Adramalech, le huitième archidiable, chancelier de l'ordre de la mouche. Le tueur veut nous dire que sa victime est un juge ou un procureur.

L'inspecteur Tremblay fixe Clémence comme si elle venait de commettre un acte de haute trahison.

— Vous allez vous y mettre aussi ? Vous êtes de mèche avec M. Wallace ? Les mêmes mots sont sortis de sa bouche, il y a à peine quelques heures !

La jeune femme se tourne vers Noah. Son regard est intense, presque animal, et il y a quelque chose de sensuel dans sa façon de sourire.

Serait-elle en train de tenter de le séduire ?

Puis elle s'adresse au Chenu.

— Oui, je pense que le tueur se positionne en juge, ou que la victime est un juge ou encore perçu comme tel. Peut-être même les deux dans ce cas précis.

— *Criss !* Puisque je vous dis qu'il n'était pas magistrat ! Et puis quoi, vous allez bientôt affirmer qu'il n'était pas Québécois aussi ?

Clémence se fend d'un large sourire.

— Vous avez vraiment dit ça ? Je serais curieuse d'entendre votre déduction !

Oh my God ! No.

Noah calme un tremblement dans sa main en la posant sur sa cuisse et répond :

— Juste… une impression. Appelez ça de l'instinct.

Sauf que c'est sa piste. C'est même ce qu'il a de plus solide pour le moment. C'est un mince fil qu'il espère pouvoir remonter jusqu'à la pelote. S'il n'avait pas eu cette vision de Maggie le soir de l'AVC ou ressenti la guérison du mari de la psychiatre, il n'y aurait pas prêté plus attention. Mais il commence à percevoir des *choses* et il n'a pas d'explication rationnelle. Alors il a le choix : l'accepter et se faire confiance, ou admettre qu'il devient fou. La première hypothèse lui convient davantage.

Noah secoue sa main pour en chasser les fourmillements et il ajoute :

— Je pense aussi que le tueur a mis Yves Coté devant un dilemme. Choisir qui de son fils ou de son petit-fils allait souffrir.

— J'aurais la même déduction que M. Wallace, ajoute Clémence.

Le coroner Lafrenière saisit l'opportunité qui lui est offerte pour intervenir.

— Je confirme que son fils a été tué sur-le-champ. Le tueur a inséré le canon dans la bouche et fait feu. La balistique devrait le confirmer, mais pour en avoir déjà vu un bon nombre, je dirais que le calibre est du 9 mm. Il a aussi fait usage d'un silencieux, ce qui est logique vu la proximité du lac avec les habitations.

Tremblay en profite pour passer sur l'image suivante. Le cadavre du petit-fils.

Lafrenière poursuit :

— Le tueur lui a fait boire une grande quantité d'eau, provenant du lac d'après les analyses faites sur place. La technique qu'il a utilisée s'appelle le « waterboarding », c'est un simulacre de noyade utilisé par de nombreux services secrets, la CIA en tête. La victime est bâillonnée, puis on verse de l'eau dans la bouche. Je ne vais pas rentrer dans les détails, mais il existe des moyens pour faire durer le calvaire, il arrive même qu'une trachéotomie soit prévue si la torture provoque des spasmes du larynx. Dans un premier temps, je pense que le tueur a soigneusement évité la cavité laryngée dans le but de prolonger l'agonie. La victime a bien évidemment fini par mourir, une autopsie pratiquée sur le cadavre nous en apprendra plus.

L'inspecteur Tremblay reprend un verre d'eau.

— Ce monstre serait donc rompu à des techniques de torture connues et pratiquées par les services secrets. Cela ne pourrait-il pas expliquer pourquoi vous n'avez rien trouvé sur le premier tueur il y a cinq ans, lieutenant Raymond ? Un tueur agent secret… Voilà qui serait aussi original que terrifiant.

Le Chenu a parlé avec une pointe d'ironie dans sa voix, que Steve ne perçoit pas.

— Ne soyez pas ridicule ! Ne pas être fiché n'implique pas que l'on soit agent secret. Tous les citoyens ne sont pas fichés dans les banques de données !

— Pas au Canada en tout cas, ajoute Clémence sans lever la tête.

Tremblay se masse les tempes et s'étire sur sa chaise.

— Misère. J'avoue aimer les puzzles, mais je sens que cette affaire va me faire saigner des oreilles. Ce qui me rend fou, au-delà du mode opératoire qui traduit son obsession pour la religion et la terreur, c'est le choix de ses victimes. Pour l'instant, je ne vois aucun lien. Sinon, autre chose ?

Noah éponge son front et se tourne vers l'inspecteur.

— Ce tueur est différent. L'ancien était plus froid, presque sans émotions. Dans les récentes scènes de crime, j'ai ressenti de la colère.

— Ressenti ? demande Tremblay. Cela fait plusieurs fois que je vous entends parler d'instinct, de ressenti, d'intuition. Et je n'ai pas oublié votre numéro avec le tricycle rouge, monsieur Wallace.

Il se tourne vers Steve, un sourire torve déforme ses traits.

— Ah, j'ai compris, lieutenant Raymond, Noah Wallace n'est pas un profileur, il ne l'a jamais été. Vous avez embauché un médium, comme dans la série avec Patricia Arquette.

Seul Lafrenière rit. Par petites saccades étouffées.

— Vous savez qu'Allison DuBois existe réellement et qu'elle a collaboré avec la police de Phoenix et le FBI ? ajoute Clémence avec une pointe de défi.

Steve se lève, saisit la tasse à moitié pleine et la fracasse par terre. Le café éclabousse le carrelage.

— Vous êtes un putain de sale con, Tremblay ! Un arrogant de la pire espèce. Vous ne savez rien de cet homme, de ce qu'il a accompli et de ce qu'il a enduré ces cinq dernières années !

Silence. Personne n'ose s'adresser à ce taureau en pleine charge, écumant de colère, prêt à faire fumer ses naseaux.

Noah pousse un soupir. Steve a fini par exploser. Combien de fois encore avant que son aorte ne lâche ?

Clémence se lève de sa chaise.

— Je le sais, moi, dit-elle. Et j'ai beaucoup de respect et d'admiration pour M. Wallace. Pardonnez à l'inspecteur Tremblay. C'est une personne très intelligente, mais ce qui touche à l'intuition n'a pas de place dans son monde basé sur le calcul et la logique.

Steve grogne et se rassoit. Ses yeux sont encore exorbités, mais son visage s'est décrispé.

— Peu importe. Je crois que c'est fini pour aujourd'hui. Je vous ferai parvenir les dossiers et j'apprécierais que nous limitions notre collaboration au strict minimum.

— J'apprécierais aussi, monsieur Raymond, car cela impliquerait que le tueur a été arrêté. Sinon, je crains que nous ne soyons obligés de nous revoir.

— Pourquoi le Canada ? demande Noah, plus à lui-même qu'aux autres.

Le silence retombe dans la pièce.

— Le premier tueur agissait dans le Vermont, pourquoi avoir choisi le pays voisin comme terrain de chasse ? poursuit-il.

— Pour échapper à la police du Vermont ? avance Tremblay.

Puis il secoue la tête et se reprend :

— Non, sinon il n'aurait pas fait en sorte de vous impliquer sur l'affaire et…

— Noah Wallace a raison, le coupe Clémence. Si on découvre pourquoi il est ici, et le lien avec les victimes, nous ferons une grande avancée dans le dossier.

Oh my God ! No.

Noah sourit. Une pièce du puzzle est à leur portée.

Chloé Coté et sa mère.

Prochaine étape, les interroger.

Mais doit-il en parler à une autre personne qu'à Steve ? Son regard glisse malgré lui vers Clémence.

Elle le fixe en retour, l'éclat d'intelligence dans son iris lui fait comprendre qu'elle a deviné son prochain mouvement. Autant lui en faire part, alors.

Hubris. À nouveau.

Peur qu'elle soit meilleure que toi ? Ou pire, qu'elle soit meilleure que l'Autre ?

Puis Noah se fige. Un frisson glacial lui parcourt l'échine, ses poils se hérissent.

Quelqu'un va mourir dans cette pièce, il le sent.

Il est dangereux…

Blake réprime un bâillement et se frotte les yeux. Cette histoire de fichier .onion est un vrai puzzle, mais pas question de lâcher. Il va trouver la solution. Il trouve toujours.

Il retire les écouteurs de ses oreilles et les pose sur le bureau, juste à côté de sa figurine de Boba Fett.

Dans quel merdier Sophie s'est-elle encore fourrée ? Cette fille le rend dingue. Il y a à peine un mois, il avait dû faire le guet pendant qu'elle rentrait par effraction sur une scène de crime en plein Harlem.

Sauf que cette fois-ci, c'est d'un tout autre niveau. La mafia peut être impliquée, ou pire encore. Et elle ne se rend même pas compte du danger. Cette excitée carbure à l'adrénaline et à l'insouciance. Et qui va s'occuper d'assurer ses arrières ? Son meilleur ami, comme d'habitude.

Les messages sur battle.net se succèdent depuis une bonne demi-heure sur son écran pour l'inviter à faire une partie.

Non, pas le temps de jouer avec vous, les amis. Pas de raid sur World of Warcraft ce soir, pense Blake. Le paladin a une mission bien plus importante, sauver sa meilleure amie d'elle-même.

Il écrase la canette de Diet Coke vide dans sa main gauche, la balance dans la corbeille et en ouvre une autre.

Sur l'un des deux écrans, son navigateur Tor affiche la page renvoyée par le service onion créé par le type anonyme. La page est encore en ligne, seule la photo a disparu. Sur son deuxième écran, Blake a lancé une console de commande et Notepad++.

Ce soir, il va coder, même s'il y passe toute la nuit.

Pour savoir qui se cache derrière l'envoi, il faut qu'il remonte jusqu'au premier nœud du circuit afin d'obtenir l'adresse IP. Sauf que tous les autres nœuds intermédiaires sont encryptés, et il n'aurait pas assez d'une vie pour trouver les clés. Ce n'est pas aussi facile que dans les films où les hackers tapent sur leur clavier des lignes de commandes ineptes et fixent leur attention sur une belle barre de progression inutile.

Il adorerait que cela soit aussi simple.

Non, sa seule chance de succès serait que l'anonyme ait fait l'erreur d'avoir lancé un routeur Tor et son service caché depuis la même connexion. Le routeur a un descripteur public qui expose son adresse IP.

Blake sourit.

C'est assez courant et si c'est le cas… il suffit *juste* de se substituer à un des nœuds, de lancer une surveillance pour repérer les IP et les serveurs qui tombent simultanément en cas d'interruption de service. Cela peut être fastidieux comme approche, mais cela peut marcher. Et puis, c'est le seul moyen à sa portée.

Alors, ce soir il va coder un beau programme de surveillance de trafic d'internet, rien que ça.

Rien que d'y penser, il sourit à pleines dents.

Bordel, Blake, tu te rends compte que tu vas utiliser les mêmes techniques que le FBI sans avoir leurs moyens ! Pas mal pour un jeune tout juste diplômé !

Sauf que c'est le genre d'exploit qu'il ne pourra pas ajouter à son CV.

Il boit une rasade de Coke et tape dans ses mains pour se redonner du courage.

C'est le moment que choisit Bethany pour sortir de la salle de bains. Elle sent la vanille, note Blake, ce qui veut dire qu'elle a utilisé son gel douche.

Son amie passe derrière lui et vient poser sa tête sur son épaule.

— Tu fais quoi, là ?

— Longue histoire, mais c'est pour aider Sophie. Tu la connais, elle est toujours à se mettre dans des situations pas possibles.

Bethany se frotte la tête avec la serviette et dit :

— C'est gentil, je dis pas, mais Ted va faire la gueule, il comptait sur toi !

— Il est suffisamment drôle pour faire l'animation sans moi. Même s'il est moins beau que moi, j'avoue. Sinon, tu serais un ange si tu pouvais me sortir une pizza du congélateur, la quatre fromages. J'ai une grosse soirée en perspective.

— Sérieux, Blake ? Tu ne peux pas le faire toi-même ?

— Considère que c'est une taxe pour avoir encore utilisé mon gel douche.

Bethany soupire et se dirige vers la cuisine.

Blake prend ses écouteurs, les ajuste à sa tête et pianote sur son clavier.

— Tu ne vas pas rester anonyme longtemps, mon gars !

Sophie ne réalise toujours pas qu'elle vient de faire cinq heures de route dans une Honda Civic de location pour rallier une adresse sur les seuls dires d'un mafioso. Un type qui avait failli la tuer ! Elle peut encore sentir son souffle, l'odeur de la cacahuète dans son haleine, le contact de sa peau graisseuse.

Et puis il y a cette menace.

Parce qu'en venant ici, tu as signé ton arrêt de mort, poupée.

Ce type pouvait être paranoïaque, bien sûr, mais cette histoire avec sa fille avait l'air de l'avoir secoué. Et puis, il ne fallait pas négliger non plus ce contact anonyme et son jeu de piste sur le Darknet. Non, le danger était réel, à quoi bon le nier ?

Et pourtant elle est là, sur la route, et elle fait tourner ABBA et Supertramp en boucle dans l'habitacle en espérant calmer ses nerfs.

Elle pense à son père, qui serait furieux s'il apprenait ce qu'elle a fait et surtout s'apprête à faire.

Il n'y a pas de fumée sans feu, ma Sophie, sois prudente, tu veux ? Je ne pourrais pas survivre si je perds un autre enfant.

Désolée, papa. Mais rester planquée et vivre dans l'ombre d'un frère mort, ce n'est pas moi. Je dois aller de l'avant.

D'après le GPS, elle sera bientôt fixée. Elle est à moins de cinq minutes de sa destination.

235, Hardscrabble Road, à Cadyville.

Qu'avait-il bien pu se passer il y a quarante ans ? Un journaliste et quelques mafiosi ont disparu en cherchant à le découvrir. Quel mystère pouvait se cacher derrière l'adoption de la petite fille ? Avant de partir, Sophie a fait ses devoirs. Elle a donné à manger et à boire à Grumpy et effectué quelques recherches sur l'adresse en question. Elle a navigué sur internet et finalement trouvé son bonheur sur www.oldphonebooks.com où elle a pu acheter un vieil annuaire. Quatre heures plus tard, elle a obtenu un scan et trouvé le nom du propriétaire de l'époque : Lawrence Cadwell. C'est également un Stephen Cadwell qui y habite. Elle l'a ensuite « googlé » puis identifié sur Facebook. Elle a ainsi appris qu'il avait travaillé à la Cadyville Elementary School, fermée en 2007. Elle lui a téléphoné et s'est fait passer pour une journaliste enquêtant sur le fléau des fermetures d'écoles primaires aux États-Unis. Stephen s'est montré enthousiaste au téléphone, c'est un sujet qui lui tient visiblement à cœur.

La prochaine fois qu'elle s'enverra un courriel, elle promet de le ranger dans le dossier « Manipulatrice ».

Le GPS lui indique qu'elle est arrivée à destination.

Une Toyota Corolla grise est garée sur l'allée bitumée menant au garage.

Elle reconnaît la maison, c'est la même qu'elle a aperçue sur Google Map. Une bâtisse de plain-pied en bois blanc, perdue au milieu d'une grande surface de gazon d'où émergent deux maigres sapins.

Et pas de voisins aux alentours, voilà le plus flippant. Ça, et le fait qu'il fait presque nuit et qu'une épaisse nappe de brume tapisse l'asphalte et le gazon.

Sophie se gare juste derrière la Toyota et sort de sa voiture.

Et alors qu'elle avance vers l'entrée, elle se demande si Stephen Cadwell est bien de la famille de Lawrence, et si elle va pouvoir le faire parler d'une petite fille qui a vécu ici il y a quarante ans.

… d'ouvrir la boîte de Pandore

Sophie reste quelques secondes le doigt en suspension sur la sonnette, comme si un ultime plaidoyer de sa conscience voulait la faire reculer.

Mais elle l'ignore et écrase son index sur le bouton blanc.

Quelques notes de musique retentissent dans la maison et la lumière du vestibule s'illumine aussitôt.

La voilà rassurée, une personne qui installe une telle sonnette ne peut pas être dangereuse, si ? Pas plus qu'un mafioso en marcel et en slip, en tout cas.

Elle plaque sa tête contre le vitrage en mosaïque qui orne la porte d'entrée. Elle aperçoit une large silhouette qui émerge d'une pièce voisine et vient obscurcir son champ de vision.

Elle recule de deux pas lorsqu'elle entend la main qui se pose sur la poignée.

Stephen Cadwell apparaît dans l'embrasure. Il est fidèle à son profil Facebook. La cinquantaine, grand, massif sans être obèse. Il a un visage lisse et doux auquel on donnerait dix ans de moins, si ce n'était cette légère couperose qui lui strie les joues et le nez. Sophie s'imagine très bien un professeur à l'ancienne, avec sa frange de cheveux blond platine plaquée sur son front, ses lunettes carrées qui glissent le long de son nez et son buste étriqué dans une chemise à carreaux nichée sous un gilet brun.

— Bonjour, vous êtes pile à l'heure, mademoiselle Fenwick. Rentrez vite, cette maison n'est pas très bien isolée et je paie une fortune en chauffage.

Il ponctue sa phrase d'un embryon de sourire. Sophie note son regard fuyant.

— Merci, monsieur Cadwell, je vais essayer de ne pas trop abuser de votre temps.

On ne dirait pas qu'il paie son électricité, pense-t-elle alors que le froid la saisit. Et cette maison sent l'humidité et la moisissure.

— Prenez les patinettes, j'ai ciré le parquet.

Sophie accuse le coup et réprime un sourire.

La dernière fois qu'elle avait dû utiliser des patinettes, c'était chez sa vieille tante Lucette et elle avait six ans.

Pendant qu'elle déchausse ses bottes en cuir, elle jette un coup d'œil rapide. Le vestibule lui fait penser à une maison de grand-mère. Un papier peint vert à fleurs, légèrement jauni, qui se décolle par endroits, une commode ancienne et son napperon blanc sur lequel repose un grand bol en céramique. Un tapis rouge élimé et un vieux parquet en bois. Peut-être vit-il encore avec sa mère ? se dit-elle.

L'image du Norman Bates de *Psychose* s'impose comme une évidence à son esprit.

Elle chasse cette vision d'un sourire.

Pas le moment de se mettre ce genre d'idée en tête, Sophie !

— J'ai préparé des petits biscuits et du thé, un oolong, mademoiselle Fenwick.

Biscuit veut dire lait, donc ce sera non. Reste à trouver une excuse pour décliner son offre en restant polie.

Et la voix de son père qui ajoute : *Surtout qu'il aurait pu y glisser des somnifères, n'oublie pas ce qui s'est passé ici...*

... il y a quarante ans, papa, s'entend-elle lui répondre dans sa tête.

— Désolée, monsieur Cadwell, je suis un régime strict, mais c'est très aimable de votre part. Je prendrais volontiers du thé, en revanche.

Elle pose ses bottes près de la porte, patine jusqu'à un salon qui ne dénote pas avec le vestibule, et s'immobilise devant une horloge à coucou.

— Je vous en prie, installez-vous, j'en ai pour une minute, dit-il en lui désignant un fauteuil en velours vert.

Les ressorts grincent lorsqu'elle s'assoit, et une odeur de vieux tissu vient lui chatouiller les narines.

Pendant que son hôte s'affaire dans la cuisine attenante, Sophie en profite pour observer la pièce.

Stephen Cadwell est un grand lecteur. Une pile de livres occupe en totalité la surface d'une table en bois alors que la bibliothèque à côté d'elle est déjà bien chargée. Elle balaie rapidement les ouvrages du regard. Monsieur aime les classiques, apparemment : Sophie reconnaît *David Copperfield* ainsi que plusieurs autres Dickens, *Gatsby le Magnifique* de Fiztgerald, *Le Vieil Homme et la mer* d'Hemingway.

Pas de Stephen King, de Masterton, ni de Dan Simmons. Mais est-ce rassurant, en fin de compte ?

Cadwell revient avec une théière fumante et deux tasses en céramique sur un plateau qu'il pose sur la table basse.

— C'est de l'oolong, dit-il en ponctuant sa phrase d'un mince sourire.

Il radote, se dit Sophie. Et elle observe encore que ses yeux obliquent. Elle le met mal à l'aise.

Il s'installe dans le canapé et croise ses jambes.

— Je vous écoute.

Puis il ajoute :

— Vous ne prenez pas de notes ?

Sophie se rattrape en sortant son iPhone de sa poche.

— Je vais vous enregistrer, si cela ne vous dérange pas.

Il hoche la tête.

— Nous savons que l'économie est la principale responsable de la fermeture des écoles. Il y a eu Dannemora, puis Cadyville – et là, je ne parle que du district de Plattsburgh. Mais en ma qualité de journaliste, je recherche le témoignage de professeurs. Il est important de donner un visage humain à ce fléau qui frappe l'Amérique, de montrer aux citoyens que le drame porte au-delà des chiffres et des statistiques. Pourriez-vous me décrire votre état d'esprit lorsque la fermeture a été confirmée ?

— C'est difficile pour moi d'en parler. J'étais très investi dans la communauté et cela m'a fendu le cœur de devoir arrêter d'exercer. En plus de mon métier, j'organisais un club de lecture. Je m'étais donné comme mission de redonner le goût des classiques de la littérature anglaise ou américaine. J'avais beaucoup trop d'élèves qui ne juraient que par Harry Potter. C'était déjà bien qu'ils lisent, mais je voulais les pousser davantage.

— Oui, j'ai cru remarquer votre passion, répond Sophie en pointant la bibliothèque.

Le visage de Stephen Cadwell s'illumine.

Sophie sourit. Le pigeon est ferré.

Elle le laisse ensuite parler et enchaîne les questions sur la littérature et son rôle dans l'école. Son hôte est intarissable sur ces deux sujets.

Tu es une manipulatrice, Sophie, se dit-elle alors qu'elle hoche la tête en affichant une mine intéressée.

Mais il est grand temps d'aborder les vraies questions.

Stephen s'arrête de parler, saisit la théière et remplit sa tasse.

— Il est tiède. Cela ne vous dérange pas si j'en prends ? J'ai la gorge sèche.

Sophie secoue la tête.

Il boit quelques rasades et pose sa tasse.

— Oh, mais où sont mes manières ?

Il en verse également dans l'autre tasse et la fait glisser vers Sophie.

Elle hésite, puis la prend.

La céramique sent la poussière, le service ne doit pas être utilisé souvent.

Elle la porte à ses lèvres. Son contenu est presque froid, mais il a bien le goût du thé.

Sophie se détend et boit deux gorgées.

— J'aurais une autre question, qui va peut-être vous sembler étrange. Je suis une passionnée des années soixante-dix et je fais un article sur un reporter, Edgard Trout. Il était à la recherche d'une petite fille qui aurait été accueillie dans cette maison à cette époque. L'auriez-vous connue, par hasard ?

Le visage de Cadwell se rembrunit aussitôt et son regard se durcit.

— Hélas, je crains de ne pas pouvoir beaucoup vous aider, mademoiselle Lavallée.

Lavallée !

Sophie s'électrise dans le fauteuil. Comment peut-il connaître son nom ?

Diapré

La voiture s'arrête devant le 4373, avenue Westmount, à Montréal.

Steve tire sur le frein à main et darde un regard noir en direction de Noah, le dernier d'une longue série. Il ne pardonne pas à son ami d'avoir demandé à Clémence de les accompagner dans leur virée. Non parce qu'il la déteste, bien que ce soit le cas, mais plutôt parce qu'elle n'est pas de la « famille » ; elle n'est ni américaine, ni flic.

Mais Noah a senti une connexion avec cette fille. Elle parle le même langage que lui, capte les mêmes vibrations. Ils sont de la même espèce, même si lui est un oiseau aux ailes brisées alors qu'elle plane à des hauteurs qu'il ne peut plus atteindre.

Steve arrache une bouchée au croissant rassis qu'il avait posé sous le pare-brise, se pourlèche les doigts et fourre le reste dans la poche extérieure de son imperméable beige.

Son regard courroucé passe de Noah à Clémence et il dit, tout en mâchant :

— Petite mise au point : je n'ai pas l'intention de passer la matinée ici. Si la SQ n'a pas réussi à les joindre, alors on a peu de chances de les trouver chez eux. On sonne, et si personne ne répond, on repart. C'est aussi simple que cela. À vrai dire, si cela n'avait tenu qu'à moi, je serais déjà en chemin vers Burlington. On perd un temps précieux ici.

— Il y a toujours la possibilité d'improviser une petite visite de leur maison, propose Clémence.

Les yeux de Steve s'écarquillent et il stoppe sa mastication.

— Bordel ! Je suis lieutenant américain, je travaille pour la Vermont State Police, je suis à des centaines de kilomètres de ma juridiction. Et quand bien même, on ne pénètre pas chez les gens par effraction lorsqu'on est policier, mademoiselle.

Clémence étire l'élastique qu'elle a coincé entre ses doigts et réplique :

— C'est parfait alors, car je suis canadienne et je ne suis pas flic. Il faut juste que j'évite de me faire prendre la main dans le sac.

Steve se tourne vers Noah et l'implore du regard. Il lui répond par un large sourire.

— Oh putain, je te préviens, si ça merde, ne compte pas sur moi pour vous aider, ta copine et toi.

— Et si on commençait par vérifier s'ils sont ici ? propose Clémence.

Les trois portières claquent de concert. Noah coince sa canne entre ses cuisses, s'étire le haut du corps et inspire une grande bouffée d'air frais. Son regard se porte sur un cycliste qui traîne sa petite fille dans un chariot, puis sur deux écureuils qui descendent d'un érable et enfin sur la large avenue bordée de grandes maisons aux jardins boisés et fleuris. Il se perd un instant dans les nuances jaunes et rouges des feuillages qui miroitent au soleil et bruissent sous la caresse du vent matinal.

Noah sort son carnet, fixe les arbres à nouveau et note : « Diapré ».

— C'est un beau quartier, commente-t-il.

— Westmount ? Oui, et bourgeois, principalement des anglophones d'ailleurs… *No offense*, lui répond Clémence.

— Pas de doute à avoir, ça sent le fric par ici, ajoute Steve en pointant la maison de Béatrice Coté.

C'est une bâtisse volumineuse de deux étages, en briques rouges. L'entrée est abritée sous un préau qui repose sur deux rangées de colonnettes blanches.

Steve appuie sur l'interphone et se positionne devant l'objectif de la caméra.

Clémence passe devant Noah et lui dit :

— Cela fait plusieurs fois que je vous observe prendre des notes. Je suis curieuse, vous pouvez m'expliquer ?

Il émet un petit ricanement sec.

— Savez-vous ce qu'est l'aphasie ? demande-t-il.

Clémence hoche la tête.

— J'ai une grand-mère qui a eu une aphasie de Wernicke. Elle avait un fort débit de paroles, mais ce qu'elle prononçait n'avait ni queue ni tête. C'est horrible à dire, mais avec mon cousin on s'amusait à la faire parler. On piquait des fous-rires. C'est honteux, je sais. Mais j'avais cinq ans à l'époque, j'espère que ça m'excuse un petit peu.

Noah sourit.

— Suite à mon accident, j'ai dû passer quelques mois dans le coma. Je me suis réveillé avec des séquelles. Amnésie, troubles moteurs, perte d'attention et une forme d'aphasie dite « de conduction ». Elle est différente de celles de Wernicke ou de Broca. Notre compréhension n'est pas altérée et nous sommes conscients de nos erreurs de langage. Lors de mes paraphasies, j'arrivais à placer quelques mots rares dans mes phrases qui ajoutaient du sens à mes propos. Peu à peu, j'ai pris l'habitude de trouver un substitut à des noms, des verbes ou des concepts en utilisant des synonymes moins communs. Je suis presque guéri, mais j'ai gardé cette habitude, car…

— Vous avez peur de rechuter, conclut Clémence. Je comprends.

Noah hoche la tête.

Steve martèle la sonnette une dernière fois :

— Bon, marre de perdre mon temps, il faut se rendre à l'évidence, la maison est vide.

Clémence pose sa main sur la poignée et la tourne.

La porte s'ouvre.

— Ce n'est donc pas une légende ! Les Canadiens ne verrouillent pas leurs portes ! s'exclame Steve d'un air moqueur.

— On dit *barrer* par ici. Et oui, à Westmount peut-être, mais dans d'autres quartiers, c'est peu probable. Les voleurs existent, et ce n'est pas un mythe.

Steve secoue la tête et fouette l'air avec ses mains comme pour chasser la très mauvaise idée qu'il sent poindre chez Noah et Clémence.

— Juste un dernier rappel au cas où un poil de bon sens commencerait à vous pousser dans le crâne : ça reste illégal de rentrer chez des gens sans invitation. Mais bon, puisque vous êtes butés, je vais aller faire un tour dans les environs et poser des questions. Ce que vous faites… Bordel, je ne veux même pas le savoir.

Steve s'éloigne en direction des maisons voisines.

Noah et Clémence s'échangent un sourire complice et entrent chez les Coté.

La première chose que Noah perçoit lorsqu'il franchit l'embrasure, c'est l'odeur de javel. Comme si on venait juste de passer la serpillière.

Le sol carrelé en damier noir et blanc qui recouvre l'ensemble du rez-de-chaussée est totalement lustré.

— Vous pensez trouver quoi, au juste ? demande Clémence. On sait tous les deux qu'ils ne sont pas suspects, la SQ voulait juste les interroger pour avoir des renseignements. Mais pas vous, je l'ai lu dans votre regard. C'est cette histoire de nationalité ?

Noah hésite un instant, puis répond :

— J'ai repensé à ce que vous avez dit lors de la réunion, vous savez, à propos de la première victime. Que le tueur voulait lui extorquer des renseignements par la torture. Je suis certain… que c'est une piste intéressante.

Clémence secoue la tête.

— Vous avez éludé ma question, monsieur Wallace.

— Les victimes ont un lien entre elles. Si nous le découvrons, nous saurons pourquoi le tueur les traque et les exécute, et peut-être même quelles seront ses prochaines cibles.

— J'ai compris, vous ne voulez pas me répondre.

Noah grimace.

— Ils ne sont pas québécois. C'est ça que vous voulez m'entendre dire ? Peut-être des Canadiens anglophones, peut-être des Américains, je ne sais pas encore. Mais ils ont caché leur identité. Comment je le sais ? Aucune idée.

— Je crois à l'intuition. Toutes les choses ne s'expliquent pas… ou pas encore, du moins. Et je ne sais pas pour vous, mais je suis ici depuis moins d'une minute et je sens déjà que quelque chose ne tourne pas rond. Et je ne parle pas que de l'odeur de propre.

Noah aussi perçoit des choses. Mais d'une autre façon qu'elle.

Il ressent la détresse. Il ressent la mort.

Clémence sort son téléphone cellulaire.

Noah brandit son carnet de notes et un crayon.

Il sourit. Si cette maison a des secrets, ils ne vont pas tarder à les découvrir.

Veule

Clémence avance à pas feutrés en direction du salon. Sa frêle silhouette semble glisser sur le carrelage. Une fois sur place, elle balaie la pièce du regard, puis observe une deuxième fois les lieux à travers l'écran de son téléphone portable et prend des rafales de clichés.

Noah ne bouge pas, il ferme les yeux et bloque sa respiration. Il se connecte à la maison pour en capter les vibrations, le rythme, les notes. Cet ancrage est un préambule nécessaire pour faire de son esprit un atelier et de son imagination de l'argile.

Laisse ce jeune oiseau voler, Noah, tu ne pourras pas la suivre. Fais ce que tu fais de mieux, observe et sois à l'écoute des mélodies silencieuses chantées entre les murs.

Il libère l'air prisonnier de ses poumons et ouvre les paupières.

Le placard de l'entrée est un bon endroit pour commencer, se dit-il.

Il fait coulisser la porte et détaille le contenu.

Béatrice prend de la place, constate-t-il. Plusieurs manteaux Rudsak, Desigual, Armani Collezioni. Les enfants ont droit à la portion congrue. Un blouson Canada Goose – certainement pour Sylvain. Une veste en tweed bleue pour Chloé.

Il n'a pas vu de photo, mais l'image d'une grande femme élégante se forme dans son esprit. Et s'il ne discerne pas encore son visage, il imagine déjà une silhouette altière et droite aux mains fines et délicates.

Il griffonne : forte, élégante, égoïste.

Puis il ferme la porte. Clémence le frôle au même moment. Elle se rend dans la cuisine d'un pas léger et continue d'observer la maison à travers le cadre de son téléphone. Noah a l'impression de voir une fillette déambuler dans une aire de jeux.

Il avance vers le salon, s'immobilise au centre de la pièce et colle le haut de sa canne sous son menton. À la fin de son observation, il note : sobre, épuré, froid. Et il ajoute : maniaque ? Puis il entoure le point d'interrogation.

Le visage de Béatrice prend forme dans son atelier. Maquillée, les lèvres pincées prisonnières d'un visage figé, les zygomatiques crispés.

Autour de la grande table en bois, il visualise les repas silencieux, les enfants qui finissent leurs mets sans un mot. Elle qui reste seule, le regard plongé dans un vide abyssal. Elle se reverse du vin jusqu'à liquider la bouteille, débarrasse assiettes et couverts, nettoie la vaisselle. Puis, alors que tout est rutilant, elle s'assoit avec la grâce d'une grande dame dans le canapé en cuir blanc qui fait face à l'écran plat accroché au mur en pierres apparentes.

Il la voit ensuite basculer et s'assoupir sur l'oreiller en soie devant une émission sans intérêt qu'elle ne regarde pas. Elle se réveille bien plus tard dans la nuit, les lèvres soudées et les paupières collées, pour aller se coucher.

Il note : amertume, tristesse, solitude. Il hésite, puis griffonne : prison et veule.

Il barre égoïste et ajoute un point d'interrogation à forte.

Tu vois Noah, tu n'as pas besoin de l'Autre. Les partitions sont inutiles, tu ressens la musique, tu détectes les sillons que les vies gravent dans l'existence.

Le visage d'argile change dans son atelier.

Les traits de Béatrice se fanent, ses yeux s'embuent, le rouge à lèvres s'étale aux commissures et sur le menton, le mascara se mêle aux larmes, deux traits noirs sinuent sur ses joues.

Noah fait demi-tour et s'oriente vers la cuisine.

Sur place, Clémence photographie le réfrigérateur. Elle remarque sa présence et se tourne vers lui. Le regard de la fille est celui d'une écolière qui sait qu'elle a la bonne réponse à un problème.

— Alors, monsieur Wallace ? Qu'avez-vous trouvé ?

— Béatrice est une femme au bord de la rupture. Elle semble forte, mais la solitude et les regrets la rongent. Elle porte un fardeau, devenu trop lourd pour ses épaules, elle a perdu le contrôle de sa vie devenue un carcan. Sans ses enfants, elle se serait déjà donné la mort.

L'espièglerie de Clémence laisse place à une mine circonspecte.

— Alors là, désolée de vous dire que je suis sur le cul. Je m'attendais à… autre chose… de moins…

— Intuitif ? Irrationnel ?

— J'allais dire dramatique. Moi, je dirais surtout que Béatrice est une maniaque. L'asymétrie doit lui faire faire des cauchemars. Vous avez remarqué comme tout est aligné, classé, rangé ? Je suis sûre que si on mesure l'écart qu'il y a entre chaque verre dans cette cuisine, on obtiendra le même résultat. Et je ne parle pas du frigo, qui est un modèle d'ordre et ferait passer un camp militaire pour une garderie d'enfants. Ce qui m'amène au point suivant : pourquoi avoir laissé traîner des prospectus de voyages sur l'îlot central de la cuisine, juste en évidence à côté du panier de fruits ? Ça ne colle pas du tout.

Elle sort son téléphone et avance vers Noah. La photographie montre le buffet en bois massif du salon sur lequel cinq cadres sont posés.

— Vous voyez, là. La symétrie est brisée. Les trois de gauche sont parfaitement alignés, alors qu'il y a un espace entre les deux de droite. Je mettrais ma main à couper qu'un des cadres a été enlevé. C'est louche.

Elle ajuste ses cheveux sous son bonnet, se fait un bracelet avec son élastique et dit :

— Vous savez ce que je pense ?

Noah secoue la tête.

— Ils ont fui quelque part, peut-être effrayés par le tueur, et brouillent les pistes avec ces prospectus de voyages. Ou alors…

— Il leur est arrivé quelque chose et on cherche à brouiller les pistes, dit Noah.

— Mais qui serait ce « on » ? Peu probable que cela soit le tueur : vu son *modus operandi*, on les aurait retrouvés sur la même scène.

— Exact, répond Noah.

Elle pose le téléphone sur ses lèvres, réfléchit un instant puis déclare :

— Il reste des pièces à inspecter. Salle de bains, chambres. Je monte à l'étage.

Nous sommes complémentaires, conclut Noah ; elle décèle les imperfections, les marques à la surface de l'épiderme, et moi je sonde ce qu'il y a de plus profond.

Noah prend appui sur sa canne, chasse les fourmis de sa main droite et se dirige vers les escaliers.

Il pose son pied sur la première marche, puis s'arrête.

Serait-ce des sanglots qu'il a entendus ?

Il secoue la tête, puis se concentre sur les bruits de la maison. Les pas de Clémence résonnent à l'étage.

Les sanglots à nouveau, plus distincts, plus forts, ceux d'une fille.

Cela vient de derrière la porte, celle qui fait face à l'entrée.

Noah recule, puis avance vers la source des pleurs.

Il pose la main sur la poignée et inspire.

Il la tourne et entrouvre la porte.

Une chambre d'adolescente. Posters de One Direction, lit à une place, iPad posé sur le bureau.

Et puis, près du radiateur, il remarque une fille recroquevillée sur elle-même, la tête coincée entre ses genoux.

— Chloé ? C'est toi ? demande Noah.

Pas de réponse, elle continue de sangloter.

— Hey, tout…

Tout va bien se passer, Noah.

Noah se fige. Son corps frissonne. Il vient de comprendre.

La tête de la fille se détache lentement de ses jambes et se redresse.

Elle le fixe, l'expression de ses yeux est vide. Un trou rouge orne son front.

Puis elle pointe un doigt vers le lit.

Noah déglutit, essuie ses mains devenues moites sur son pantalon et fait quelques pas vers la jeune fille.

Le doigt est toujours tendu en direction du lit.

Elle veut m'indiquer quelque chose.

Noah regarde en dessous du sommier, il n'y trouve rien, hormis quelques pelotes de poussière. Il ôte la couverture, puis la couette. Bredouille, là encore. Idem sous l'oreiller. Puis il glisse sa main entre le matelas et le sommier.

Ses doigts se posent sur une surface rugueuse, il tâtonne et reconnaît l'objet : un livre !

Noah le prend. La fille pose son index sur sa bouche fermée.

Même si aucun mot ne franchit la barrière de ses lèvres, il comprend ce qu'elle attend de lui.

Elle veut que je garde cela pour moi. Que je n'en parle pas.

Le livre est scellé par un petit cadenas. Sur la couverture il est écrit : Chloé.

C'est son journal intime.

L'arroseur…

Sophie se redresse dans le fauteuil et repose la tasse de thé sur la table basse.

Elle jette un coup d'œil rapide vers le vestibule et prend appui sur les accoudoirs.

Dégage de là, Sophie ! Sauve-toi vite, ne reste pas une minute de plus avec ce type.

C'est vrai qu'il serait facile de se lever, de courir vers la porte d'entrée et de foncer vers la Civic sans se retourner. C'est même la chose la plus sensée à faire. Mais depuis quand est-elle une fille sensée ? Surtout, fuir lui ferait perdre sa seule piste.

Son regard se déporte vers son hôte. Elle cherche un indice caché dans ses traits. Quelles sont ses intentions ?

Stephen Cadwell la fixe, son visage n'exprime aucune animosité, seulement de la tristesse. Elle voit un homme fatigué, usé.

Elle se décrispe, mais reste sur le qui-vive, prête à bondir.

— Comment connaissez-vous mon nom ? demande-t-elle.

Stephen cligne des paupières, décroise les jambes et se redresse dans le divan.

— C'est la première question honnête que vous posez depuis que vous êtes ici, mademoiselle Lavallée.

Il se verse du thé dans la tasse.

— Que voulez-vous dire ?

— Vous savez, je m'en veux d'avoir été naïf au point de croire qu'une personne pouvait s'intéresser à la fermeture de cette école, ou encore à la vie brisée d'un enseignant. Même si je dois admettre que lorsque je vous ai eue au téléphone, vous étiez convaincante. J'y ai cru.

Sophie a toujours les mains crispées sur les accoudoirs.

— Je vous ai reconnue. C'est le problème avec la beauté, elle est à double tranchant. Elle peut susciter l'admiration et les faveurs, tout autant que la jalousie et la haine. Mais, dans les deux cas, elle ne passe jamais inaperçue.

Sophie l'interroge du regard.

— C'est votre blog qui vous a vendue. Je le lis, vous savez ? Lorsque je vous ai vue sur le perron, je me suis senti trahi. J'ai même hésité à vous congédier sur-le-champ, mais plutôt que de vous claquer la porte au nez, je me suis dit : « Stephen, laissons donc entrer cette jeune femme et voyons ce qu'elle veut vraiment », même si j'avais déjà ma petite idée. Vous m'avez déçu, vous avez exploité une situation tragique et joué avec mes sentiments sans la moindre hésitation, ni considération pour ma personne. Et dire que je voulais vous aider. Si vous saviez le nombre de fois où j'ai failli vous envoyer un message via votre blog. D'ailleurs, je peux vous poser une question ?

Sophie s'enfonce dans son fauteuil. Elle voudrait se faire la plus petite possible, et ne plus avoir les yeux de Stephen braqués sur elle. Elle est de nouveau la petite fille assise à son piano, face à un père déçu par sa performance. Elle se racle la gorge et répond :

— Oui, monsieur Cadwell, bien sûr.

— Pensez-vous vraiment trouver la vérité en maniant la duperie et le mensonge ? Ne voyez-vous pas là un paradoxe ? Posez-vous la question : comment pouvez-vous donner des leçons sur la défense de la planète et des animaux alors que vous n'avez aucun égard ni aucun respect pour votre prochain ?

Sophie reste silencieuse. Que répondre ? Ce n'est pas une question, c'est un jugement.

Elle se redresse et se lève.

— Vous avez raison, monsieur Cadwell, je suis désolée. Je regrette de vous avoir causé du tort. Je vais m'en aller.

Stephen lui fait signe de se rasseoir.

— Alors Edgard Trout et la petite fille ne vous intéressent plus ? Je vous donne une petite tape sur le dos de la main et votre ego de fille trop gâtée ne peut pas l'encaisser ?

— Non, j'imagine simplement qu'à vos yeux, je dois être la vilaine élève qui vient de se faire renvoyer de la classe. Et vous vous trompez, je n'ai rien d'une fille gâtée.

Il secoue la tête.

— Alors peut-être pouvez-vous me prouver que vous valez plus que le personnage manipulateur que vous vous êtes construit. Avez-vous déjà fait quelque chose dans votre vie qui ne soit pas en rapport avec votre nombril ? Et ne me parlez pas de ces photos dans la ferme californienne qui tapissent votre blog. J'ai connu tellement de personnes qui se cachent derrière ce genre de paravent pour s'acheter une conscience à bon marché. Ce sont des images, rien de plus.

Sophie hésite, puis elle se rassoit. Qu'a-t-elle à perdre ?

— Je peux vous parler de David.

— Un ami à vous ?

— Non, mon frère cadet. J'avais quinze ans lorsqu'il est tombé malade. Cela avait commencé par de la fièvre, nous avions pensé à un virus. Les épisodes fiévreux ont été de plus en plus fréquents et il se plaignait d'avoir des douleurs articulaires. La leucémie a été diagnostiquée plus tard. À l'époque, je faisais du tennis à haut niveau, j'étais très douée, mais j'ai tout abandonné pour l'accompagner dans son épreuve. Nous regardions des films, jouions ensemble, je l'accompagnais à ses séances de chimio. Malgré tout, le cancer a gagné du terrain, jusqu'à un point où mon frère n'était plus qu'un squelette, un mort en sursis. Mais je ne sais pas par quel miracle, mon père a obtenu qu'il participe à un programme expérimental. La thérapie a fonctionné et trois mois plus tard, il reprenait des forces. Je ne regrette pas d'avoir sacrifié ces deux années et ma carrière sportive pour rester à ses côtés.

— Une fin heureuse, alors ?

Sophie fixe le rond de thé laissé par la tasse sur la table basse. Son esprit se remplit d'images et de sons : le rire de David fier de porter sa casquette des

Lakers, sa mère souriante chargée de sacs de courses, son père installé au volant qui a baissé la vitre avant et leur demande de se dépêcher, puis les détonations de trois coups de feu. Elle se remémore la peur et les passants qui se couchent sur le sol, courent sans réfléchir ou bien crient en se figeant sur place. Et puis la stupeur lorsqu'elle aperçoit la tache de sang grossir sur la poitrine de son frère et imbiber son t-shirt gris. Elle se souvient de la douleur dans le cri de son père, des sanglots de sa mère lorsqu'elle le prend dans ses bras, et de l'incompréhension dans le regard de David juste avant qu'il ne s'affaisse.

Sophie lève la tête, ses yeux sont embués de larmes. Elle lui répond, la gorge nouée :

— Non. Il s'est pris une balle perdue lors d'une balade aux États-Unis. Il est mort sur le coup.

— C'est une bien triste histoire, mademoiselle Lavallée. Comme l'écrivait Dickens, « nous forgeons les chaînes que nous portons dans la vie ».

— Quoi ? Vous pensez que nous sommes responsables de ce qui est arrivé à mon frère ?

Stephen secoue lentement la tête.

— Non, vous avez mal interprété mes propos. Je voulais dire qu'une de ces lourdes chaînes que vous portez autour de votre cou est la culpabilité. Pourquoi êtes-vous en vie ? Pourquoi a-t-il traversé cette épreuve, et pas vous ? Peut-être même pensez-vous que votre père aurait préféré que vous mouriez à sa place ?

Sophie se rembrunit et ses ongles s'enfoncent dans le velours du fauteuil.

— Écoutez, en règle générale, je vous assure que j'apprécie de parler de philosophie, de psychologie et de développement personnel, mais…

— … C'est que j'ai besoin de comprendre à qui j'ai affaire, mademoiselle Lavallée, coupe Stephen. J'en sais un peu plus sur vous désormais.

Il lui sourit pour la première fois. Il paraît… libéré.

— C'est à mon tour de me confier. Je vais vous parler de moi, mais surtout, je vais vous raconter tout ce que je sais sur la petite Amy et Edgard Trout.

… arrosé

Stephen se dirige vers la cuisine et revient avec une boîte à biscuits en métal coincée sous son bras. Il la pose sur la table basse et reprend place dans le divan.

— Désolé, je n'ai rien d'autre à proposer.

— Ce n'est pas grave, je n'ai pas faim de toute façon.

Un mensonge qu'elle regrette aussitôt d'avoir prononcé.

Sophie, évite de mentir à ce type si tu veux avoir des réponses.

Stephen ne relève pas. Il saisit un biscuit dans la boîte et le porte à sa bouche. Il grimace.

— Trop cuit, mais je vais le manger quand même. Je n'aime pas le gâchis.

Sophie affiche un sourire de façade.

— Mademoiselle Lavallée, si je vous dis Nixon Shock, fin des accords de Bretton Woods et grande inflation, cela vous parle ?

— Bien sûr, j'ai étudié l'histoire et l'économie des États-Unis à l'université. Le Nixon Shock date de 1971, il a fait du dollar une monnaie fiat en le coupant de son dernier lien avec l'or. L'inflation est venue après sa réélection, en 1972.

Stephen sourit et hoche la tête, comme le ferait un professeur satisfait de la réponse de son élève.

— Bien, car il est important de connaître le contexte économique pour mieux comprendre mon histoire.

Il réajuste ses lunettes d'une pression de l'index et croise les jambes.

— Les six premières années de ma vie ont été formidables. Mon père dirigeait une entreprise d'import de produits de luxe – vins, parfums et maroquinerie – en provenance de la France et de l'Italie. Ma mère était une femme fantastique, la maman que tout enfant rêve d'avoir. Imaginez-vous la famille Cadwell comme le parfait cliché américain des années cinquante. Un patriarche travailleur qu'on ne voit qu'à la fin de la semaine et une femme au foyer dévouée qui s'occupe de la cuisine et du ménage. Dans ce contexte, j'avais tout pour m'épanouir. Des parents aimants qui ne s'engueulaient jamais, des week-ends passés avec eux dans les stades, j'avais même une grande salle de jeu où je pouvais accueillir mes amis et un train électrique gigantesque que j'avais construit avec mon père.

Stephen prend une grande inspiration.

— Mais ce bon vieux Richie est passé par là pour tout foutre en l'air. Car si sa mesure visait surtout les importations japonaises, tout le monde a été touché. Une grosse claque pour Cadwell Import. Les années 1971-1972 ont été dures pour ma famille. Mais cela a encore empiré avec le choc pétrolier de 1973 et la grande inflation. Mon père a dû mettre la clé sous la porte et retrouver un emploi stable n'a pas été une mince affaire. La récession de 1970 avait fait passer le taux de chômage à 6 % et il n'était jamais redescendu. Pour ce bon vieux Stephen, cela voulait dire moins de jouets, finis les matchs de baseball, et surtout une ambiance familiale détériorée. Mon père était rongé par l'amertume. Son rôle de patriarche était important pour lui.

Stephen arrête de parler et regarde le plafond, pensif. Sophie s'est avancée dans son fauteuil au point de ne tenir que par le bout des fesses. Où veux-tu en venir, Stephen ? se demande-t-elle.

Il se redresse et la fixe à nouveau :

— Il y a une histoire cherokee que j'aime beaucoup, celle d'un grand-père qui parle à son petit-fils.

« Petit, dit le vieil Amérindien, il y a une lutte entre deux loups à l'intérieur de chacun de nous.

« L'un est le Mal – c'est la colère, l'envie, la jalousie, la cupidité, l'arrogance, la culpabilité, l'amertume, le sentiment d'infériorité, le mensonge, l'orgueil, et l'ego.

« L'autre est le Bien – c'est la joie, la paix, l'amour, l'espoir, la sérénité, l'humilité, la bonté, la bienveillance, l'empathie, la générosité, la vérité, la compassion et la foi.

« Le petit-fils réfléchit, puis il demande : grand-père, quel loup va gagner ?

« Celui que tu choisis de nourrir, répond l'Amérindien. »

Stephen dévisage Sophie, il cherche l'étincelle dans son regard.

Sophie pourrait presque l'entendre lui demander : *« Et vous ? Quel loup avez-vous choisi de nourrir, mademoiselle Lavallée ? »*

Il reprend un biscuit dans la boîte, qu'il trempe dans sa tasse pour le ramollir.

— Mon père a choisi de nourrir le mauvais loup. Il n'a pas supporté la perte de contrôle et de ne plus être le chef protecteur ; celui qui pourvoit à tout et met sa famille à l'abri. J'aime croire que c'est pour nous qu'il a fait ce que je vais vous raconter. Mais je pense que l'ego en est la cause. Toujours ce foutu ego.

Sophie réprime une grimace. Est-ce à elle qu'il s'adresse ?

Stephen reprend :

— C'était en 1975. Il était revenu plus tôt que prévu de son travail chez Tommy's, l'épicerie de quartier. Mon père avait ouvert la porte et s'était précipité dans le salon. Il avait ce regard halluciné, celui-là même que j'imagine sur le visage du détenteur d'un billet de loterie gagnant. Il a expliqué à ma mère que tout ce qu'on avait à faire pour obtenir vingt mille dollars était d'héberger une petite fille. La petite Amy, alors âgée de trois ans, a débarqué chez nous deux jours plus tard. Nous étions devenus sa famille d'accueil. C'était une fille adorable, une petite brune aux grands yeux tristes, mais éclatants d'intelligence. Avec le recul, je pense que c'était une surdouée. Elle est restée deux ans parmi nous et a redonné vie à cette maison. Ses remarques étaient d'une incroyable maturité et son sens de l'humour très développé. Elle a su lire très tôt. Nous étions très proches et partagions le même goût pour la lecture. Nous passions toutes nos soirées un livre à la main. J'avais aussi remarqué que de temps à autre, mon père s'isolait avec elle, et qu'il ressortait avec des feuilles. Je l'ai surpris un jour les mettre dans une enveloppe et les ranger dans sa sacoche en cuir. Je suppose que c'était important, car lorsque je lui ai posé la question, il s'est très vite énervé contre moi. En octobre 1977, reprend-il, deux individus sont venus la chercher. Je m'en souviens comme si c'était hier, j'étais juste là, sur le fauteuil dans lequel vous êtes assise. J'avais contracté une aphtose et ma mère me donnait la béquée, car j'étais fébrile et j'avais perdu l'appétit. Les deux types ont frappé à la porte et l'ont réclamée. Mon père ne s'y est même pas opposé. J'ai su plus tard que cela faisait partie du « deal ». Amy n'a pas protesté lorsque les deux hommes en noir l'ont embarquée. Elle m'a juste dit : « Au revoir Stephen, et ne m'oublie pas. Tout le monde n'a pas d'amis, c'est triste d'oublier un ami. » J'ai mis quelques secondes à réaliser ce qui se passait. J'ai bondi et couru derrière la Buick Regal noire qui s'en allait. J'ai crié son nom malgré la douleur qui me déchirait la gorge et je me suis agenouillé sur la chaussée. On venait d'enlever ma petite sœur. Un mois plus tard, un grand type, un Afro-Américain qui s'était présenté sous le nom d'Edgard Trout, nous montrait la photographie d'une fillette de trois ans et nous demandait si nous étions bien la famille qui avait accueilli la petite Sylvia Rizzoni. Mon père lui a dit qu'il faisait erreur, que nous avions hébergé temporairement Amy Williams, mais qu'elle n'avait rien à voir avec la fille de la photo. Pourtant, j'ai bien vu qu'il l'avait reconnue. Trout est parti sans un mot. Mais lorsque je l'ai regardé par la fenêtre, j'ai vu qu'il est resté un long moment à observer la maison avant de rentrer dans sa voiture. Juste après son départ, mon père a pris le téléphone. Son visage était grave, inquiet. Après cet épisode, Trout n'est jamais repassé nous voir.

Stephen essuie ses yeux embués.

— Mon père est mort trois ans plus tard d'un cancer fulgurant au foie. Je pense que le mauvais loup a fini par le bouffer. Ce n'était pourtant pas un mauvais homme, et le départ d'Amy l'a profondément marqué. Vous savez, mademoiselle Lavallée, je n'ai rien de commun avec mon père. Pour ma part, j'ai toujours choisi de nourrir le bon loup et c'est pour cela que je vais vous aider. Peu avant que mon père ne meure, il m'a donné le nom du type qui lui avait proposé le deal, en me recommandant de me tenir à distance de cet homme, et en me prévenant qu'il chercherait sûrement à nous surveiller. Si jamais vous voulez suivre la piste de Trout, ou d'Amy, je pense que son nom vous sera utile. Il s'appelait Timothy Carter.

Alliciant

Il est 3 heures du matin et Noah ne trouve pas le repos. Les questions qui tourbillonnent dans sa tête sont autant de spectres qui le tourmentent et l'arrachent à l'endormissement chaque fois qu'il ferme les yeux. Après quelques vains exercices respiratoires, il se redresse et s'assoit sur le bord du lit. À ses côtés, Rachel grogne et s'enroule sous la couette. Sous un rai de lumière lunaire, la vision de la longue chevelure rousse qui repose sur l'oreiller amène un sourire sur ses lèvres. Il remercie la magie du *filetto al barbera* et les quelques traits d'humour que son cerveau malade a bien voulu lui concéder lors du repas. Et surtout, il est heureux d'avoir été à la hauteur. La panne, c'était sa hantise. Il a su l'éviter, malgré un début pénible dû à la peur, au tumulte mental qui l'agite sans cesse et à l'idée persistante qu'il ne la mérite pas. Rachel est une fille formidable, elle a su le mettre en confiance et pour la première fois depuis cinq ans, il a pu se laisser aller.

Mais faire l'amour ne l'a pas apaisé. Car une fois libéré de l'effet des endorphines, les questions sont revenues à la charge, par vagues successives, laissant ses pensées se perdre à nouveau dans l'écume.

Dans les eaux troubles et sablonneuses de son esprit, l'apparition de Chloé est inquiétante de netteté. Son visage pâle aux grands yeux tristes est imprimé en filigrane dans chacune de ses images mentales.

À en croire le docteur Hall, la vision de sa femme est une manifestation provoquée par une libération émotionnelle, une catharsis. C'est une explication plausible et il l'a acceptée. Mais l'adolescente ? Que répondrait la psychiatre botoxée à l'évocation de cette jeune fille inconnue qui l'oriente vers un indice ?

Je pense que vous souffrez d'une psychose hallucinatoire chronique, conclurait-elle sûrement après un long silence. Ou bien encore : votre cerveau blessé a trouvé un moyen de suppléer vos capacités de déduction et d'un point de vue phénoménologique, ce changement se manifeste sous la forme de signaux visuels et sonores.

Dans les deux cas, il repartirait avec un tas de nouvelles pilules venues s'ajouter à sa collection.

Et si la découverte du journal pouvait être expliquée par la deuxième hypothèse, ce qui s'était passé ensuite était bien moins évident à rationaliser.

La jeune fille l'avait fixé, puis elle avait porté son index à la bouche. Noah avait senti qu'il fallait garder cette découverte pour lui-même et n'en parler à personne d'autre.

Et c'est ce qu'il avait fait, il avait gardé le silence et avait attendu d'être seul avant d'ouvrir le carnet et d'en consulter le contenu. Il avait ressenti presque autant de honte que d'excitation en parcourant chacune des pages manuscrites, émaillées de dessins, de poèmes, griffonnées, tachées, parfumées. Chloé était une adolescente à la fois romantique et triste. Son journal évoquait autant ses amours que sa détresse familiale. Elle y parlait de sa mère dépressive, de son frère égoïste et d'un père auquel elle ne pardonnait pas.

Mais ce qu'il avait trouvé entre ces quelques bribes de vie l'avait ébranlé.

Noah se tourne vers Rachel afin de s'assurer qu'elle est bien assoupie. Puis il ouvre le tiroir de sa table de nuit et sort le journal qu'il a coincé entre un vieil exemplaire de *Du côté de chez Swann* de Marcel Proust et *Substance Mort* de Philip K. Dick. Il saisit la petite lampe de lecture et la fixe sur la couverture, puis il cherche l'entrée du 15 juillet 2016.

> « Aujourd'hui, je viens de découvrir que je vis dans le mensonge et que mes grands-parents et mon père ne sont pas ceux qu'ils prétendent. Cela fait un choc et je ne sais pas à qui en parler. Le mieux serait sans doute que je garde cela pour moi. J'avoue que je ne m'étais pas attendue à cette révélation lorsque je me suis éclipsée du repas et que j'ai prétexté une envie d'aller aux toilettes. Mais grand-père Yves peut être tellement ennuyeux et papa est insupportable avec ses histoires drôles qui ne font rire que lui. Et puis j'avais envie de fumer. Je n'avais pas de cigarettes, et pas non plus le courage de marcher dix kilomètres pour m'en acheter. Je savais que grand-père avait une cache de cigares dans son bureau. C'est en

fouillant dans un des tiroirs que j'ai découvert les articles de journaux découpés. Ils dataient de 1992 et parlaient tous de la mort d'un juge américain et de sa famille dans un tragique accident de voiture. "La mort du juge Harris McKenna suscite colère et interrogations", pouvait-on lire en une d'un journal de l'époque. C'est en regardant la photo du juge qui illustrait l'article que j'ai eu un choc. Il était bien vivant et avait même organisé un barbecue familial : c'était mon grand-père. »

Noah est fébrile et sa gorge est sèche. Son ressenti sur la scène de crime avait été le bon, mais d'en avoir la confirmation provoque plus de peur que de satisfaction. L'Autre n'aurait jamais pu déduire cela.

Yves Coté était bien juge. Et il n'était pas québécois, mais américain.

Une autre entrée du journal l'inquiète, celle où Chloé écrit qu'elle a parlé de sa découverte à son frère et à sa mère. Il n'arrive pas à s'ôter l'idée que cette révélation a dû entraîner sa mort.

Oui, sa mort. Pas sa disparition ou son enlèvement comme le pense Clémence. Et elle n'est pas non plus partie en voyage comme en est persuadé Steve.

Noah replace le journal dans le tiroir, lorsque le téléphone vibre dans son pantalon étalé sur le parquet.

Bordel, il est 3 heures du matin ! Qui peut donc appeler à une heure pareille ?

Noah grimace lorsqu'il pose son pied sur le sol. La douleur lancinante traverse sa jambe droite, il a l'impression que son tibia va exploser.

Il se cabre et réussit à plonger sa main dans la poche pour en extraire le téléphone.

Un numéro qu'il ne connaît pas s'affiche sur l'écran.

Il porte le combiné à l'oreille :

— Noah Wallace, murmure-t-il.

— Bonsoir, monsieur Wallace, c'est Clémence Leduc !

— Vous savez quelle heure il est ?

— Désolée, je n'arrivais pas à dormir, il fallait que je vous parle. Pourquoi murmurez-vous, vous n'êtes pas seul ?

Noah se tourne vers Rachel qui n'a pas changé de position.

— C'est une question indiscrète. Pourquoi m'appelez-vous ?

— Cette virée qu'on a faite chez les Coté m'obsède. Il faut qu'on en parle, je pense avoir une piste. Je peux venir chez vous ?

— Quoi ? Maintenant ?

— Je suis toujours à Montréal, Burlington est à moins de deux heures.

Noah reste un moment silencieux.

— Je suis… occupé pour le moment. Passez plutôt me voir vers midi, je dois travailler demain matin, chez IFG Companies. Mais le Chenu est au courant ?

— Le Chenu ? C'est l'inspecteur Tremblay que vous appelez comme ça ? Vous êtes drôle. En fait, je vais vous faire une confession. Il m'a demandé de vous surveiller. Mais ce n'est pas pour cela que je veux être avec vous. Je vous aime bien, on peut faire une bonne équipe… et je vous trouve sexy.

Noah cache le haut-parleur par réflexe et se tourne vers Rachel.

— Demain midi. Bonne nuit.

Et il raccroche.

Il saisit ensuite sa canne, se hisse hors du lit et prend la direction des toilettes. Il fait quelques pas dans le couloir et s'arrête. Il écarquille les yeux, pensant qu'il est peut-être encore victime d'une hallucination.

Ce n'est pas le cas. Et c'est bien une enveloppe qu'il aperçoit, glissée sous la porte d'entrée.

Chafouin

Noah devine le contenu de l'enveloppe bien avant de la prendre en mains. Le scénario se répète, le tueur lui adresse un message.

Il prend de gros risques, réalise Noah.

Pourquoi se donner tant de mal pour communiquer avec moi ?

Et il se dit : peut-être qu'on le tient. Depuis la découverte de la dernière lettre dans le dossier, il a fait installer des caméras et obtenu de la police une surveillance du secteur. Au cas où il se pointerait à nouveau.

Et c'est ce qu'il a fait.

À moins qu'il ne paie quelqu'un pour jouer le messager ?

Dans tous les cas, il partage son temps entre le Vermont et le Québec.

Comme moi, réalise Noah.

Il se penche et saisit l'enveloppe, la porte à ses narines et la renifle.

La myrrhe confirme l'identité de l'expéditeur, c'est sa signature.

Il la déchire et en extrait une lettre tapée à la machine.

Inutile de la lire sans prendre de notes. Tu ne peux pas te fier à ta mémoire.

Il ouvre le placard de l'entrée et saisit le carnet et le crayon dans son manteau. Il clopine ensuite jusqu'à la cuisine. Il agrippe sa boîte de Vicodine – la douleur s'est propagée dans le dos et sa jambe droite le lance – posée à côté de l'évier.

Il avale deux comprimés, s'installe sur une chaise et lit :

> « Noah, mon ami. J'espère que tout va bien. Je devine le tumulte dans ta tête, toutes ces questions que tu te poses à mon sujet.
> Tu te demandes qui je suis, et pourquoi je te parle à travers mes œuvres ou encore pour quelle raison je t'expédie ces lettres au risque de m'exposer.
> Sache que cela est sans importance face à la seule question qui compte : qui es-tu, Noah Wallace ?
> Le découvrir sera un long processus, car la vérité a le tranchant du rasoir et la manipuler avec précaution est une question de survie.
> Mais compte sur moi pour t'aider, et là encore, peut-être pourras-tu trouver un écho dans mon récit.
> Je vais te parler d'un professeur dont j'ai subi l'enseignement à l'institut. C'est une période assez pénible et je garde un souvenir vivace de ce personnage que j'appellerai M. Hook.
> Petit, sec et légèrement voûté, M. Hook était un être mi-homme mi-busard, sans une once de compassion. D'une hygiène déplorable, il

laissait dans son sillage des relents de sueur rance que ses parfums capiteux ne parvenaient pas à masquer.

C'était un abominable cuistre et il me sert encore de mètre-étalon pour mesurer la médiocrité.

Engoncé dans son unique chemise à carreaux rouges, ce professeur de mathématiques, fort de la certitude que ses règles strictes l'édifiaient en parangon, assenait son enseignement avec le tact d'un soudard et la délicatesse d'un uppercut.

M. Hook aimait deux choses dans sa vie de caporal des classes. La première était de perdre son jeune auditoire dans ses discours abscons. Rien n'était plus réjouissant pour lui que le spectacle de grands yeux écarquillés et de bouches qui béaient.

La seconde était le corollaire de la première.

Des questions dont il savourait à l'avance l'inéluctable humiliation qu'elles allaient provoquer.

Humiliation à laquelle venait s'ajouter la douleur, car M. Hook jouait de sa règle de fer avec une rare virtuosité.

Sa méthode ? Augmenter la capacité d'apprentissage par un impact sec sur la jonction des cinq doigts d'une main, persuadé que, sur l'infinitésimal parcours reliant les terminaisons nerveuses au réseau de neurones, la douleur trouverait la réponse à toutes les questions posées.

Dans un sens, il n'avait pas tort. La douleur trouve toujours des réponses sur son chemin, crois-en mon expérience.

Ce que M. Hook détestait par-dessus tout, c'était les questions. Et l'idée qu'un de ces sales gamins puisse faire preuve d'esprit ou d'initiative l'horripilait.

Ainsi, si jamais de la torpeur générale jaillissait une question qui venait déranger sa prédation jubilatoire, sa mine chafouine s'assombrissait et il dévoilait toute l'étendue de son vice.

Il toisait alors l'infortuné élève du haut de toute sa médiocrité ordinaire et, fort de l'écrasante autorité que lui conférait son statut, il l'atomisait. Le plus souvent par un sarcasme bien appuyé, ou par une humiliation physique, la mastication forcée d'un bout de craie faisant partie de ses pratiques favorites.

M. Hook était passé maître dans deux disciplines : se gausser des faibles et des timides et mater les esprits brillants ou originaux qui venaient remettre en question sa pyramide des valeurs.

Je faisais bien évidemment partie de ses proies favorites.

Effacé, et le regard d'une profondeur qui le renvoyait immédiatement à sa propre superficialité, le jeune élève que j'étais avait capté son attention.

Bien sûr, mon apathie aidant, M. Hook m'avait d'abord rangé chez les idiots flegmatiques. Mais du jour où il perçut, dans mes yeux bleu pâle, cette froide intelligence qui le mettait au défi de me briser, il n'eut de cesse de me harceler.

J'étais devenu sa muse, une inspiration sans limites pour ses inclinations les plus sadiques.
Aujourd'hui encore, je n'oublie rien des volées de postillons, de l'écœurante odeur de transpiration, du goût de la craie, des rires gras, des railleries, des coups de règle en métal assenés sur le bout de mes doigts.
Au final, j'avais bien cerné ce fumeux personnage. Un homme d'une relative intelligence mais qui, du jour où il s'était heurté à ses limites, s'était lâchement réfugié dans l'antichambre de son intellect. Il n'en était jamais ressorti, préférant à l'effort de la remise en question le confort de la certitude imbécile.
Les Hook sont légion, Noah. Ce sont ces fausses intelligences qui gangrènent nos sociétés. Ils érigent des murs de lois ; nous phagocytent dans leurs dogmes. Qu'ils soient religieux, fanatiques ou politiciens, ils sont perclus d'autosuffisance, cristallisés dans leurs idéologies, prisonniers d'une gangue d'ignorance. Leur imbécillité les rend délétères.
Tu n'es pas comme cela, Noah, et tu sauras voir au-delà du voile kaléidoscopique qui miroite devant tes yeux et t'aveugle. J'y crois.
Nous nous reverrons.
Ton dévoué ami »

La lettre s'agite au rythme des tremblements des mains de Noah. L'acouphène siffle dans ses oreilles par petites saccades.

Trop de cercles à la surface de l'eau. Trop de données qui se bousculent dans sa tête.

Noah agite sa main droite, cale le carnet sous son poignet gauche et note :

« Institut. École spécialisée ? Yeux bleu pâle. Indice volontaire ? Fausse piste ?

Craie. Situe l'époque.

"La douleur trouve toujours des réponses." C'est une allusion à la torture de Timothy Carter et Leopold Blackburn.

Haine de la religion, fanatisme ou plutôt haine des règles, du dogme. »

Son stylo dérape sur son carnet et zèbre la table d'un grand trait.

Ces lettres. Elles ont un effet sur lui.

L'air lui manque, sa vision se brouille et sa mâchoire se crispe.

Il tente de se lever, mais il est cloué sur sa chaise.

C'est un secret. C'est notre secret, chuchote la voix d'un enfant.

Noah hurle quand il sent une main se poser sur son épaule.

La main…

Benedict Owen commence sa pause par une longue pandiculation. Puis il se redresse dans son siège en cuir et fait craquer ses articulations phalange par phalange.

D'habitude, c'est le moment de la journée qu'il préfère, celui où les lumières s'éteignent les unes après les autres et où le silence s'installe dans les locaux. Les employés désertent les bureaux pour aller rejoindre leurs familles, ou bien se détendre en ville, alors que lui entame son deuxième round.

Ainsi perché dans les hauteurs silencieuses du building, il peut laisser ses pensées se libérer de leur carcan et la machinerie bien huilée de ses méninges exprimer enfin son plein potentiel.

Sauf qu'aujourd'hui, un grain de sable bloque les rouages. Et ni les cafés, ni le silence, ni le petit *quickie* dans les toilettes avec cette gourde de Betty West ne sont parvenus à les dégripper.

Ce grain porte un nom…

Sophie Lavallée.

Comment cette sotte peut-elle penser qu'il a tiré un trait sur l'humiliation infligée au repas de leurs fiançailles ? Cette idiote a même eu le culot de reprendre contact, comme si rien ne s'était passé ! C'est le problème avec les enfants gâtés, tout leur est dû. Mais si la fille à papa pense s'en sortir avec ses sourires et son air candide, elle se trompe lourdement.

C'est vrai que la tentation a été grande de l'envoyer paître sur-le-champ lorsqu'elle lui a demandé son aide, mais le plaisir aurait été de trop courte durée.

Non, il n'y aura pas de *quickie* pour Sophie. Il lui réserve un long coït.

Cette imbécile lui a donné l'occasion de renouer avec lui, c'est du pain bénit. Il suffit d'être patient. Il n'a plus qu'à se montrer courtois et agréable, mais pas trop pour ne pas éveiller ses soupçons. Et qui sait s'il ne va pas réussir à la séduire ? Il jubile à cette idée. Il n'y aurait pas d'amour dans leurs ébats, juste du sexe bien sauvage. Il n'a jamais pu aller au bout de ses fantasmes avec elle. Il n'hésitera pas une seconde cette fois-ci, si jamais elle lui en donne l'occasion…

Son sexe gonfle dans son boxer, alors que les images et les films se succèdent dans sa tête. Il ouvre la fermeture de son pantalon pour libérer son érection douloureuse.

Et puis, s'il n'arrive pas à la sauter, il trouvera bien une occasion de la faire tomber. Cette affaire de *cold case* avec les mafieux a l'air d'être une vraie chausse-trappe. Il la connaît, elle est intrépide et se croit au-dessus des règles. Elle risque d'enfreindre la loi. Si cela arrive – et il le souhaite du fond du cœur –, il sera là pour lui appuyer sur la tête.

— Sophie Lavallée, murmure-t-il alors qu'il plonge la main dans son boxer.

La sonnerie du téléphone de son bureau l'extirpe de ses fantasmes.

Il hésite avant de répondre. Si c'est important, son cellulaire suivra.

Il décroche à la quatrième sonnerie.

— Benedict Owen, assistant du procureur, j'écoute.

Quelques secondes passent, avant qu'un sourire mauvais ne dévoile ses canines.

— Bien sûr, oui, je m'en occupe.

Il raccroche.

— Sophie Lavallée, dit-il à haute voix. Tu es dans la merde et je vais m'assurer que tu t'y noies. Comme tu l'aurais dit toi-même : « *Karma is a bitch.* »

Puis il fait tomber le pantalon à ses pieds.

Blake sort de la douche et noue sa chevelure épaisse sous une serviette. Sur les deux jours où il est resté cloîtré dans sa chambre à travailler sur son programme, il n'a dormi que deux heures et n'a pas vu la couleur d'un savon.

Il faut au moins qu'il soit présentable lorsque Ted va arriver. Déjà qu'il a dû subir les remontrances de Beth pour avoir transformé la colocation en dépotoir – boîtes de pizza et chips éparpillées dans le coin cuisine – et pour s'être négligé au point d'empuantir les lieux…

Mais l'essentiel, dans tout ça, c'est que son bijou soit terminé. Mieux, cette petite merveille de code traque déjà les adresses IP depuis quatre heures sans discontinuer, cela méritait bien quelques parties et une douche, non ?

Si tout se passe bien et que les résultats sont probants, il pourrait même envisager de le peaufiner et d'étendre ses fonctionnalités. C'est le genre d'exploit informatique susceptible de le faire entrer chez un géant de la Silicon Valley comme Google. Depuis le temps qu'il rêve de la côte ouest ! Le FBI est aussi une option.

Traquer les hackers, les pédophiles, les trafiquants et dénicher leurs secrets cachés dans les profondeurs du Darknet… pourquoi pas ?

Blake se frotte la tête, saisit sa brosse à dents, écrase le dentifrice dessus et l'enfourne dans sa bouche.

Il s'apprête à se frotter les molaires lorsque le signal d'alerte de son programme retentit.

Déjà ? se dit-il.

Il ne s'était pas attendu à avoir des résultats avant quelques jours au minimum.

Merde, c'est sûrement une erreur.

Blake se précipite vers son bureau.

Une fois devant le moniteur, il cale la brosse entre ses dents et consulte les logs.

Il fronce les sourcils, s'approche de l'écran.

Et il se fend d'un grand sourire.

— *Yes !* hurle-t-il, la bouche pleine.

Ce n'est pas grave s'il a maculé son clavier de dentifrice. Il se rince avec une rasade de coca froid et insère la brosse dans la canette vide.

Puis il s'installe sur son fauteuil sans prendre la peine de s'habiller.

Malgré la fatigue, Sophie est en ébullition. Elle ne s'était pas attendue à tomber sur une histoire pareille.

Et puis il y a ce Timothy Carter. Pourquoi ce nom lui dit-il quelque chose ? Si l'enregistrement de Cadwell ne lui avait pas vidé la batterie de son iPhone, elle serait déjà en train de faire des recherches.

Tant pis, elle attendra d'être au Villa Motel de Keeseville. Ils auront bien un chargeur et le wi-fi, se dit-elle.

Elle serait volontiers rentrée chez elle d'une traite, mais les cinq à six heures de route qui la séparent de sa couette l'en ont dissuadée.

Peut-être aurait-elle dû rester chez Stephen Cadwell, il le lui avait proposé et indiqué qu'il disposait de deux chambres d'amis. Sauf que malgré sa gentillesse, l'image de Norman Bates n'avait pas quitté son esprit. Courtois, cultivé, mais… étrange.

C'est de l'oolong.

Son véhicule vient juste de franchir le croisement entre Blake Road et Pleasant Street lorsqu'elle remarque les phares dans le rétroviseur qui se rapprochent à grande vitesse.

Encore un fou, se dit-elle. Rouler à cette allure en pleine nuit, sur une petite route de campagne, faut être taré !

Elle serre les fesses lorsque la voiture la dépasse et qu'elle se déporte sur la droite en raison du souffle.

— Connard ! hurle-t-elle dans l'habitacle.

La voiture a filé si vite qu'elle n'a même pas relevé le modèle. Mustang ou Camaro, difficile à dire.

Heureusement que Keeseville n'est plus très loin.

Sophie remet en route l'autoradio.

You can dance, you can jive…

Rien de tel qu'ABBA pour se calmer, se dit-elle.

Deux minutes plus tard, les chanteuses entonnent *Dancing Queen, feel the beat from the tambourine*

soit moins d'une minute avant que ses deux pneus avant n'éclatent,

qu'elle ne perde le contrôle du véhicule,

et que la Honda Civic ne termine sa course dans un fossé.

… dans l'engrenage

Sophie ouvre les paupières dans un gémissement.

L'explosion de l'airbag lui a fait l'effet d'un gant de boxe s'écrasant sur son visage. Les particules de talc et l'odeur âcre de la poudre et du gaz emplissent ses narines. Pendant quelques secondes, ABBA n'est plus qu'un écho lointain qui se mêle au bruit des pales tordues du ventilateur.

Elle redresse lentement la tête et l'extirpe du sac de toile.

Une myriade de petites étoiles blanches dansent devant ses yeux, et ses jambes sont prises de tremblements.

Elle grogne, puis émerge de la torpeur causée par le choc.

Elle réalise enfin. Elle a eu un accident, elle est vivante.

… *Mais pas sortie d'affaire.*

Les trente dernières secondes lui reviennent en tête. Le bruit des pneus qui éclatent, l'embardée incontrôlée, le crissement des jantes sur l'asphalte, le choc et le froissement de la tôle.

Une crevaison... tu as eu de la chance, imagine s'il y avait eu une voiture en face.

Mais la voix de son père prend le relais :

Bordel, ma Sophie, ce n'est pas normal, tu as bien entendu les deux pneus exploser, non ?

Oui, j'ai sûrement dû heurter quelque chose sur la route, se dit-elle.

Bouge, Sophie, la voiture peut prendre feu à tout moment ! Regarde, le radiateur fume !

Elle grimace alors qu'elle détache la ceinture de sécurité. Son poignet droit est meurtri.

Elle parvient à libérer sa main gauche et tente d'ouvrir la portière. Elle s'entrouvre dans un grincement métallique, mais reste coincée.

Merde.

Son sang se glace, elle est prisonnière de la carcasse de la voiture.

La vitre, se dit-elle.

Elle presse le bouton de la portière, mais rien ne se passe.

Putain d'électronique...

Elle bascule vers la droite pour se donner de l'élan et se catapulte vers la portière épaule en avant.

L'impact provoque une onde de choc dans sa cage thoracique.

Elle hurle et les larmes affluent. La douleur est si intense qu'elle manque de s'évanouir.

Putain, j'ai peut-être des côtes cassées, réalise-t-elle.

Et la portière n'a pas bougé.

Elle prend trois courtes inspirations et se positionne sur le siège passager afin de pouvoir expulser la porte avec ses pieds.

Elle expédie un premier coup.

La douleur lancinante qui irradie ses côtes fait monter les larmes… mais elle serre les dents.

La portière s'ouvre au troisième coup de pied.

Sophie pousse un cri de rage.

Elle s'agrippe à la portière et se hisse hors de l'épave de la Civic, puis elle avance de quelques pas et se retrouve sur l'asphalte.

Bien, il ne te reste plus qu'à appeler les secours.

Sauf que ton téléphone est à plat et qu'il se trouve dans le sac à main que tu as laissé dans la voiture, ma Sophie.

Fuck.

Sophie hésite.

Mais pas longtemps.

À une dizaine de mètres en direction de la prochaine ville, elle aperçoit une voiture garée à cheval sur la chaussée et le fossé. Malgré l'obscurité, elle distingue une silhouette assise du côté conducteur.

Louche.

Pourquoi ce type ne bouge-t-il pas ? Pourquoi ne lui vient-il pas en aide ?

Et puis elle réalise.

La forme de la voiture. Un *muscle car*. Cette fois, elle reconnaît le modèle : Chevrolet Camaro.

Mais quelles sont les chances qu'un taré la dépasse avec le même genre d'engin, que ses pneus explosent quelques minutes après et que cette voiture soit garée à une dizaine de mètres du sinistre ?

Aucune chance, Sophie, ne sois pas naïve, ce n'était pas un accident. Alors agis et fais-le vite. Si ça se trouve, le type dans la voiture est armé.

Ses options sont limitées. Il y a une ferme juste à côté, elle distingue une maison et une grange.

Il suffit de courir dans le verger…

Sophie s'approche lentement de la voiture, fait mine de l'ouvrir.

Puis elle sprinte.

À peine a-t-elle atteint le verger qu'elle entend le claquement d'une portière.

Zigzague entre les pommiers ! Ne reste pas à découvert ! Ne fais pas de toi une cible facile !

Sophie pleure à chaudes larmes, chaque foulée est un supplice qui lui arrache un cri de douleur.

Arrivée à proximité de la ferme – une vieille maison victorienne –, la lampe extérieure placée sur la porte d'entrée et une autre plus puissante au niveau de la grange à sa droite éclairent sa position.

Merde, elle est exposée.

Elle balaie le verger du regard. Elle n'est pas sûre, mais elle pense apercevoir la silhouette d'un homme se fondre avec celle d'un pommier.

Elle fonce vers le perron.

Devant l'entrée, elle secoue la cloche en fer suspendue au beffroi.

Un chien aboie derrière la porte.

Pas un petit toutou, réalise-t-elle.

La bête halète, grogne puis reprend sa série de jappements rauques.

Un énorme molosse, se dit-elle, genre rottweiler !

Elle agite la cloche une seconde fois, mais personne ne répond.

Elle jette à nouveau un regard en direction du verger.

Elle ne distingue plus rien. Normal, elle est plongée dans la lumière. Sophie s'agenouille et tente de se dissimuler derrière la rangée de pots de fleurs accrochés au balconnet du perron.

Tout en restant dans cette position, elle martèle la porte de son poing.

— Ouvrez-moi ! Au secours !

Un faisceau de lumière jaune jaillit de la porte vitrée.

— Tais-toi, Victor ! intime une voix rocailleuse.

Les aboiements cessent.

Les quelques secondes pendant lesquelles elle entend la clé batailler avec la serrure lui semblent sans fin.

La porte s'ouvre et elle se précipite à l'intérieur.

— S'il vous plaît ! J'ai eu un accident et un type me poursuit ! Je pense qu'il veut me tuer.

Victor grogne et montre les dents. C'est effectivement un rottweiler.

Puis elle remarque le fusil à pompe dans les mains du propriétaire.

Un type d'une cinquantaine d'années, sec et dégarni. Il est habillé d'un pyjama gris à carreaux. Son visage est anguleux, taillé à la serpe, ses lèvres sont épaisses et craquelées.

Il la regarde d'abord avec méfiance, comme si elle était folle. Puis il hoche la tête.

— Entrez, mademoiselle. Je vais aller voir dehors.

Mauvaise idée, pense-t-elle en le regardant descendre les escaliers du perron.

Le type saisit le chien par le collier d'une main et active la pompe du fusil de l'autre.

Sophie reste dans l'entrée et ferme la porte derrière lui.

Elle attend.

Une minute passe.

Toujours rien.

Son pouls s'accélère.

Elle hésite.

Elle pose sa main sur la poignée.

S'apprête à pousser la porte.

Le visage du propriétaire apparaît à travers la vitre.

Sophie lui ouvre.

— Rien vu, déclare-t-il en la considérant d'un air suspicieux.

— Vous avez un téléphone ? Je peux appeler la police ? Il y avait un type après moi !

Il lâche un soupir et désigne un combiné sur une commode dans l'entrée.

La police de l'État de New York arrive sur les lieux environ dix minutes plus tard.

Sophie a tout raconté à l'agent, un joli blond à la mâchoire carrée.

— Effectivement, les deux pneus ont explosé, ce n'est pas normal. On n'a rien trouvé sur la chaussée, en revanche.

Un autre agent rejoint son collègue et chuchote à son oreille.

Le visage du beau blond se rembrunit, puis il lève vers elle un regard mauvais.

— Vous êtes bien Sophie Lavallée ?

Le ton est glacial.

Elle hoche la tête.

— Mademoiselle Lavallée, vous faites l'objet d'un avis de recherche émis par la police de New York.

Elle reste interdite avant de réaliser.

— Quoi, mais attendez, vous voulez dire que…

— Oui, mademoiselle, vous êtes en état d'arrestation.

Turbide

Rachel retire sa main aussi vite que si elle l'avait posée sur une plaque chauffante.

— Oh mon Dieu, désolée, je ne voulais pas te faire peur.

Noah sursaute sur la chaise et reste immobile quelques secondes. Son regard se fixe sur un point invisible. Ses deux mains tremblent encore et la sueur froide abonde sur son front et ses tempes.

— Tu n'as pas l'air bien, je vais appeler les urgences, dit-elle. Puis elle se dirige vers la chambre.

— Non ! hurle-t-il.

Rachel se fige sous l'injonction et se retourne, incrédule.

— Je vais mieux, c'est la Vicodine, ment-il en désignant la boîte. Je suis habitué.

Rachel esquisse un sourire sans joie.

— Tu es sûr de toi ? Tu as l'air ébranlé, tu veux qu'on en parle ?

Il secoue la tête, lentement.

— Va te recoucher, j'arrive.

Noah attend la fin des tremblements pour se lever. La douleur lui arrache une grimace.

Il plie la lettre, la cale entre deux pages de son carnet et dépose le tout dans la poche intérieure de son manteau.

Il continuera son analyse plus tard, lorsqu'il sera seul.

Hors de question qu'il implique Rachel dans ses histoires sordides et son univers poisseux.

Elle est sa lumière, son phare dans cette obscurité brumeuse qui l'entoure.

Se confronter aux ténèbres, aux monstres hideux tapis dans les replis de l'esprit humain, cela vous ternit à tout jamais. Il ne veut pas de cela pour elle. Il veut la préserver de la noirceur.

Noah la rejoint, lui dépose un baiser dans le cou et lui caresse l'épaule.

Puis il se positionne sur le dos et fixe le plafond.

Il sait que le sommeil ne viendra pas.

Beaucoup trop de cercles à la surface de l'eau.

Noah a menti à Clémence.

Il ne travaille plus chez IFG Companies depuis qu'il a repris du service en tant que consultant pour la Vermont State Police.

Le salaire est suffisant pour couvrir toutes ses charges et lui permettre de vivre décemment selon ses standards, sans avoir à cumuler deux emplois.

Clémence risque d'arriver avant midi – elle est du genre à être en avance, se dit-il – et il avait besoin de préparation.

Si cette fille est comme l'Autre, elle n'aura aucun mal à le décrypter en quelques coups d'œil. La vacuité des lieux, les cartons épars : il est un livre ouvert. Mais qu'importe.

Cela est sans importance face à la seule question qui compte : qui es-tu, Noah Wallace ?

Peut-être sera-t-elle même plus efficace qu'Elizabeth Hall et ses thérapies hors de prix.

Noah a pris la matinée pour mettre de l'ordre dans son bureau. Il a accroché son tableau blanc et sorti les feutres des cartons.

Il a disposé quelques notes ainsi que les vieux dossiers sur le tréteau qui servait de débarras. En revanche, il a pris soin de cacher les dernières lettres et le journal intime. C'est trop tôt pour évoquer ces pistes avec la jeune profileuse. Il voudrait lui accorder sa pleine confiance. Mais hormis leur grande complicité intellectuelle, il ne la connaît pas.

Il ne s'est pas trompé sur son compte : la sonnette de son appartement retentit à 11 h 30.

Une demi-heure d'avance.

Aucune importance, Noah est prêt.

À peine a-t-il ouvert la porte que la jeune femme bondit avec des sachets en carton China Express à la main.

Poulet aigre-doux et riz cantonais, il en reconnaît aussitôt le fumet.

— Bonjour, monsieur Wallace, je sais qu'il est tôt, mais j'ai pris de quoi manger. Vous avez un micro-ondes pour réchauffer ?

Elle s'est maquillée, remarque-t-il.

Elle est plutôt jolie. D'habitude, il préfère les femmes plus en chair, comme Rachel. Mais malgré sa grande maigreur, cette petite a du charme.

— Merci, posez-les sur la table de la cuisine, lui répond-il.

— Je me suis permis d'appeler IFG Companies pour vous prévenir que je voulais réserver une table. J'ai appris que vous n'y étiez plus. Vous êtes un cachottier, monsieur Wallace. D'ailleurs, la femme que j'ai eue au bout du fil ne vous a pas épargné.

Noah sourit.

Évidemment que Clémence a appelé au bureau... elle a dû tomber sur la Gorgone.

— J'avais besoin de temps... pour préparer les dossiers, s'excuse-t-il.

— Inutile de vous justifier, je ne suis pas là pour juger, mais pour travailler. Alors, on commence ?

Noah acquiesce et la conduit vers le bureau.

Avant d'entrer dans la pièce, Clémence s'arrête et désigne la porte fermée.

— C'est votre chambre ?

Noah se contente de hocher la tête.

— C'est bon à savoir.

Et elle ponctue sa remarque d'un clin d'œil.

— Vous aviez des choses à me dire, non ? Sur notre visite chez les Coté, interroge Noah.

Clémence détaille la pièce et son regard se porte sur le tableau accroché au mur.

— Je ne sais pas pour vous, mais lorsque je suis sur une scène, le temps s'arrête. Et sur les clichés figés qui défilent devant mes yeux, je m'accroche à chaque imperfection, à chaque incongruité. La vérité est dans le détail, c'est ce que vous avez dit à une conférence à Montréal, il y a huit ans.

Noah sourit, mais le souvenir ne refait pas surface. C'est bien un de ses credo, mais Montréal ne lui dit rien.

— Bref, au chapitre des anomalies, il y avait le carrelage nettoyé, les prospectus de voyage, les cadres manquants. Et puis à l'étage, mêmes soucis. Madame Coté est une maniaque, obsédée par l'ordre. Une rapide analyse de sa chambre m'a permis de conclure que si une valise manquait à l'appel, aucun habit n'avait été pris.

Clémence marque une pause et s'avance vers le tableau.

— La personne qui a kidnappé ou tué les Coté a fait un travail bâclé. Pour faire croire à un voyage, mettre des vêtements dans une valise, c'est la base, non ? Plus important que de voler des cadres ou encore que de nettoyer le sol. Je peux vous faire part de ma théorie… professeur ?

Noah hoche la tête.

— Allez-y, je suis curieux de l'entendre.

— Vous allez me prendre pour une folle, mais j'ai l'impression que quelqu'un ne voulait pas qu'on interroge la famille Coté. Quelqu'un qui a su pour la scène de crime à Lac-Beauport. Québec n'est qu'à deux heures et demie de Montréal. Alors il fallait agir vite. Le kidnappeur-tueur est rentré pour effacer les traces et s'assurer que personne ne parle. Le nettoyage du sol suggère que cela s'est mal passé pour la famille. Il a tué les personnes présentes dans la maison, fait croire à un voyage, embarqué quelques pièces compromettantes. Ceci dépasse le cadre d'une simple affaire de tueur en série, monsieur Wallace.

Elle marque une pause et plante son regard dans le sien.

— Et je pense que vous êtes impliqué.

Noah amorce une réponse, mais elle le coupe.

— Le tueur s'adresse à vous, il veut vous faire comprendre quelque chose. Peut-être même que la réponse se trouve dans votre tête. Mais le problème est que vous n'êtes pas fiable. Vous n'avez rien dit lorsque j'ai parlé d'une conférence à Montréal que vous n'avez jamais donnée. Je ne pense pas que vous ayez menti par omission, vous ne vous faites plus confiance. Alors je me pose la question : qui êtes-vous, Noah Wallace ?

L'interrogation reste en suspens. Noah a la bouche ouverte, mais aucun son ne franchit ses lèvres. Clémence le fixe droit dans les yeux.

Le silence est rompu par la porte de l'appartement qui s'ouvre et frappe le mur.

— Noah, tu es là ? J'ai apporté à manger !

Mince, Rachel ! Mauvais timing.

Il soupire, prend sa canne et se dirige vers l'entrée.

Trop tard, la grande rousse est déjà dans la cuisine. Elle s'est figée à côté de la table et son regard est dirigé vers les sacs de nourriture.

Noah fait quelques pas vers elle.

— Rachel, je te présente Clémence. Et Clémence, voici ma petite amie, Rachel.

Les deux femmes se sourient. Mais elles se défient du regard.

Rachel dépose les sachets El Cortijo juste à côté de ceux que Clémence a apportés.

Son visage s'assombrit, elle se tourne vers Noah.

— Au moins nous ne manquerons pas de nourriture.

Noah ne répond pas. Il n'a même pas remarqué la pointe de sarcasme. Son regard s'est perdu dans le chatoiement cuivré des boucles rousses de son épaisse chevelure.

Rachel fronce les sourcils et agite la main devant ses yeux pour le sortir de sa torpeur.

Peine perdue. Noah erre dans une bulle temporelle, il repense à la nuit qu'il vient de passer, à la courbe de ses hanches, à ses lèvres purpurines. Clémence esquisse un sourire lorsqu'elle aperçoit le visage de la grande rousse passer de l'amusement à la consternation.

Rachel reprend un des sacs et le secoue. Le bruit de papier ne le réveille pas.

— OK, en fait, je vais repartir au travail, tu as l'air bien occupé et je ne voudrais surtout pas vous déranger. Au revoir, Clémence.

La bulle autour de Noah éclate lorsqu'il réalise qu'elle est sur le point de partir. Il fait claquer sa canne sur le parquet et avance d'un pas vers elle.

— Rachel, attends ! Nous pouvons déjeuner ensemble…

Elle lui sourit et lui adresse un clin d'œil.

— À ce soir, Noah, dit-elle, avant de claquer la porte.

Noah pousse un soupir.

— Bon, moi je meurs de faim ! s'exclame Clémence. Alors, mexicain ou chinois ?

Il fixe le sol et pense : je n'ai rien fait de mal, si ? Pourquoi cette réaction ?

— Chinois, conclut Clémence.

Elle place les plats dans le micro-ondes, ouvre le frigo et sort une bouteille d'Apothic White à moitié entamée.

— Elle est canon votre petite amie… et en rogne. Pourtant, nous n'avons encore rien fait de mal. Vous avez des verres ?

Encore, relève Noah.

— Désolé, pas d'alcool si je veux avoir les idées claires. Et je n'ai pas très faim, répond-il.

Clémence hausse les épaules, se sert un verre de vin blanc et sort le plat du four.

— Ça vous dérange qu'on reprenne ? Je peux travailler en mangeant.

Noah tire deux chaises de la cuisine afin qu'ils puissent s'installer devant le tableau.

Une fois assise, Clémence prend une rasade dans son verre, le pose sur le tréteau et sort une boîte de trombones.

Noah fixe la jeune fille tandis qu'elle les aligne devant elle. Il rit.

— J'ai manqué quelque chose ? C'est ma manie qui vous fait rire ?

— Non, je me demandais comment nous en sommes arrivés là. Je suis censé travailler avec Steve et vous avec le Ch… l'inspecteur Tremblay. Et pourtant nous sommes ici, chez moi, et nous ne sommes même pas flics.

Clémence agrippe trois trombones et les accroche ensemble.

— C'est le rôle de la police d'enquêter sur du tangible. Ni votre intuition, ni mes déductions basées sur la maniaquerie compulsive de Béatrice Coté ne peuvent justifier une dépense budgétaire, surtout si c'est pour explorer une piste parallèle. Ce tueur en série, c'est une enquête importante pour mon patron, alors il joue la carte de la prudence. Mais attendez encore deux jours et vous verrez qu'il va commencer à s'inquiéter de ne pas voir les Coté revenir au bercail. Pour Steve, je ne le connais pas assez, mais il n'a pas l'air de vous suivre non plus sur ce coup.

Noah hoche la tête.

— Steve est un pragmatique, et cette histoire d'enlèvement ou de meurtre des Coté n'est pour l'instant qu'une fiction à ses yeux. Il est obsédé par le tueur. De son point de vue, nous perdons notre temps, enfin surtout moi. Il faudrait que je lui mette le nez devant une piste solide, pas une intuition.

Clémence sort deux nouveaux trombones de la boîte et les accroche aux autres.

— Nous savons tous les deux que les techniques policières classiques ne mèneront à rien. Le tueur ne commettra pas d'erreurs. Ce n'est pas en enquêtant sur des achats de myrrhe, de plumes de paon, d'agrafes et j'en passe, qu'ils vont parvenir à l'attraper. Mais ils n'ont pas le choix, c'est le protocole. En outre, le tueur psychopathe classique possède un ego surdimensionné qui peut le pousser à la faute si on l'insulte ou si on le provoque. Ce n'est pas le cas ici. Son obsession pour vous sera la clé pour le retrouver. Pour moi, il est clair qu'il agit comme un chat qui amènerait une souris au pied de son maître.

— Je n'ai rien demandé, pourtant.

— Peu importe. Lui doit le penser. Lorsque j'ai voulu savoir qui vous étiez, ce n'était pas une question rhétorique.

Clémence pose son index sur le front de Noah et dit :

— C'est dans ce labyrinthe de matière grise que se trouvent les réponses.

Noah lui saisit le doigt. Les yeux de la jeune femme sont deux braises ardentes.

— Bonne chance alors, car vous avez raison sur un point, je me perds dans ce dédale. Je ne suis pas fiable. Ce n'est pas pour rien que je note tout.

Clémence finit par retirer son doigt et effleure la cuisse de Noah en ramenant sa main vers elle.

— Vous avez noté quoi, sur moi ? Je vous ai vu me regarder la première fois dans la salle de réunion.

— Cachectique, cela veut dire…

— Que je suis d'une maigreur maladive. Juste pour information : je n'ai ni le sida, ni le cancer et je mange à ma faim sans me faire vomir. Et puis vous exagérez, j'ai quand même quelques formes. Vous avez un mot au moins pour vous décrire ?

Un sourire amusé fleurit sur ses lèvres.

— Éclamé. On dit cela d'un oiseau aux ailes brisées. Mon handicap me prive de pouvoir voler comme avant. Mais, pour en revenir au sujet, il y a plus de cinq ans, nous avions déjà fouillé dans mon passé lorsque l'autre tueur s'était intéressé à moi. Cela n'avait rien donné.

Clémence sourit.

— C'est parce que je n'étais pas sur l'affaire. Regardons vos notes, je ne suis pas comme l'inspecteur Tremblay, mais je suis assez forte avec les puzzles.

Pendant plus de deux heures, ils passent en revue les carnets de Noah, ainsi que les vieux dossiers.

Clémence pose l'hydre en trombones qu'elle vient de réaliser sur le tréteau, puis elle s'étire sur la chaise.

— OK, je vais résumer. Pour moi, Carter et Blackburn ont été forcés d'avouer sous la torture…

— Et ont fourni une liste de noms, continue Noah. Probablement ses prochaines victimes, car…

— … il aurait une raison de leur en vouloir, une raison de se venger, mais laquelle ? reprend Clémence. C'est seulement au deuxième cas que vous êtes intervenu ?

Noah hoche la tête.

— C'était Iris et Lucas Levrault.

Clémence saisit le dossier et fait courir son index sur les lignes imprimées.

— Une maman, son enfant. Elle était veuve depuis un an, elle avait gardé le nom de son mari. Nom de jeune fille : Harrington.

— Oui, dur karma pour la famille. Le père était bouffé par une polyarthrite rhumatoïde. Il était en cure lorsqu'ils ont tué sa fille et son petit-fils. Il s'est donné la mort une semaine plus tard. Sa femme traînait un Alzheimer depuis des années, le chagrin l'a fait sombrer.

— C'est une punition. Si on regarde les meurtres dans le champ de maïs et au centre nautique, le schéma est le même. Un parent souffre de la mort de son enfant. L'enfant est exécuté devant ses yeux. Mais jamais de jeunes enfants, d'ailleurs les parents ont toujours plus de soixante ans. J'ai l'impression que le dernier meurtre était différent, fils et petit-fils, et le rituel en lui-même était un message. Adramelech, huitième démon dans la hiérarchie infernale.

Et il y avait de la colère dans son geste. Mais il garde cette réflexion pour lui.

— Se pourrait-il qu'il y ait un ordre, et qu'il remonte la hiérarchie ?

Le regard de Clémence s'embrase et elle passe la langue sur ses lèvres.

— Telle est la question, mais la réponse après la pause. On y va ?

— Où ça ?

— Dans la chambre fermée.

Elle plaque sa main sur son entrejambe.

Volutes

Bernard Tremblay fait glisser son index le long des nervures du bois de la vitrine qui abrite sa collection de pipes. La pulpe de son doigt freine sa course sur une écaille de vernis. Il grimace, puis la fait sauter à l'aide de son ongle.

Parmi la centaine de pièces exposées, son choix s'arrête sur celle dont la tête de marin a été gravée dans l'écume de mer. Un souvenir d'Ankara. Un souvenir de ses cinq ans de mariage avec Josée.

Bernard ouvre la porte de la vitrine, saisit la pipe, la hume et la coince entre ses molaires.

Le goût aigre et poivré de la cendre et du tabac froid envahit son palais.

Puis il s'agenouille, tire sur la poignée du dernier tiroir de la vitrine et arrache la blague Vauen en cuir gris à son lit de velours.

Il débarrasse ensuite la méridienne baroque des quelques pelotes de poils laissées par son chat angora et s'installe les pieds en avant.

Une fois en position allongée, il ouvre la blague, place le tabac – un latakia séché au pin d'Alep – dans le bol, sort le bourre-pipe en cristal à l'effigie de

Sherlock Holmes, tasse le mélange et l'allume à l'aide de son briquet. Il tire une première fois pour faire gonfler le tabac. Les herbes rougissent, les premières volutes s'échappent et le goût de la tourbe se diffuse dans sa bouche. Ensuite, il tasse la braise, puis la rallume.

Un sourire de satisfaction s'étire sur ses lèvres.

Placé ainsi devant la baie vitrée qui donne sur le jardin, il va pouvoir laisser échapper la pression, bouffée par bouffée.

Et peut-être, espère-t-il, voir les réponses prendre forme dans les panaches de fumée.

Il y a trop d'interrogations et il sent que l'enquête commence à lui échapper. Il est à un carrefour important, alors peut-être le moment est-il venu de faire fi du protocole. L'inspecteur responsable doit laisser la place au flic et à son instinct.

Son instinct, oui. Ce profileur américain n'est pas le seul à en avoir. Sauf que lui, Bernard Tremblay, attribue ses déductions à ses capacités d'analyse et d'observation et non pas à… à quoi au juste ? Des visions ? Des flashs ?

Il exhale une première bouffée. L'odeur épicée de latakia imprègne la pièce.

Trop d'incongruités ont fait sonner l'alerte dans sa boîte crânienne : les similitudes de son affaire avec celle du Démon du Vermont cinq ans plus tôt, la carte postale trouvée dans le champ de maïs, le petit mot à Lac-Beauport, le fait que le premier tueur n'ait jamais pu être identifié, la pression de la GRC pour intervenir sur l'affaire, en prendre les rênes et ramener l'enquête dans le giron du fédéral. Non, il y a plus derrière ces meurtres que le tableau de chasse d'un tueur psychopathe, *copycat* ou non. Mais quoi ?

Dans le jardin des voisins, le jeune Luc et sa sœur – Emma ? il ne s'en souvient plus – courent autour de la balançoire, suivis du labrador au pelage beige.

Les cris aigus poussés par la petite lui soutirent une grimace.

Et ce Noah Wallace, il ne le sent pas. Derrière ses manies, derrière ses yeux perdus dans le vague, il perçoit la duplicité, le mensonge. Et il est sûr de l'avoir déjà vu quelque part.

Et puis, il y a ce rapport qu'il entretient avec le tueur, et ses phrases lâchées entre deux longs silences, comme s'il les avait pêchées dans les profondeurs de sa conscience.

… *Je pense aussi qu'il n'est pas québécois.*

Pas Québécois, les Coté ? L'idée lui avait semblé saugrenue au départ. Mais avec le recul, est-ce si ridicule que cela ?

Pas tellement, vu le contexte.

Ce qui l'est, en revanche, c'est de pouvoir le déduire d'une scène de crime. Cela n'a aucun *criss* de bon sens.

Et que dire de ce tricycle rouge ? Peut-être que son cerveau malade crachote des bribes et expulse un trop-plein émotionnel ? Et quand bien même ? Que faire d'une telle information ?

Qu'il en soit conscient ou non, ce Noah dissimule certainement des éléments importants qui pourraient faire progresser l'enquête.

Son enquête.

Cependant, une chose le turlupine et peut difficilement s'expliquer : comment a-t-il pu deviner pour le premier meurtre au Québec ?

La seule hypothèse plausible serait que quelqu'un de son équipe ait vendu la mèche… mais là encore, cela n'a aucun sens.

Il inspire une bouffée. Trop fort. Il toussote et chasse le brin de tabac froid qui vient de se déposer sur sa langue.

Belle pipe, mais pas pratique pour fumer.

Le claquement des talons et le grincement du vieux parquet lui donnent le signal que son thé va arriver.

Josée est une femme en or… qu'il ne mérite pas.

Son épouse apparaît avec un plateau à la main sur lequel reposent une tasse et une enveloppe.

— Ce sont les résultats de ton analyse, dit-elle.

— Tu peux tout poser sur la petite table, s'il te plaît ?

Son épouse s'exécute et vient se placer derrière lui.

Les vapeurs de thé fumant diffusent le parfum de bergamote caractéristique d'un Earl Grey.

Josée pose les mains sur les épaules de son mari.

— Tu fumes, c'est ton affaire qui te tracasse ?

— Ouais… c'est ça, répond-il presque en murmurant.

Il étend ses zygomatiques et laisse échapper une petite volute.

L'affaire, oui, et surtout… Noah Wallace.

Les mains de sa femme se referment sur son cou et elle commence un lent massage des cervicales.

— Tiens, ta sœur a appelé. Elle veut savoir comment se débrouille sa fille au bureau.

— C'est une des personnes les plus intelligentes que j'aie eu l'occasion de croiser. Tu pourras la féliciter. Comme quoi la génétique reste un foutu mystère.

— Et si tu le lui disais de vive voix ? Cela lui ferait plaisir.

Oui. Sa nièce est parfaite, à l'opposé de son imbécile de sœur. Et il souhaiterait tant qu'elle soit sa fille plutôt que l'abruti d'adolescent parasite qui squatte dans le sous-sol.

Il le pense sans honte.

Que dire d'autre d'un bon à rien qui passe son temps vautré dans un canapé à jouer à la console ou à des parties de jeux de rôles jusqu'à l'aube ? Ce n'est pas qu'il soit bête, mais son esprit est si…

Banal ?

Mais ne le sont-ils pas tous, en comparaison de celui de sa nièce ? Clémence possède un QI hors norme.

Et ce concentré d'intelligence va lui être bien utile, car il n'a pas beaucoup de moyens à disposition pour mener une enquête clandestine sur un citoyen américain.

Dans le jardin en face, la petite est tombée et pleure. Le chien lui tourne autour et aboie. Son frère la nargue.

La scène lui arrache un sourire.

Et si Clémence ne déniche rien, il lui reste encore une carte à jouer, son meilleur ami. D'ailleurs, il ferait bien de le contacter sans tarder.

Ce que Noah cache, lui le trouvera.

C'est évident qu'il dissimule un secret. On a tous des squelettes dans le placard, non ?

Bernard saisit l'enveloppe qui contient les résultats de ses analyses et la jette dans la corbeille. Il inspire une grande bouffée, et alors qu'un nuage obscurcit le ciel et chasse la pâle lumière d'automne du jardin, il capte son reflet dans la vitre.

Oui. Tous. Sans exception.

Dichotomie

Noah saisit Clémence au poignet et retire sa main.

— Désolé, mais ma chambre va devoir rester fermée.

La jeune femme continue de sourire, puis elle prend un élastique dans la poche de son jean et attache ses cheveux.

— C'est dommage, surtout que votre engin avait plutôt l'air d'accord avec ma proposition.

Noah prend quelques secondes pour répondre.

— Je suis pris, et vous venez juste de rencontrer Rachel, vous n'avez pas de scrupules ?

Clémence lui adresse un sourire moqueur.

— Je ne la connais pas, mais il est facile de remarquer que vous ne vivez pas ensemble, votre appartement est celui d'un célibataire, aucun de vous deux ne porte d'alliance. Et franchement, vous pouvez vous bercer d'illusions tant que vous voulez, vous êtes trop différents pour que votre relation dure. Sans vouloir vous offenser, je me demande même comment elle a pu naître. En revanche, je sais que je vous plais, et je pense même que je vous fascine.

La main de Noah se crispe.

— On devrait vous disséquer rien que pour faire des découvertes sur l'arrogance. J'admire votre intelligence, Clémence, mais cela s'arrête là.

La jeune femme agite son index en signe de dénégation puis s'avance sur sa chaise.

— Non, vous vous trompez. Cette fascination n'a rien à voir avec mon intelligence, mais avec ma liberté et ma confiance. Logique, puisque vous êtes prisonnier de votre corps, de votre esprit et que vous êtes rongé par le doute.

Noah se contente de sourire et réplique :

— Chacun a sa prison, vous êtes juste trop aveugle pour avoir encore remarqué la vôtre.

Clémence reste interdite une seconde, puis elle applaudit en étirant un large sourire.

— Bravo, cela vous va bien de sortir de votre apathie glacée, j'aime ce que je vois et ce que j'entends. On devrait passer plus de temps ensemble, on dirait que vos pensées et votre verbe s'aiguisent à mon contact.

Elle cherche à réveiller l'Autre, se dit Noah. Peine perdue.

— Peut-être bien, mais il me semble que nous avons autre chose à faire qu'une bataille de reparties, vous ne trouvez pas ?

— Vous avez raison. Nous pourrions spéculer sur la hiérarchie entre les meurtres, par exemple. Peut-être veut-il nous indiquer un ordre précis ? Ou encore qu'il existe un lien hiérarchique réel ou symbolique entre les victimes ? À mon avis, il va falloir attendre son prochain crime pour en apprendre plus. En revanche, j'ai creusé cette histoire de juge ou procureur qu'Adramalech est censé représenter.

Noah se redresse sur sa chaise et se masse la cuisse, pris d'une crampe soudaine.

— Vous avez découvert quelque chose ? demande-t-il.

Les yeux verts de Clémence s'illuminent.

— Je crois que je vais vous surprendre. Je suis partie de votre idée un peu saugrenue : les Coté ne sont pas québécois. Et je me suis dit : admettons qu'Yves Coté ait été un magistrat américain avant de changer d'identité et de s'installer au Québec.

Noah hoche la tête et l'invite du regard à continuer.

— J'ai fait des recherches sur des magistrats qui auraient disparu ou seraient morts ces quarante dernières années. J'ai commencé par limiter mon champ de recherche géographique aux États limitrophes du Québec : État de New York, Vermont, New Hampshire et Maine. Je me suis également concentrée sur le métier de juge, plus en phase selon moi avec l'image que je me fais du « chancelier de l'ordre de la mouche ». Après avoir passé des heures à éplucher, entre autres, les archives nécrologiques, j'ai fait une découverte fascinante. D'ailleurs je l'ai apportée avec moi, il fallait absolument que je vous la montre.

Clémence sort une feuille de papier pliée en quatre de la poche arrière de son jean et la tend à Noah.

— Allez-y, faites-vous plaisir. Ouvrez votre paquet-cadeau. J'étais venue pour cela à la base. Vous sauter dessus, c'était juste un bonus.

Noah déplie la feuille. C'est la reproduction d'un article du *New York Times* datant de 1992 : « Mort tragique d'un juge et de sa famille ». On y aperçoit Harris McKenna, âgé de 46 ans. C'est exactement ce qu'avait décrit Chloé dans son journal. Noah tente de feindre la surprise.

— Waow, c'est… c'est bien lui, c'est Yves Coté.

Bravo Noah, se dit-il, tu as été convaincant.

— Je vous avais dit que je vous surprendrais ! Avec sa famille, en plus ! Tout concorde, il n'était pas québécois, mais sa femme et son fils non plus ! Mais attendez, ce n'est pas tout. Devinez ce que j'ai fait ce matin ?

— Des recherches sur Harris McKenna ?

Clémence hoche trois fois la tête. En la voyant si pétillante, Noah repense à elle lorsqu'elle trottinait avec son iPhone dans la maison de Westmount. Encore une fois, elle est comme une gamine sur son terrain de jeux.

— Bon, ce qui est étrange, c'est que mis à part ces archives, on ne trouve rien nulle part sur Harris McKenna. C'est comme s'il avait été effacé. J'ai fait du mieux que j'ai pu, mais je n'ai pas eu beaucoup de temps ce matin. J'ai quand même dressé une liste de personnes qui pourraient avoir eu affaire à lui avant qu'il ne disparaisse, si je me fie aux dates de leurs jugements : Kirk Kennedy, pour une affaire de trafic d'héroïne, Debra Logan et Rebecca Law pour homicide volontaire. Les trois ont été reconnus coupables et croupissent en prison. Mais peut-être qu'avec un peu d'aide on pourrait leur parler ?

Noah grimace, il sait ce qu'elle lui demande.

— Je ne sais pas, Steve pourrait peut-être faire quelque chose, mais il faudrait qu'il soit sûr de l'existence d'un lien solide avec le tueur.

— La photo ! Il sera bien obligé d'admettre que c'est une piste, non ?

Noah hoche lentement la tête.

Puis il se tourne vers elle et déclare :

— Bravo, c'est du bon travail.

Il ajoute :

— Je vais vous montrer quelque chose, je pense qu'avoir un œil nouveau pourrait m'aider.

Il se lève, revient avec les deux lettres que le tueur lui a adressées et les lui tend.

— Faites-vous plaisir, ouvrez votre paquet.

Et c'est ce qu'elle fait. Il peut voir ses yeux parcourir avec avidité et fascination les lignes tapées à la machine. Une fois la lecture finie, elle pose les feuilles sur le tréteau et se tourne vers lui. Son visage d'habitude si rieur est devenu sérieux.

— Ce truc, c'est une mine d'or.

Noah hoche la tête.

— J'ai pris des notes, si cela vous intéresse.

— À ce propos, j'ai remarqué en épluchant les anciens dossiers qu'aucune note n'avait été prise à l'époque.

— Non, l'Autre n'en prenait jamais.

Clémence grimace.

— L'Autre ? OK, je vois… Vous faites une dichotomie entre le Noah d'avant l'accident et le Noah d'après, c'est cela ?

Noah acquiesce d'un hochement de tête.

— Même corps, mais esprit différent. Je suis plus lent qu'il ne l'était. Je ressens les choses différemment. Enfin, je crois.

Noah tend son carnet à la jeune femme.

Clémence parcourt les notes et se fige quelques secondes.

Elle lui adresse ensuite un regard interrogateur.

— Vous vous rappelez ce que vous avez écrit lorsque vous avez lu les lettres ?

Noah se pince le nez et bloque sa respiration pour mieux réfléchir.

— Des indices comme : garden party, accent britannique, craie ou services sociaux. Difficile à dire, j'ai l'esprit embrouillé.

Le visage de Clémence se rembrunit.

— Ce n'est pas ce que je lis, pourtant.

Elle lui tend le carnet.

Noah fronce les sourcils puis relit les dernières entrées inscrites sur son carnet.

Un frisson glacial lui remonte le long du dos alors qu'il découvre ce qu'il y a écrit.

À la date de son AVC, ses notes se résument à un seul prénom :

Richard.

Et sur la page sur laquelle il a écrit la nuit précédente, il peut lire :

Amy.

L'étau…

Une heure.

Voilà le temps que Sophie a déjà dû passer sur la chaise à jouer avec le gobelet en plastique vide que le sergent Lewis a laissé devant elle.

Enfin, c'est juste une impression. Il n'y a pas d'horloge dans la pièce aveugle, alors comment en être sûre ?

Pouvait-il y avoir pire conclusion à cette journée de folie ?

Lorsque l'officier a invoqué les « droits Miranda », Sophie n'y a pas cru.

Le choc.

Suspectée de la mort de Lester Hollins, alias Giovanni Napolitano.

Un comble.

Le mafieux a dû mourir d'une crise cardiaque. Il l'avait dit lui-même : ses artères étaient en papier.

Sa blessure à la tête devait être due à une chute, voilà tout.

Tu crois vraiment au hasard, Sophie ? Avec tout ce qui s'est passé et les avertissements que tu as reçus ?

Quelle est la probabilité pour qu'il décède quelques heures après que tu as quitté la maison de retraite ?

Et quand bien même, elle est innocente. Elle n'a rien à se reprocher.

Alors pourquoi est-elle si nerveuse ?

C'est cette salle d'interrogatoire. Tout est étudié pour la plonger dans l'inconfort.

Une petite pièce exiguë sans fenêtre ni décoration. Seulement trois chaises – elle a hérité de la plus inconfortable, celle avec le dossier en plastique – et un miroir sans tain.

Elle a été placée loin des interrupteurs – lumière et thermostat – afin d'être privée de tout sentiment de contrôle.

Ce n'est pas la première fois qu'elle met les pieds dans ce genre d'endroit. Et elle a étudié les neuf étapes de la très controversée technique d'interrogatoire de Reid.

Sauf que la connaître est une chose, la vivre en est une autre.

Ils l'ont déjà cuisinée pendant deux heures et là, ils la laissent mariner seule. Elle ne pense qu'à deux choses : manger et dormir. D'abord, se réchauffer le dhal qui l'attend dans son congélateur ; ensuite, se plonger sous la couette et se faire bercer par les ronronnements de Grumpy.

C'est ainsi qu'ils obtiennent leurs aveux. N'importe qui craquerait pour sortir d'ici, quitte à raconter des salades.

C'est le beau sergent Lewis qui s'est chargé de l'évaluer. Pas étonnant qu'ils aient fait appel à lui. C'est un magnifique métis aux yeux bleus, à la dentition adamantine, pourvu d'un corps que l'on devine athlétique et musclé derrière sa chemise bleue parfaitement repassée. Il l'a juste fait parler d'elle, de ses études, de sa vie, de ses hobbies, sans se départir de son sourire éclatant. Il s'est même permis quelques pointes d'humour.

Sophie connaît la technique. Placer le suspect dans un climat de confiance, puis alterner les questions qui font appel à la mémoire et celles qui font appel à la réflexion afin d'évaluer son activité oculaire. La mémoire provoque un mouvement de l'œil vers la droite, la réflexion vers la gauche ou vers le haut.

Le gros est arrivé ensuite. Normal, ils sont toujours deux. Parfait dans le rôle du mauvais flic, avec sa mine patibulaire de bouledogue, sa coupe rase et ses avant-bras velus. Il a claqué la porte, grogné, posé ses fesses de pachyderme sur la chaise de bureau – les suspensions pneumatiques ont couiné – et s'est avancé vers elle en faisant irruption dans sa bulle intime. Son haleine empestait le café froid.

— Vous êtes dans de sales draps, mademoiselle Lavallée. On a retrouvé vos empreintes un peu partout dans l'appartement de M. Hollins, les témoins vous ont vue rentrer dans sa chambre, ils ont fait état de bruits de lutte. Et quelques heures après, il était mort d'une blessure à la tête. Vaudrait mieux passer aux aveux tout de suite, on gagnerait tous du temps ici.

C'était ridicule. Comment aurait-elle pu faire le poids face à un monstre tel que Giovanni ?

Sauf qu'elle était vivante et qu'il était mort.

— Je ne sais pas ce qui lui a pris. Il m'a sauté dessus et m'a plaquée au sol, mais lorsque je l'ai quitté il était bien vivant, a-t-elle répondu.

Elle n'a pas menti et son œil a bougé vers la droite. Beau Métis a hoché la tête et a griffonné quelques notes.

Cela s'est moins bien passé lorsque le gros a demandé :

— Quelle était la raison de votre visite à monsieur Hollins ?

Toute sa stratégie était bâtie sur le mensonge, à commencer par la véritable identité de Hollins. Aurait-elle dû dire qui il était, quitte à compromettre Benedict ? L'auraient-ils seulement crue ?

Ses atermoiements ne sont pas passés inaperçus, pas plus que le rapide mouvement de son œil vers le haut quand elle a répondu :

— J'étais là pour recueillir un témoignage pour mon prochain article sur les conditions de vie dans les maisons de retraite haut de gamme.

Beau Métis a encore hoché la tête et griffonné quelques mots.

Puis il a enclenché la phase deux de la technique. Il a élaboré des thèses et cherché chez elle les signaux qui pourraient les corroborer. Sa conclusion : l'interview s'est envenimée, ils se sont battus, elle lui a cogné la tête contre la table basse, il est mort, elle est partie.

Ils ont continué pendant une heure et demie avant de la laisser mariner.

Sophie broie le gobelet. Plus elle y pense, plus cela lui paraît grotesque. C'est évident que rien ne concorde et qu'ils vont la relâcher. L'autopsie va déterminer l'heure du décès qui sera forcément postérieure à son départ. Alors, pourquoi s'acharner sur elle ?

Elle se demande quelle phase de la technique l'attend maintenant. Elle a perdu ses repères, ils ont réussi à l'embrouiller.

Dès que tu seras sortie de ce pétrin, tu vas t'attaquer aux techniques d'interrogatoire de la police en Amérique du nord, c'est à rendre fou n'importe qui.

Peut-être que le gros aux auréoles sous les bras va lui faire l'inventaire des peines encourues, pendant que Beau Métis hochera la tête et continuera à entretenir le lien empathique.

Elle sait déjà ce qu'elle encourt. Un meurtre au premier degré dans l'État de New York, c'est vingt ans minimum. Et cela peut aller jusqu'à la peine de mort.

C'est ça, la suite. Beau Métis va lui proposer une alternative : si tu collabores, tu échappes à la peine capitale…

… mais à toi la combinaison orange, la tête rasée et les viols dans les douches.

Sophie sursaute sur sa chaise lorsque la porte s'ouvre.

Elle sourit malgré elle en reconnaissant un visage familier.

Benedict !

Sophie lâche un soupir de soulagement, puis se crispe. Le visage de son ex est sombre.

Il referme la forme et s'installe face à elle.

— Bonsoir, Sophie. Je suis venu dès que j'ai pu.

— Oh Benedict ! Je suis vraiment contente de te voir. C'est l'enfer ici. Cette histoire est ridicule !

Benedict réajuste sa cravate et lui sourit.

— Ne t'inquiète pas, j'ai été chargé par le procureur de m'occuper de l'affaire Hollins. Ton dossier est entre mes mains.

— Tu vas m'aider ? Tu sais que je suis innocente !

Puis elle dit à voix basse :

— On sait tous les deux qui était ce type !

Benedict hoche la tête et se rembrunit.

— Bien sûr, mais il est mort, et rien ne laisse penser qu'il puisse s'agir d'un accident.

— Mais je n'y suis pour rien. Les rapports d'enquête vont le prouver !

Il tend vers elle une main parfaitement manucurée et la pose sur son poignet.

— Bien sûr que je te crois, Sophie, mais tu restes un témoin clé dans cette affaire. Tu es la dernière personne à l'avoir vu vivant.

Il sourit.

— J'ai l'impression qu'on va se voir plus souvent.

… se resserre

Il est 3 heures du matin et Sophie ne dort pas.

Ni la fine pluie qui vient frapper les carreaux des fenêtres de son appartement, ni les fragrances des bougies à la lavande et à la valériane qu'elle a fait brûler sur son bureau ne parviennent à l'apaiser.

Le stress refuse de la libérer de son emprise.

Comme si la journée n'avait pas été suffisamment éprouvante, Sophie a failli rester sur le seuil de sa porte. Son sac à main n'a pas été retrouvé – elle est persuadée que son poursuivant le lui a volé – et il contenait entre autres son téléphone, les clés de son appartement et son portefeuille. Une chance qu'elle ait glissé sa carte d'identité dans la poche de son jean.

Pour pouvoir rentrer, elle a dû réveiller sa voisine Becky qui conserve un double de ses clés.

Elle s'est promis de se racheter et de lui cuisiner un petit plat « veggie » pour se faire pardonner.

Mais pas maintenant.

Elle a d'autres chats à fouetter et puisque son organisme refuse de lui accorder le repos, alors autant travailler.

Cela fait une vingtaine de minutes qu'elle est voûtée sur son siège de bureau et que sa tête est rivée à l'écran de son MacBook. Elle n'est plus qu'un système nerveux en pilotage automatique, sa mâchoire se décroche à chaque bâillement, ses yeux gonflés peinent à faire la mise au point, des spasmes agitent ses jambes et ses bras.

Mais elle poursuit.

Des pensées spiralent dans sa tête et se disputent le contrôle de son esprit : Giovanni, Cadwell, l'accident, son mystérieux poursuivant.

Mais elle tient le cap dans la tourmente de questions.

Clic par clic, elle continue de suivre son unique piste : Timothy Carter.

Et là, elle se redresse sur sa chaise, un sourire aux lèvres.

Après quelques recherches infructueuses – l'association des mots « Timothy Carter » « ami » « Lawrence Cadwell » n'a rien donné –, elle vient enfin de trouver pourquoi ce nom lui était familier.

Et la réponse était cachée dans un endroit où peu de gens mettent les pieds : au-delà de la première page de Google.

Car des Timothy Carter, il y en avait un paquet. Avocats, musiciens, sportifs.

Dans l'État de New York, il y en avait déjà moins.

Et victime du Démon du Vermont : un seul.

Sophie s'étire.

Grumpy vient se lover à ses pieds et lèche le restant de dhal au fond du bol en céramique qu'elle a déposé en dessous du bureau.

Mais est-ce le bon Carter ?

Dans un sens, elle ne l'espère pas. Les morts ne parlent pas, et s'il savait quelque chose à propos de la petite Amy Williams, seuls les asticots doivent être au courant désormais.

Pourtant le profil pourrait concorder, si elle en croit ce qu'elle a devant les yeux.

Date de décès estimée : 11 novembre 2010, à l'âge de soixante ans. En 1975 il avait donc vingt-cinq ans, soit presque le même âge que Lawrence Cadwell. Il était originaire de l'État de New York et habitait dans le Vermont l'année de son décès.

Sophie réprime un bâillement.

OK, c'est une piste, mais il faudrait creuser davantage. Contacter l'auteur de l'article ? Oui, c'est une idée.

Ou mieux encore, les responsables de l'enquête. Le texte parle du sergent Steve Raymond et du profileur Noah Wallace.

Il lui suffirait de dire qu'elle écrit un article sur le Démon du Vermont pour son blog.

Quel loup vas-tu nourrir, Sophie ? Encore un mensonge ?

Peut-être trouvera-t-elle des indices dans l'enregistrement de Stephen Cadwell ?

Stephen !

Son sang se glace.

Elle réalise. Si Giovanni a été tué, c'est sûrement parce qu'il a parlé.

Quelqu'un a dû savoir que tu enquêtais sur Trout, et que tu as rendu visite au mafieux dans sa maison de retraite.

Mais comment ? Qui, à part Benedict, était au courant ?

Un de ses contacts ? Et même si Giovanni n'a rien balancé, tu as laissé ton iPhone dans la voiture. Et qui crache le morceau sur ce foutu enregistrement, Sophie ?

Cadwell !

Sophie en a la certitude, il est en danger. Peut-être même déjà mort.

Elle hésite. C'est juste une intuition, une déduction, rien de concret, encore une pensée parasite.

Non, c'est la logique même, Sophie… Arrête de plonger la tête dans le sable et agis, bon sang !

Et s'il est mort, hein ? Je suis dans la merde. Giovanni, puis Cadwell. Avec comme seul point commun : moi. Je suis foutue.

Quel loup vas-tu nourrir, Sophie ? Préviens la police !

Je n'ai plus de téléphone, s'excuse-t-elle.

Skype ?

Un mail ! Oui, c'est ça, il faut envoyer un mail d'urgence à Benedict.

Trop long, il faut appeler la police !

Becky !

Sophie se lève d'un bond et enfile sa veste en jean.

Elle sort de l'appartement et se précipite chez sa voisine.

Elle presse le bouton de la sonnette.

Pas de réponse.

Pas le moment de te poser des questions, une vie est peut-être en jeu.

Elle toque à la porte.

Toujours rien.

Elle la martèle de son poing et hurle :

— Becky ! Ouvre-moi, c'est urgent !

La porte de l'appartement s'entrebâille.

Becky apparaît dans une robe de chambre verte en coton, les yeux plissés et les cheveux noirs en bataille.

Sophie s'engouffre dans l'appartement.

— Bordel, Sophie ! Déjà la clé et maintenant, tu me réveilles à presque 4 heures du matin ?

— Écoute, Becky, j'ai besoin de ton téléphone. Une connaissance est peut-être en danger ! Je dois absolument la contacter.

Becky bâille comme un hippopotame et se frotte les yeux.

— J'arrive.

Elle disparaît dans sa chambre et revient avec un téléphone portable.

Sophie ferme les yeux et ouvre un tiroir dans sa mémoire. Elle se souvient du numéro de Cadwell.

Elle le compose et attend.

Première sonnerie.

Rien.

Deuxième.

Toujours rien.

Sophie sautille sur place et se mord la lèvre inférieure.

Réponds, Cadwell !

Son cœur manque un battement lorsque retentit la troisième sonnerie.

À la fin de la quatrième, elle entend un déclic.

— Stephen ! C'est Sophie…

— Vous êtes bien sur la messagerie de Stephen Cadwell, il n'est pas là pour le moment. Vous pouvez laiss…

Sophie raccroche.

Becky la dévisage et l'interroge du regard. *Alors ?* demandent ses yeux inquiets.

Elle voudrait lui répondre.

Mais elle ne sait pas.

Après tout, il est 4 heures du matin.

Elle recompose le numéro.

Même résultat.

Qui appeler ? La police ? Pour leur dire quoi ? Qu'elle s'inquiète pour un ami ?

Non, une seule personne peut l'aider. Mais pour cela, il faudra lui raconter la vérité à propos de sa visite chez Cadwell.

Elle expire un grand coup puis compose le numéro de Benedict Owen.

Il décroche à la troisième sonnerie.

— Allo, Benedict, il faut qu'on parle.

Amok

Les martèlements s'amplifient, la porte va céder.

À chaque tremblement, la terreur lui noue un peu plus le ventre.

— C'est à toi de le faire, dit un garçon.

Il n'y a aucune panique dans sa voix, juste une froide détermination.

Le bois craque. La porte vole en éclats.

— Vous allez le payer ! hurle une voix grave.

— Tiens-toi prêt… il arrive !

Le monstre dévale l'escalier, ses pas sont lourds et écrasent les marches ; il est en colère.

… Noah ?

La peur lui tord l'estomac. Les larmes montent, l'urine coule le long de ses cuisses.

— Noah !

Le claquement des mains devant son visage lui fait ouvrir les yeux.

Sa vision est floue, il ne perçoit que des formes indéfinies et des lumières dansantes.

Un visage rubicond apparaît progressivement, devenant plus net à chaque battement de paupières.

— Bon sang, je t'avais perdu ! Tu étais où ? demande Steve.

Bonne question.

Il aimerait bien le savoir. Dans ses pensées ? Ses souvenirs ? Ceux d'un autre ?

— Un rêve, répond-il. Je viens de faire un rêve éveillé.

Les yeux globuleux grossissent dans les orbites du flic.

— Bordel, j'aimerais savoir ce qu'ils foutent dans tes médicaments. Putain de BigPharma ; on est tous des putains de cobayes. Ça me bouffe de savoir que ce monde est corrompu jusqu'à la moelle par ces gros porcs.

— Tu as sûrement raison, mais si je ne les prends pas, je souffre le martyre.

Steve ne relève pas. C'est à son tour d'être perdu dans ses pensées. Il serre la chaise si fort que ses doigts blanchissent. Sa mâchoire se tétanise. Noah devine qu'il ressasse ses années passées aux côtés de son père qui a combattu et vaincu un cancer des poumons pour mieux rechuter avec un cancer de la gorge. Ces longues années de radiothérapie et de chimio pour finir aussi sec qu'une momie avec une stomie dans le cou et une voix de robot. Ces longues années où il l'a soutenu, seul, alors que son frère n'a jamais pointé le bout de son nez.

Steve est à bout.

Combien de temps avant qu'il ne craque ?

Noah remarque qu'il porte la même chemise tachée au col, qu'une fine couche de crasse recouvre le derrière de ses oreilles, et que ses ongles sont sales.

Lorsqu'il est venu le chercher ce matin, son haleine empestait déjà le whisky.

La dépression n'est pas loin… si elle n'est pas déjà là.

— Qu'est-ce qu'ils foutent ? On ne va pas y passer la nuit !

Un homme assis en face d'eux abaisse son magazine et darde un regard curieux.

Comme si la plainte de Steve avait été entendue, la porte de la salle d'attente s'ouvre.

Une femme apparaît dans l'encadrement ; la cinquantaine environ, ses cheveux gris attachés en chignon.

Sur sa blouse blanche, un badge indique : Docteur B. Sue. Juste au-dessus de : Hutchings Psychiatric Center.

— Monsieur Steve Raymond ? demande-t-elle d'une voix rocailleuse.

Fumeuse ou ex-fumeuse, pense Noah.

Pas de bague au doigt. Divorcée ? Célibataire ?

Le flic se lève de sa chaise.

— Pas trop tôt, marmonne-t-il entre ses dents.

Le docteur Sue les entraîne dans les couloirs de l'hôpital, son réseau veineux.

Dans ces lieux submergés par la démence, la femme aux cheveux gris est une ancre à laquelle Noah s'accroche.

Dans leur traversée, chaque plainte, chaque regard vide fait écho à ses propres troubles et à ses yeux, les patients sont des spectres qui menacent de le faire chavirer dans la folie.

— De quoi souffre-t-elle ? demande Steve.

Le docteur Sue se racle la gorge.

— Son cas n'est pas classique. Elle montre plusieurs symptômes de démence, sans en présenter les signes cliniques. Ses changements de personnalité, son déficit marqué de l'attention et de sa fonction exécutive évoquent une démence fronto-temporale. Mais les examens ne révèlent aucune atrophie des globes frontaux. Les hallucinations visuelles dont elle souffre sont normalement attribuées à une démence à corps de Lewy, mais il n'y a aucune présence de dépôt d'alpha-synucléine dans les cellules du cerveau, la protéine responsable de cette dégénérescence.

— OK, je n'ai pas tout compris. Mais pour résumer, elle est complètement barge.

Le visage du docteur Sue se rembrunit.

— Ce n'est pas le terme que j'emploierais. La folie et la démence dégénérative sont deux choses différentes.

— Désolé, docteur, mais de mon point de vue elle reste tarée, objecte Steve. On ne se lève pas un matin pour prendre un marteau et fracasser le crâne de sa meilleure amie endormie dans son lit sans avoir un pet au casque !

— Excepté qu'après cet incident, aucun signe de folie ne s'est manifesté en l'espace de quinze ans.

— Jusqu'à ce qu'elle décide de se faire un petit en-cas avec la gorge de sa codétenue.

Le docteur Sue hoche la tête et plisse les yeux.

— Nous y voilà. Je vais rester avec vous. Je vous accorde dix minutes tout au plus. Mais n'espérez pas obtenir des réponses, messieurs. Elle parle, et il lui arrive d'avoir des phases de lucidité, mais c'est surtout pour évoquer son amie Jenny.

— À part ça, nous n'avons rien à craindre ? Aucun risque qu'elle vole dans les airs et nous suce le sang ? demande Steve.

Il ponctue sa blague d'un petit éclat de rire.

Les traits du docteur Sue se durcissent et ses yeux se fixent sur l'inspecteur.

— Non. Elle est moins agressive ces derniers temps. C'est pour cela que nous l'avons déménagée ici.

La femme fait glisser sa carte et la porte s'ouvre.

C'est une chambre d'hôpital classique, mais la fenêtre qui donne sur l'extérieur est grillagée.

La patiente est assise sur un fauteuil qui fait face au lit.

Elle est maigre, son crâne est rasé à blanc et elle fixe le sol en dodelinant de la tête.

Steve se penche à l'oreille de Noah.

— Dis, ça ne te dérange pas de lui poser les questions, tu sais avec ton… instinct.

Noah lui répond, un sourire de guingois aux lèvres.

— Tu sais, le fait de suivre un traitement psychiatrique ne me donne pas d'avantage particulier. Il n'y a pas de signe de reconnaissance entre fous.

Steve recule d'un pas, et le fixe comme s'il lui avait donné un coup de poing.

— Je plaisante, Steve.

Puis il s'avance vers elle et pose un genou à terre.

— Bonjour, Rebecca. Je suis Noah Wallace.

La femme se gratte la tête et fixe le sol.

— Je ne vais pas t'embêter longtemps. Je voudrais juste te poser quelques questions.

Elle lève lentement les yeux, le fixe et lui sourit.

Un sourire d'enfant.

Elle pointe le mur en face. Noah se retourne, ne voit rien.

— C'est la préférée de Jenny, dit-elle.

Il lui sourit, sort de sa poche l'article qu'il a apporté et le lui montre.

— C'est le juge Harris McKenna. Tu le reconnais ?

Rebecca porte son attention sur la photo une microseconde et fixe à nouveau le sol.

— Il est gentil avec nous. Il donne des bonbons.

— Excuse-moi, Rebecca. C'est lui qui donne des bonbons ? demande Noah.

Elle lève la tête, son regard est implorant.

— J'ai pas fait exprès… ce n'était pas ma faute !

Rebecca secoue la tête en se dodelinant puis, tout en fixant le sol, lève son bras et pointe du doigt la table de chevet.

— Je pense qu'elle veut dessiner, explique le docteur Sue. C'est son passe-temps favori.

Noah hoche la tête, se lève et saisit le carnet posé sur la table.

Il l'ouvre et son cœur s'arrête lorsqu'il pose son regard sur la première illustration. Puis il tourne une page, et encore une autre. Après en avoir consulté l'intégralité, il reste figé quelques secondes, le carnet en main.

— Ça va ? T'en fais une tête, dit Steve.

Noah lui apporte le carnet et fait défiler les feuilles devant son nez.

Sur chaque page, toujours le même dessin.

Un tricycle rouge.

— Il faut absolument que vous creusiez cette piste ! hurle Clémence.

Noah couvre le téléphone avec la paume de sa main et lance une œillade furtive en direction de la cuisine.

Rachel est toujours penchée sur la poêle qui crépite, le fumet de la pancetta grillée qui s'en échappe le fait saliver malgré lui.

— La piste est froide, Clémence. Les deux détenus n'ont rien voulu dire et Rebecca…

— … a dessiné des tricycles rouges ! complète-t-elle. Vous l'avez votre lien, monsieur Wallace. Appelez cela de l'intuition si le terme de médium vous effraie.

C'est effectivement le cas. Intuition lui convient davantage, c'est un concept tangible auquel son esprit peut s'amarrer.

— J'aurais tant voulu être là, surtout pour voir la tête de votre collègue.

Noah aurait aimé aussi. Être à ses côtés le galvanise, la compétition tacite qui existe entre eux fait ressortir le meilleur de lui.

— Si j'avais parlé de notre rencontre à Steve, il n'y aurait pas eu de visite à l'hôpital.

Clémence rit.

— Vous êtes un petit cachottier, et je suis sûre que vous ne direz pas non plus à Rachel que je suis au téléphone avec vous en ce moment, pas vrai ?

Noah ne répond pas et fait un pas en direction de la cuisine.

Rachel dispose les assiettes, elle lève la tête. Leurs regards se croisent.

— Sinon, j'ai repensé à la dernière note que vous avez laissée sur le carnet : « Amy ». C'est également un démon. Il est le grand président de la monarchie infernale. Il apparaît sous la forme d'un feu flamboyant et domine les esprits colériques. Peut-être existe-t-il un lien avec le meurtre dans le champ de maïs ? La purification par le feu ?

— C'est une idée à creuser, se contente-t-il de répondre d'un ton détaché.

Clémence soupire.

— OK, j'ai compris. Je vais vous laisser, monsieur Wallace, je vois bien que vous n'êtes pas dans la conversation.

— Je… je n'aime pas le téléphone. On en reparlera de vive voix. Au revoir.

Noah raccroche.

Ce n'est pas un mensonge. Il déteste les communications à distance.

Revenu à la cuisine, il se dirige en boitillant vers le plat de pâtes fumant posé sur le plan de travail.

Rachel l'intercepte et pose sa main sur son torse.

— Hop hop hop ! Pas touche. C'est peut-être ton appartement, mais c'est toi l'invité. Contente-toi de t'asseoir et profite de ta soirée… surtout qu'elle ne fait que commencer !

Elle ponctue sa phrase d'un sourire enjôleur.

— Désolé Rachel, je ne suis pas habitué à tant d'attentions.

Noah prend appui sur sa canne – Rachel le dépasse d'une bonne tête – et dépose un baiser sur ses lèvres.

— Je ne te mérite pas, déclare-t-il.

Rachel se renfrogne.

— Arrête de dire ça, on dirait que tu le penses.

Il lui répond par un sourire gêné. C'est le cas, mais il ne le lui dit pas.

Noah s'assoit et Rachel lui glisse le plat juste au-dessous de son nez.

— *Paccheri rigati* avec des asperges et des morceaux de pancetta. Je sais que tu as un faible pour la cuisine italienne.

— Ça a l'air délicieux.

La grande rousse s'installe face à lui, saisit la bouteille de « Ménage à trois » et en verse un verre à chacun.

— Tu sais Noah, tu n'as pas besoin de te cacher lorsque tu téléphones à ton amie. Je te fais confiance.

Il la dévisage. Elle s'est maquillée… pour lui. Habillée dans cette robe rouge qui moule ses formes généreuses, sa longue chevelure cuivrée qui ondule, elle lui semble sortie d'un film de détective des années cinquante. Comment cette déesse peut-elle s'intéresser à lui ?

La sonnerie du téléphone portable retentit. Noah soupire et l'extirpe de sa poche arrière.

— C'est Steve, s'excuse-t-il.

Il décroche.

— Bonsoir beau gosse ! Je t'ai manqué ? Devine qui va venir te chercher dans une dizaine de minutes ?

Trente-deux mille pièces pour représenter une vue de la ville de New York à travers une fenêtre.

C'est le nouveau défi de Bernard Tremblay. Un puzzle aux dimensions impressionnantes de cinq mètres sur deux.

Il contemple l'énorme tas de petits bouts de carton éparpillés sur le sol. Il les a déversés juste à côté de la planche qu'il a fait construire spécialement pour ce genre de monstre.

En combien d'heures va-t-il être capable de terminer celui-là ?

Le dernier – une représentation de la *Création d'Adam* de Michel-Ange – comportait trois fois moins de pièces et lui avait pris environ six cents heures pour le finaliser. Vingt-cinq jours… soit presque un mois de sa vie à traquer, trier et assembler des bouts de carton.

Une expérience ô combien gratifiante pour un féru de casse-tête comme lui !

Les puzzles le rassurent. Peu importe le temps qu'il mettra à les résoudre. Pièce par pièce, il trouvera la solution.

Le temps et les pièces.

C'est exactement ce qui lui fait défaut dans son enquête. Le temps, car si la GRC prend en charge l'affaire, il sera relégué au second plan. Les pièces, car il en manque encore trop pour que la fresque puisse être complétée.

Bernard marque la date du jour sur un carnet, enclenche le chronomètre et s'assied devant le tas.

Il examine quelques secondes le modèle du puzzle accroché au mur, et opte pour un classement des pièces par couleur. Pas simple tout de même. Les immeubles se ressemblent. Le ciel et les bâtiments en briques rouges devraient constituer un bon point de départ.

Il plonge ses mains dans le tas, sort quelques morceaux et les dispose devant lui.

Bernard grimace. Le puzzle n'arrive pas à le libérer du joug des questions qui le harcèlent.

Yves Coté était en fait Harris McKenna. Un juge. Un *ostie* de juge !

Il était resté silencieux lorsque sa nièce lui avait fait part de sa découverte et il avait ouvert une enquête dans la foulée concernant la disparition de Béatrice et Chloé Coté.

Et là, il y a cinq minutes à peine, Clémence lui rapportait cette histoire d'hôpital psychiatrique et de tricycle rouge.

Tout cela avait-il un sens ?

Une femme jugée par la victime du tueur qui perd les pédales et se met à dessiner de maudits tricycles rouges !

Comment faire pour que ces pièces s'emboîtent ?

Et encore une fois, ce Noah Wallace est au cœur des révélations.

Qu'on ne lui parle pas de pouvoir de médium ou autres phénomènes paranormaux ! C'est ridicule !

Comment sa nièce peut-elle croire à des âneries pareilles ? Une fille si brillante. Il y a forcément une explication logique. Il y en a toujours une.

Bernard sourit et dispose les deux pièces du puzzle qu'il vient d'assembler sur la planche.

Il aimerait être croyant pour y voir un signe.

Le téléphone vibre dans la poche intérieure de son veston.

C'est un SMS de son ami :

« L'enquête progresse. Je reviens bientôt vers toi avec des infos. »

C'est parfait.

De nouvelles pièces, c'est tout ce qu'il demande.

Il s'apprête à ranger le téléphone, mais l'appareil sonne dans ses mains. L'effet de surprise passé, il décroche et le plaque à son oreille.

— Dans le Vermont, vous dites ? Je me prépare.

Bernard se lève, stoppe le chronomètre et écrit « 14' 39" » sur le carnet.

Il quitte le garage, un sourire aux lèvres.

Une nouvelle victime, une autre pièce.

Et dans le jardin du voisin, en plus.

Comment ne pas être heureux ?

Dans la gueule…

Benedict jubile.

C'est plus fort que lui.

Impossible de se départir du sourire imprimé sur son visage hâlé et du sentiment d'euphorie qui l'habite depuis quelques heures.

Même lorsqu'une barre de fonte et des poids de cent cinquante kilos lui compressent les muscles pectoraux.

Il sait que c'est un péché de se réjouir d'une nouvelle aussi tragique que le décès d'un homme, mais comment ne pas savourer cet instant ?

Au pire, il ira faire un tour au confessionnal et il livrera ses états d'âme au père Fernando.

Rien de tel qu'une absolution pour laver sa conscience. C'est fou le pouvoir que peuvent avoir quelques « Je vous salue Marie » ou « Notre Père ».

Quand Sophie l'a appelé en pleine nuit pour lui parler de ce Stephen Cadwell et de son enquête sur cet Edgard Trout, il ne s'attendait pas à un tel cadeau du ciel.

L'affaire Giovanni est déjà du pain bénit, mais il ne pourra pas faire traîner longtemps le dossier. Rien que les rapports d'autopsie la lavent de tout soupçon. Le vieux mafieux est mort plus de six heures après son départ et le coup fatal porté à la tête a été assené par une batte de baseball. Rien qui puisse faire tenir la bagarre et l'homicide involontaire bien longtemps.

Benedict pousse une dernière fois, ses bras tremblent sous l'effort. Est-ce la répétition de trop ?

Il sollicite ses muscles lors d'une ultime tentative et hurle pour pousser les poids. Le bruit métallique de la barre qui se pose lui arrache un soupir de soulagement.

C'était limite, il aurait pu rester coincé avec cent cinquante kilos sur la cage thoracique.

Benedict s'assoit sur le banc et s'éponge le front.

Dommage qu'il ne puisse être présent lors de l'arrestation de Sophie. Rien que pour voir sa tête.

Quelle gourde ! Elle est tellement naïve.

D'ailleurs, comment va-t-il jouer son prochain numéro d'acteur ?

Grave ?

« Désolé Sophie, mais là je ne peux rien faire. Deux morts en l'espace de deux jours avec toi comme seul point commun, c'est accablant. Je te conseille de négocier avec le bureau du procureur. Il pourrait peut-être réduire la peine à cinq ans. »

Non, trop direct. Certainement jouissif sur le moment, mais il manque d'éléments pour la confondre. Certes, le suicide est douteux et doit être confirmé par l'autopsie. Reste à savoir où était Sophie pendant que le type (ou le meurtrier) enfonçait le canon de son Python 357 dans sa bouche et appuyait sur la détente.

Enjôleur, alors ?

« Bien sûr que je peux t'aider, Sophie… enfin, si tu sais te montrer gentille. »

Tentant, mais non. S'il veut parvenir à ses fins, il ne doit pas se dévoiler aussi grossièrement.

Être compatissant reste sûrement la meilleure approche.

« Je suis à tes côtés, Sophie, et je ferai tout ce qui est en mon pouvoir pour te sortir de ce mauvais pas. Bien sûr que je sais que tu es innocente. »

Elle sera dans la tourmente quelque temps, elle sera cuisinée par les inspecteurs, et il s'imposera dans le rôle du chevalier blanc en venant à sa rescousse avec un alibi bidon. Et alors, elle lui sera redevable… pour tout.

Il a hâte d'assister à l'interrogatoire. Comme la dernière fois, il se placera derrière le miroir et l'observera se démener comme une tortue renversée sur le dos. Elle agitera ses petites pattes en l'air, en vain. Lui seul pourra la relever.

Benedict se lève et se dirige vers la douche.

Tout va pour le mieux dans le meilleur des mondes.

Quoi qu'il arrive, Sophie lui appartient.

Son destin est entre ses mains.

Il lui suffit d'exercer une petite pression.

Pour l'écraser.

Blake ouvre la porte de l'appartement en gémissant.

Les cinq étages ont eu raison de ses jambes.

Ça… et les *low-kicks* que Ted lui a assenés avec rage au niveau des mollets et des cuisses. Il ne l'a pas épargné sur le ring.

Une façon un peu trop violente à son goût de lui signifier qu'il n'avait pas encore digéré le lapin posé il y a deux jours.

C'est l'amour vache entre eux deux. Mais après quatre ans ponctués de séparations et de rabibochages, ils sont toujours ensemble.

Le navire tangue, mais ne chavire pas.

Il balance son sac de sport dans l'entrée et pose les clés dans le vide-poche.

Première chose à faire : finir le reste du pot de glace à la pistache de *il laboratorio del gelato* avant que Beth ne le fasse.

Un délice hors de prix – soixante dollars pour un demi-litre –, mais bon à se damner.

Deuxième priorité : consulter les données collectées par son programme.

Tiens, et pourquoi ne pas cumuler les plaisirs ?

Après un détour par le congélateur, Blake s'installe devant son ordinateur.

Son logiciel a déjà pu isoler une liste d'adresses potentielles. Ces IP sont maintenant sous surveillance et monitorées par son programme.

Il est temps de voir si le père Noël a laissé un paquet-cadeau dans la chaussette.

Blake engouffre une cuillerée de *gelato* et clique sur l'icône hélicoïdale « D.N.A. ».

« Dark Net Analyzer ». Sûrement pas le nom définitif de son bébé, mais parfaitement convenable pour le moment.

Il parcourt les logs et sourit lorsqu'il aperçoit, dans la liste, le petit crochet vert encerclé.

Il clique sur la ligne puis cligne trois fois des yeux.

— Oh putain ! lâche-t-il.

Pas de doute. Santa Claus est passé dans la cheminée, il tient son IP.

Étape suivante : tenter de localiser physiquement le serveur.

Blake accède d'un clic à une autre fonctionnalité de son logiciel.

En moins d'une minute, son bébé réussit à obtenir le *hostname*.

Ça y est. Le paquet est prêt à être déballé, c'est le meilleur moment : l'anticipation.

Il consulte le résultat et écarquille les yeux.

— Waow !

Blake recule sur sa chaise et s'éloigne de son PC comme s'il était contaminé au polonium.

Putain de merde ! C'est énorme !

Ne pas paniquer, Blake. Ne pas paniquer. Changement de programme.

Étape trois : faire immédiatement un *back-up* de son logiciel.

Il grappille la première clé USB qu'il voit traîner sur son bureau et l'insère dans son PC. Il lance la copie du code source et des logs.

— Allez, dépêche-toi, hurle-t-il à l'adresse de la barre de progression.

Une fois le transfert complété, il arrache la clé et la range dans sa poche.

Étape quatre : effacer toutes les traces.

Blake ouvre le tiroir du bas de son bureau. Sa main fouille parmi les câbles et extirpe un aimant. Il dévisse le boîtier du PC et retire à chaud les disques durs. Il les place sur le sol et passe l'aimant dessus. Puis il les jette dans l'entrée. Il s'en débarrassera plus tard.

Mais avant ça, il lui reste une dernière étape : prévenir sa meilleure amie.

La pauvre Sophie n'a aucune idée de la merde dans laquelle elle se trouve. Il faut qu'elle arrête ses investigations et qu'elle détruise son MacBook au plus vite.

Blake prend son téléphone portable et compose le numéro.

Répondeur.

Il hésite, puis lui laisse un message.

C'est beaucoup trop important.

… du loup

Ruinée…

Ou presque.

Sophie le savait avant d'accéder à son compte en ligne, mais avoir le solde sous le nez sape son moral déjà bien bas.

Cent quatre-vingt-dix dollars et cinquante et un cents.

Une misère, lorsqu'on vit à Manhattan.

Elle attend un paiement pour deux piges, mais la somme sera à peine suffisante pour couvrir le loyer. Quant à la franchise à payer pour l'accident, elle préfère éviter d'y penser.

Et dire qu'elle avait trois cents dollars en cash dans son sac à main.

Je t'avais prévenue qu'il n'était pas prudent de transporter autant d'argent dans ton sac.

La voix de son père. Toujours là pour la sermonner dans un coin de sa tête. Comme lorsqu'elle était petite et qu'elle avait fait une bêtise.

C'est vrai qu'il est tentant de faire appel à lui afin de dégripper la situation. Ce n'est pas comme si les Lavallée étaient pauvres.

Mais elle a des principes qui excluent, entre autres, d'aller ponctionner un père possessif à la retraite. Le patriarche autoritaire serait bien trop content de retrouver son ascendant sur sa « petite princesse ».

Hors de question, elle n'est plus une gamine.

Ses emmerdes, ses responsabilités.

Sophie ferme la fenêtre du site de la Bank of America. Pas la peine de se cristalliser sur ses problèmes financiers.

Ces soucis sont mineurs par rapport aux vraies épreuves qu'elle traverse… et qui l'attendent encore, elle n'en doute pas.

Et puis, elle ne manque de rien : les étagères regorgent de pâtes au quinoa et Grumpy a quelques sacs en réserve.

Que devient Stephen Cadwell ? Ça, c'est une vraie question.

Elle ouvre Skype et Facebook et espère y voir un message de Benedict.

Rassurant, si possible.

Genre : « Tout va bien, Sophie. Stephen est un homme charmant, il m'a proposé un thé oolong. »

Mais non, rien.

Juste un vide qui laisse un bel espace aux angoisses.

Sophie cale son menton dans la paume de sa main et continue à cliquer de l'autre.

Elle revisite ainsi les onglets laissés ouverts sur les articles évoquant Timothy Carter et le Démon du Vermont.

Plus pour s'occuper l'esprit que pour investiguer, d'ailleurs.

Avec ce qui s'est passé, elle est à deux doigts de laisser tomber.

Êtes-vous prête à m'aider à découvrir la vérité ? Sans blague.

Elle aurait dû écouter Blake. Ce truc lui a explosé au visage et lui colle à la peau.

C'est la voix de la raison, Sophie. Un reporter disparu, cela passait encore, mais la mafia, bon sang ! Et quoi d'autre, du trafic d'enfants ?

Amy Williams. Qu'est donc devenue la gamine après son séjour chez les Cadwell ? Prostitution ? Réseau pédophile ?

Cette pensée la met en rage. Tous les scénarios sont possibles, surtout les plus sombres.

Mais quel lien y aurait-il entre un trafic d'enfants et le Démon du Vermont ? Ce n'est quand même pas une coïncidence que Timothy Carter soit une victime du tueur psychopathe !

Tu n'abandonnes pas, hein, sale tête de mule. T'es accro aux emmerdes, ma parole.

Eh oui, papa ! À quoi bon vivre si ce n'est pour poursuivre ses rêves ou atteindre les objectifs qu'on se fixe ?

Rentrer dans le rang ? Faire carrière dans l'armée comme toi ? Être la gentille boniche à la maison comme maman ?

Non merci. Très peu pour moi.

Réfléchis, quel loup vas-tu nourrir, Sophie ?

Le bon.

Si possible.

Et cela commence par obtenir davantage de renseignements sur Carter.

Le mieux est de contacter les personnes en charge de l'affaire, le sergent Steve Raymond et le criminologue Noah Wallace.

Quelques recherches rapides sur le web révèlent que le sergent de l'époque est devenu lieutenant dans la Major Crime Unit de la Vermont State Police. Il n'a visiblement pas de compte Facebook ni de hobbies révélant un numéro de téléphone personnel.

Pas grave. Faute de fenêtres pour entrer furtivement, Sophie passera par l'entrée principale, pour une fois. Elle se rend sur le site de la police du Vermont et note le numéro de contact sur un Post-it. Elle aura juste à demander Steve Raymond.

Ce qu'elle découvre sur le criminologue lui semble en revanche peu exploitable : Noah Wallace a eu un grave accident de voiture qui a coûté la vie à sa femme et mis fin à la série meurtrière du Démon du Vermont.

Visiblement, le type était un profileur assez doué. Il avait obtenu son Ph.D. à vingt-deux ans et malgré son jeune âge, il avait enseigné la criminologie à la prestigieuse University of Pennsylvania. Pour le reste, c'est le néant. Sa vie d'avant n'apparaît nulle part – invisible sur les réseaux sociaux –, de même qu'il est impossible de savoir ce qu'il est devenu après son accident. Voie sans issue.

Bon. Elle devra se contenter de ce Steve Raymond, en espérant qu'il soit coopératif.

Elle fixe le Post-it jaune.

Il te faut un nouveau téléphone, se dit-elle.

Sophie frotte ses yeux.

Sa nuit blanche la rattrape et ses paupières se lestent de plomb. L'horloge de l'ordinateur affiche 16 heures, mais son organisme lui indique qu'à son horloge biologique, il est minuit passé.

Allez, juste un petit tour par les mails avant d'aller se coucher.

Le premier est un message de rappel de son fournisseur internet.

Pas la peine de le consulter, elle sait qu'elle a encore un mois avant qu'ils ne coupent son accès.

Le deuxième lui fait l'effet d'un coup de fouet : un courriel avec la mention « Urgent ».

Elle se fige sur sa chaise. C'est le contact anonyme.

Le titre est glaçant.

« Question de vie ou de mort. »

Il n'y a pas de texte dans le corps du courriel, juste un « .onion » en pièce jointe.

La décharge d'adrénaline a chassé la fatigue et c'est du bout d'un index moite qu'elle clique sur le fichier.

Question de vie ou de mort…

Les trois tours que fait le sablier pendant que la page se charge semblent durer des heures. Le texte finit par apparaître, flanqué de l'habituel compte à rebours.

« Vous avez commis une erreur en tentant de me localiser. Vous êtes en danger de mort. Vous devez disparaître. Ne prévenez personne, surtout pas la police. Ne contactez pas votre famille, ni vos amis, vous risqueriez de les mettre en danger. Prenez de l'argent, quelques affaires et disparaissez. »

Sophie fixe le message, hagarde.

Est-ce une mauvaise blague ?

Non. L'accident de voiture, le type dans le verger, la mort de Giovanni.

Son cœur est sur le point d'exploser.

Elle doit agir.

Bouge.

— *Fuck, fuck, fuck !*

Sophie ferme le MacBook, mais ses paumes restent plaquées sur l'écran.

Maintenant.

Elle bondit de son bureau, se rue vers la cuisine, éventre un sac de croquettes et le verse dans la gamelle du chat.

Dépêche-toi. Pas le moment de lambiner.

Puis elle fonce dans sa chambre, renverse le contenu de son armoire, jette les tiroirs de la commode à terre. Elle s'habille à la hâte, fourre quelques affaires dans un sac de sport.

Prends l'ordinateur. On ne sait jamais !

La sonnerie retentit au moment où ses mains se posent sur le MacBook.

… Vous êtes en danger de mort.

Prudence, Sophie.

Et pourquoi ? Ce n'est peut-être qu'un livreur ?

Ou la police, ou pire encore !

La sonnerie, à nouveau.

Elle fait un pas vers la porte, prête à céder à la curiosité, puis saisit l'ordinateur et ouvre la fenêtre qui donne accès aux escaliers en fer.

Elle les dévale sans se retourner.

Blake trottine vers son appartement. La clé USB est en sécurité, son téléphone cellulaire est détruit, les disques durs ont été jetés dans des poubelles différentes.

Normalement, il n'a rien oublié. Il ne reste aucune trace de son bébé ni de ses surveillances d'adresses IP.

Plus qu'à espérer que le proxy qu'il paie fera son boulot et que personne ne remontera jusqu'à lui.

De toute façon, il va faire une pause. Pas le choix.

Il va calmer le jeu quelques jours, voire quelques semaines. Puis il ira rechercher son code source.

Hors de question d'abandonner son projet. Ce truc pourrait lui rapporter gros.

Le plus embêtant dans l'histoire, ce sont les disques durs. Toutes les photos coquines avec Ted, leurs vacances à Cancún pour leurs deux ans.

Et dire qu'il avait hésité à les télécharger sur le cloud. C'est à cause de Ted et de sa paranoïa qu'il ne l'a pas fait.

Tu imagines si nos photos deviennent publiques ? qu'on les diffuse sur Facebook ? avait-il hurlé.

Il avait tenté de le rassurer – après tout, c'était lui l'informaticien du couple –, mais non, il était resté campé sur ses positions.

Alors Blake avait cédé, encore une fois.

Et voilà. Plus de photos.

Blake a toujours aussi mal aux jambes lorsqu'il monte l'escalier de l'immeuble.

Parvenu en haut, il se masse les cuisses pour évacuer la douleur.

Puis il sort la clé et marche vers la porte de l'appartement.

Il l'insère dans la serrure, mais bute lorsqu'il la tourne.

Mince, la porte n’est pas verrouillée. Il est pourtant sûr de l’avoir fait en partant.

C’est Beth. Elle a dû rentrer plus tôt, se dit-il.

Il pousse la porte et appelle son amie.

— Beth ? Beth, tu es là ?

Caligineux

Noah observe le brouillard languissant étirer ses nappes caligineuses sur la rivière Winooski et se déchirer en fines écharpes sur les arbres décharnés qui bordent les berges. Les policiers et spécialistes autour du cadavre n'existent pas. Ce sont juste de vagues silhouettes dansant dans un décor informe et flou.

Il ne perçoit pas non plus les bavardages, ni la circulation automobile sur la route qui longe l'autre rive. Pas plus qu'il ne sent sur sa peau la morsure glacée de la nuit d'automne.

Ses yeux grands ouverts sont fixés sur la brume qui flotte à la surface des eaux calmes. Les souvenirs y apparaissent par volutes.

Le visage de Maggie collé à la vitre arrière. La silhouette du conducteur. La voiture qui dérape, plonge vers les berges. Les tonneaux sur le pont. Le noir.

Pourquoi le tueur a-t-il choisi cette rivière, si ce n'est pour raviver sa mémoire ?

Une main ferme posée sur son épaule l'arrache à son égarement onirique.

Noah sursaute et se retourne.

Steve grimace.

— Pas de doute, vu la gueule de la victime, on a bien affaire au Démon du Vermont. Les *forensics* ont fini leur travail, c'est quand tu veux pour ton show.

Noah esquisse un sourire moqueur.

— On n'attend pas nos amis ?

Steve rit sans ouvrir la bouche, le son évoque le toussotement d'un moteur.

— Ça fait presque deux heures qu'on est ici, ils auront la scène pour eux après. C'est notre affaire, bon sang ! C'est juste une foutue malchance qu'il soit allé chasser chez les voisins.

— La chance n'a rien à voir là-dedans, Steve. Et sinon, tu sais qu'il faut plus de quatre heures pour rallier Waterbury depuis Québec, pas vrai ?

Et il ajoute :

— Tiens, les voilà justement, ils ont fait vite.

Le véhicule, une Ford Taurus de location, se gare sur le sol terreux et éteint ses phares.

L'officier de la SQ sort de la voiture et se dirige vers eux, étriqué dans un costume tiré à quatre épingles.

Il ne lui manque plus que le *deerstalker* en tweed, le macfarlane et la pipe, et nous avons Sherlock Holmes, pense Noah.

Clémence l'accompagne. Une sucette est calée dans sa bouche, sa petite tête disparaît sous un épais bonnet de laine, ses yeux de fouine balaient déjà les lieux.

À la lueur des spots, il semble à Noah que le Chenu a le teint plus cireux que d'habitude. Il note aussi la couleur jaunâtre du blanc de ses yeux.

Foie ? Pancréas ?

— Bonsoir messieurs. Désolé, l'avion a eu un peu de retard. J'ai pris l'initiative d'amener Clémence

Leduc avec moi, j'espère que vous n'y voyez pas d'inconvénient ?

La jeune femme agite sa main en guise de salut et adresse un clin d'œil à Noah.

Steve triture sa moustache et dit :

— Les spécialistes ont fini leur travail, Noah allait justement inspecter la scène à son tour, libre à vous de l'accompagner.

— Et vous allez faire quoi au juste, lieutenant Raymond ? demande Clémence.

Le visage de Steve s'empourpre davantage.

— Le travail d'un policier ne se limite pas à l'examen de scènes de crime, mademoiselle.

Elle baisse la tête en souriant.

— Des informations sur les victimes ? demande le Chenu.

— Une seule, cette fois-ci, répond Steve. Il s'agit de Trevor Weinberger. Il était psychiatre au Vermont Psychiatric Care Hospital et était âgé de soixante-deux ans. Il était divorcé, sa femme et ses deux enfants vivent en France, à Lyon.

— Une chance pour eux… Pas de petits mots doux à l'adresse de votre ami ?

Steve secoue la tête.

— Non, pas cette fois. Mais pour le reste, tout concorde. La myrrhe et la mise en scène. Vous allez voir.

Le flic invite Clémence à rejoindre Noah d'un mouvement du bras.

Noah observe la jeune fille s'avancer vers lui. Elle cale la tête de la sucette dans le creux de ses joues, lui tend la main, puis lui adresse un clin d'œil complice et vient loger sa paume dans la sienne.

— Vous m'emmenez faire un tour, monsieur Wallace ?

— C'est votre idée d'une balade romantique ?

— Pourquoi pas ? Une rivière, une ambiance brumeuse et inquiétante, un homme intelligent, mystérieux… et mignon, ce qui ne gâche rien.

Noah ne répond pas.

— Vous avez les mains très chaudes, monsieur Wallace, c'est une qualité que j'apprécie beaucoup chez les hommes.

— Clémence, une bonne fois pour toutes, je suis en couple avec Rachel. Et je l'aime.

— Non, vous ne l'aimez pas, Noah. Vous aimez qu'elle vous aime.

Noah pousse un soupir et amorce une réponse.

Mais Clémence lâche sa main et se dirige vers la scène de crime.

— Impressionnant. C'est Belphégor, un des sept princes de l'enfer, déclare Clémence, le sourire aux lèvres et les yeux pétillants.

Noah l'interroge du regard.

— Je suis fan de démonologie, monsieur Wallace.

— Ce n'est pas ça, dit-il. C'est votre aplomb. Vous ne manifestez aucun dégoût, aucune peur. Au contraire même, vous jubilez.

La pétulance de Clémence disparaît de son visage.

— Savez-vous d'où provient le *fun*, monsieur Wallace ? C'est une réaction de notre cerveau. Lorsque nous sommes face à un problème que nous pensons pouvoir résoudre, il nous envoie une petite décharge d'endorphine pour nous récompenser, c'est un atavisme. Résoudre un puzzle, pour notre cerveau, est équivalent à améliorer notre survie. En outre, lorsque sa partie analytique est sollicitée, celle où siège l'empathie est éteinte. Dans le contexte de l'enquête, je ne vois pas Trevor Weinberger, médecin, divorcé et père de deux enfants, je vois un problème à résoudre. Et oui, cela m'excite !

— Ce n'était pas un reproche, dit Noah. Et vous auriez beaucoup plu à l'Autre. Pour ma part, tout n'est pas si froid. Je ressens la peine, la douleur, la colère, le remords.

Puis il pince son nez, bloque sa respiration et serre le pommeau de sa canne.

Belphégor ? Peut-être.

Qu'as-tu à nous raconter, Trevor ?

Le cadavre a été positionné nu sur un fauteuil roulant. Les morceaux de peau arrachée sur le cuir suggèrent qu'il a été collé dessus – super glue – et qu'il s'est débattu.

— Toutes les dents ont été ôtées. À mon avis avec une pince, déclare Clémence. Puis son sourire a été étiré façon Joker, au couteau. Belphégor est souvent représenté avec une grande bouche.

Noah ne relève pas. Ce n'est pas ce genre de détails qui l'intéressent. Pourquoi ne voit-il rien d'autre ? Pourquoi ce corps reste-t-il muet ? Où est passée la musique ?

— Je ne vais pas toucher le cadavre, mais je pense que le tueur a placé des clous à la base des cornes et a utilisé un marteau pour les enfoncer sur le crâne, poursuit Clémence.

Non, en ce moment, la jeune fille ne le galvanise pas, elle le parasite. Ou peut-être est-ce lui. Tente-t-il d'analyser la scène avec ses yeux à elle ? Avec les yeux de l'Autre ?

— Pour les pieds allongés, difficile à dire, je pense qu'il a utilisé un étau pour les compresser dans un premier temps et…

Il ne l'entend plus.

Enfin.

Le temps s'est ralenti et les sons se distordent. Le décor disparaît autour de lui, seul reste le cadavre.

Trevor ouvre les yeux.

Deux billes noires.

Et Noah voit… Noah ressent.

Il est plaqué sur la chaise. La poigne est ferme. Il ne peut pas résister.

Il supplie. Les larmes roulent sur ses joues. Il pense à sa femme, à ses enfants restés en France.

Le tueur lui présente les outils. Une pince, un marteau, des clous, un couteau.

Il veut se débattre, tente de s'arracher à son siège. Il hurle lorsque sa peau se détache par lambeaux.

Le tueur s'approche et injecte l'anesthésiant. Puis il enfourne la pince dans sa bouche et la tord. La première dent arrachée est douloureuse, l'anesthésiant n'a pas encore fait effet, mais pas la dernière.

À la fin de son calvaire, il ne ressent que les vibrations et n'entend plus que le craquement de la pince sur l'ivoire. Il ne sent rien non plus lorsque le tueur place la lame à la commissure des lèvres et tranche les zygomatiques d'un geste sec et précis.

Ni lorsqu'il place les cornes sur son front et que les longs clous s'enfoncent dans la cervelle sous les coups répétés d'un marteau.

Il tente de sourire, c'est idiot.

Il regrette ce qu'il a créé.

Il regrette d'avoir rompu le serment d'Hippocrate.

Noah titube en arrière. Il est revenu.

Clémence parle toujours. Elle n'a pas dû remarquer son absence.

— ... Belphégor est le démon des inventeurs. Et s'il avait été tué pour avoir inventé quelque chose ? conclut-elle.

Puis elle se tourne vers lui, le regard inquiet.

— Un problème ? demande-t-il.

— Vous saignez du nez, monsieur Wallace.

Noah sourit, puis il s'évanouit.

Fuite

Les flocons ventoient entre les buildings écrêtés par les bas nuages gris.

L'automne rend son dernier souffle. Poets' Walk déploiera bientôt sa parure hivernale, son tapis blanc recouvrira son grand chemin piéton. Les dernières feuilles rouge et or qui ornent les arbres géminés aux doigts squelettiques seront remplacées par le givre et la neige. Les cimes seront couvertes de frimas.

Question de vie ou de mort...

C'est peut-être la dernière fois que tes pieds foulent le sol de Central Park, se dit Sophie. C'est ta dernière journée à New York, c'est certain. Il faut que tu changes d'État. Disparaître, te mettre à l'abri, protéger tes amis.

Au moins le temps que tout cela se calme.

Car cela va finir par se calmer, pas vrai ?

Elle regarde avec envie un couple marcher main dans la main et rire aux éclats.

Comment va réagir Charlie ? Et son père ?

Sophie tend sa paume, collecte un flocon sur sa main.

Et le regarde fondre.

Les larmes embuent ses yeux.

Cela va m'achever d'apprendre ta disparition, ma Sophie. Le dernier de mes enfants, tu t'en rends compte ? Après David, on m'a déjà arraché le cœur, je n'ose même pas imaginer si je te perds.

Oui, son père ne s'en remettra pas. Et elle ne peut pas supporter cette idée. Il va se faire un sang d'encre.

Et pourquoi ne pas fuir vers le Canada ? Elle serait en sécurité, qui irait se frotter à un général à la retraite, hein ?

Bonne idée, ma chérie, depuis le temps que je te le dis.

— Ton irénisme est pathétique, lâche-t-elle dans un murmure.

Elle est traquée à la fois par la police et par ceux qui veulent sa peau. Elle doit éviter les *checkpoints*, c'est le premier endroit où elle sera recherchée. Se rendre à un poste-frontière est la pire des idées. Et surtout elle sait que retourner chez elle équivaut à mettre une cible sur le front de sa famille.

Si ces gens ont pu atteindre un affranchi, tu penses sérieusement que ton père est à l'abri ?

Sophie soupire et marche en direction d'un banc.

Elle a besoin de quelques minutes de réflexion. Il doit bien exister une solution pour rentrer en contact avec ses proches sans sonner l'alerte. C'est tout ce qu'elle demande, pouvoir apaiser leurs angoisses.

Elle chasse d'un revers de la main la fine couche de neige fondante et s'assoit à côté d'un homme vêtu d'un costume anthracite dont la tête a disparu derrière l'édition du jour du *New York Times*.

Elle passe en revue son plan et les erreurs qu'elle pourrait faire.

Ne pas prendre de taxi. Jamais. Les chauffeurs de taxi et leur central conservent une trace de leurs allées et venues. C'est un risque à ne courir sous aucun prétexte.

Une consigne facile.

Pour se déplacer, s'acheter une voiture. Oublier les motos. Les contrôles policiers sont plus fréquents sur ce genre de véhicule. Éviter aussi l'auto-stop, cela attire trop l'attention. Ah oui, et pas de voiture volée. C'est le bon sens même.

Oui mais voilà, elle est presque à sec.

Tout juste peut-elle compter sur les cent quatre-vingts dollars qu'elle vient de retirer, avec le risque de s'être fait repérer.

Ne contacter personne. Ni amis, ni parents.

C'est là que le bât blesse. C'est peut-être la chose la plus dure à respecter.

Ne pas retourner dans les endroits où tu as l'habitude d'aller. Magasins, épiceries... C'est là qu'ils attendront en premier. Il faut briser les habitudes. Éviter les restaurants. Tu peux laisser des traces. Peaux mortes, empreintes...

Sophie serre les dents. Elle sait ce qu'il faut faire *en théorie.* Elle est débrouillarde, capable de mentir avec aplomb. Elle peut disparaître. Mais elle ne peut pas s'y résoudre.

... Ne prévenez personne, surtout pas la police.

Benedict. Même lui ne peut rien pour elle, alors ?

Voilà ce qui arrive lorsqu'on nourrit le mauvais loup, mademoiselle Lavallée.

Va te faire foutre, Cadwell ! Et toi aussi, espèce de connard, avec ton enquête sur Trout !

Sophie éclate en sanglots. L'homme ne la regarde même pas, bien à l'abri de la misère d'autrui, derrière son journal déployé. Puis, entre deux reniflements, une idée germe dans son esprit.

Elle se lève et prend la direction de Grand Central Terminal.

Beth ne répond pas.

Pourtant, son sac à main est posé près du portemanteau. Elle est forcément ici.

Pourquoi est-elle rentrée si tôt ? Ce n'était pas prévu au programme. Elle a une répétition importante aujourd'hui. Elle l'a assez seriné avec ça depuis quelques semaines.

Le rôle de ma vie ! Broadway ! Tu entends, Blake ? Broadway !

Ça, pour l'avoir entendu…

Peut-être est-elle malade, alors ?

— Beth ? Ça ne va pas ? Tu as besoin d'aide ?

Toujours aucune réponse.

Pas de bol de céréales posé sur la table de la cuisine.

Non, elle n'est pas dans son assiette.

Pas de bruit de douche dans la salle de bains non plus.

Reste sa chambre. Elle est fermée.

Il toque.

— Beth ? Tu es là ?

Pas de réponse.

— Tu me fais flipper, je vais entrer.

Il appuie sur la poignée et entrouvre la porte.

Il pousse un soupir de soulagement.

Bethany est allongée en chien de fusil sur son lit. Elle a l'air de dormir.

Sa théorie était la bonne.

Quoi d'autre aurait pu lui faire quitter la répétition de sa vie ?

Bon, ce mystère étant résolu, iI a d'autres chats à fouetter. Il va devoir réinstaller ses systèmes d'exploitation et reconfigurer son PC.

Il se penche et sort le boîtier. Par chance, il lui reste quelques disques durs en réserve.

— Et ouais, dit-il à haute voix, dure vie que celle du geek qui passe sa vie à jouer, programmer, assurer les arrières de ses amis et…

Blake s'arrête de parler.

Une sensation de métal froid à l'arrière de son crâne le fige sur place.

Il n'a pas le temps de comprendre.

Ni d'entendre la détonation.

Et encore moins de voir la main tremblante de Beth lâcher le Glock au canon fumant.

Et pendant que son sang se répand sur le sol, Bethany hurle à s'en arracher la gorge.

Olibrius

Noah n'aime pas le docteur Walter Henry.

Ce n'est pas en raison des petits raclements de gorge qui émaillent chacune de ses phrases, ou encore pour cette manie qu'il a de balayer son crâne dégarni avec sa paume lorsqu'il cherche ses mots. Même son ton obséquieux le laisse indifférent.

Non, ce qu'il déteste chez ce reptile aux yeux de glace et à la figure vituline, ce sont les nouvelles qu'il apporte. Invariablement mauvaises et dissimulées avec maladresse dans ses propos souvent teintés d'une compassion simulée.

Et là, il attend qu'elles arrivent. Il craint que, phrase après phrase, mot après mot, elles ne le clouent à sa chaise et finissent par le briser.

Pas de cancer, s'il vous plaît, docteur Henry. Pas alors que je me reconstruis autour de Rachel, pas alors que j'ai enfin repris du service et redonné un sens à ma vie.

Et surtout pas avant que je ne l'attrape.

Le regard du docteur est rivé à l'écran vingt-sept pouces de son iMac. Ses lèvres pincées et la contraction des rides de son front témoignent de l'intensité de sa concentration.

Et plus le nez busqué du docteur se soulève au rythme des grimaces qui ponctuent sa lecture, plus Noah perd de sa prestance.

Un raclement signale la fin de la lecture.

Le médecin se redresse sur sa chaise et le fixe quelques secondes. Une esquisse de sourire naît, puis meurt aussitôt à la commissure de ses lèvres.

L'heure est au verdict, la respiration de Noah se coupe.

— Hum… Vous savez, monsieur Wallace, je crains fort que les nouvelles que je vais vous annoncer ne soient pas des plus réjouissantes… hahum.

Le contraire m'aurait étonné, pense Noah.

Il passe la main sur son crâne, lève les yeux au plafond, puis le fixe à nouveau.

— Hélas, et j'en suis fort contrit, les scanners montrent une progression de la tumeur.

— Est-ce grave ? Est-ce que je dois m'inquiéter ? répond-il du tac au tac.

Traduction : ai-je un putain de cancer au cerveau ?

— Hum… Il est encore trop tôt pour que je me prononce sur la gravité de la situation, monsieur Wallace, mais je ne vous cache pas mon inquiétude. La première biopsie n'avait révélé la présence d'aucune cellule cancéreuse, néanmoins, affirmer que cette croissance n'est pas alarmante serait mentir. La tumeur est logée dans la partie postérieure du lobe occipital et exerce un stress sur le cortex strié. Plus précisément, elle se trouve au niveau de la scissure calcarine : un risque d'hémianopsie, perte de la moitié du champ visuel, n'est pas à exclure. En outre, il n'est jamais bon d'observer un changement de taille. Hum… Je crains, hélas, qu'il ne nous faille procéder à une deuxième biopsie.

Noah frissonne à la vision du cadre de stéréotaxie fixé sur son crâne.

— On ne peut pas opérer la tumeur, l'ôter tout simplement ?

Walter passe de nouveau la paume sur son crâne poli, puis il oriente l'écran de l'iMac de façon à ce que Noah puisse le consulter.

Il y aperçoit les images de son cerveau prises au scanner.

— Hum… La simplicité n'existe pas en ce domaine, monsieur Wallace. Comme vous pouvez le voir sur ces images, vous souffrez déjà de quelques lésions, héritage de votre accident. L'aire visuognosique est atteinte, ainsi que l'aire auditive de réception primaire. La décision de rouvrir votre boîte crânienne et de pratiquer une exérèse n'est pas à prendre à la légère. Soyez assuré toutefois que je vais étudier votre cas avec la plus grande attention. Attendez-vous à recevoir de mes nouvelles dans un proche avenir, monsieur Wallace.

Noah reste silencieux. Que faire, que dire ? Son sort n'est plus entre ses mains.

Le médecin tape son index sur sa tempe et ajoute :

— Hahum… Par ailleurs, j'aimerais aussi me coordonner avec le docteur Hall. Je crains fort que ma consœur n'ait pas une vision holistique de votre profil médical. Je voudrais être certain que la médication prescrite, antidépresseur ou autre, n'aggrave pas la situation. Et d'ailleurs, par le plus grand des hasards, auriez-vous des médicaments sur vous ? Et si c'est le cas, m'autorisez-vous à les examiner ?

Noah hoche la tête. Pourquoi refuser ?

— Bien sûr.

Il sort les trois boîtes orange et les tend au docteur Henry.

Le médecin les manipule et fixe son regard de glace sur les flacons :

— Zoloft… OK. Prolixin : la molécule de fluphénazine ne devrait pas poser de problème, à vérifier cependant. En revanche, je suis moins sûr pour le Nembutal. C'est un barbiturique à base de pentobarbital. Je sais que ce n'est pas très éthique de critiquer une collègue, mais je dois vous avouer que je suis vraiment étonné par cette prescription.

— Quel est le problème avec ce médicament, docteur ?

— C'est un antidépresseur et un sédatif, connu aussi pour ses propriétés hypnotiques. Je ne vois pas l'intérêt de le cumuler au Zoloft. Mais écoutez, je ne suis pas psychiatre. Ne vous inquiétez pas, je vais m'entretenir avec le docteur Hall. Continuez à suivre le traitement, comme indiqué par la posologie.

Noah reste figé sur son siège quelques secondes. Une idée s'est imprimée dans son esprit.

— Connaissez-vous le docteur Trevor Weinberger ? demande-t-il.

Le docteur Henry recule sur son siège et fixe Noah comme s'il avait croisé un chien à trois têtes.

— Hahum… Oui. Je ne savais pas que vous connaissiez cet olibrius.

Tiens, je ne l'ai pas celui-là. Noah sourit, puis il sort son carnet et griffonne : « Olibrius ».

— Ce n'est pas très flatteur… Je peux savoir pourquoi ?

Un sourire se dessine sur le visage du docteur. Un vrai, cette fois, pas une mascarade de ses zygomatiques.

— Oui, il avait fait sensation il y a une quinzaine d'années avec un prétendu traitement expérimental du cancer. Il s'est ridiculisé auprès de ses confrères. Il était psychiatre au Vermont State Hospital à cette époque.

— Pourriez-vous me parler de ce traitement, et dans un langage vulgarisé s'il vous plaît ?

Le docteur caresse le haut de son crâne et dit :

— Il travaillait sur les troubles dissociatifs de l'identité, plus vulgairement connus sous l'appellation : personnalités multiples.

— Je ne vois pas le rapport avec le cancer, dit Noah.

Walter Henry sourit à nouveau.

— Voilà justement le problème. Il n'y en a pas. Il avait développé l'idée un peu folle de forcer l'émergence d'une personnalité positive chez les patients, qui seraient persuadés de ne pas être malades. Ce qui est à la fois ridicule et très douteux d'un point de vue éthique, vous en conviendrez. Pour faire simple, imaginez un « super placebo », monsieur Wallace. Imaginez qu'une partie de vous-même soit convaincue que les cellules cancéreuses vont quitter votre corps et que cela suffise à vous guérir ! Évidemment, il n'y a pas eu de suites à ses recherches. Quelle idée farfelue ! J'en ris encore.

Farfelue ? Peut-être.

Mais ne serait-ce pas la raison pour laquelle il s'est fait engluer à une chaise et assassiner ? Pas pour ses théories sur le traitement du cancer, mais peut-être pour autre chose ?

Troubles dissociatifs de l'identité.

Noah sourit à son tour. Il ne pense plus au motif initial de sa visite. Une idée s'impose à son esprit et ne le quitte pas :

Adramalech et Belphégor.

Le juge et l'inventeur.

Rebecca Law et sa folie.

Les pièces s'assemblent.

Échecs

Bernard Tremblay repose la tasse de thé et applique un mouchoir à la commissure de ses lèvres.

— Assez parlé de ma sœur et de son troisième coup de foudre en six mois. Tu veux bien me faire part de tes dernières analyses ? demande-t-il.

Clémence fait claquer l'élastique qu'elle a tendu entre ses doigts, puis répond :

— Noah Wallace est un gars sympa, brillant… un peu fêlé, mais cela fait partie de son charme. C'est sûr qu'il est lié au tueur, mais je suis convaincue qu'il n'a rien à se reprocher. Il est juste complètement paumé… et je pense vraiment qu'il a des dons… même si tu n'y crois pas une seconde.

Bernard se renfrogne.

— Ce n'est pas ce que je t'ai demandé.

— Je sais… mais je préfère insister, car je te connais, tonton. Tu le crois coupable, et tu te trompes. Roi en F7.

Bernard sourit. Alors comme ça, la petite veut continuer leur partie ? Il ferme les yeux et reconstruit mentalement l'image de l'échiquier. Bien, comme prévu, le verrouillage de la tour en F1 a fait fuir son roi.

— Pion en B5. Non, je veux parler de l'enquête et notamment de la dernière scène de crime. Je veux connaître ton avis. Et savoir comment cette nouvelle pièce peut s'insérer dans le puzzle.

Clémence se lève de table, ouvre le frigidaire et prend la brique de lait.

— Belphégor est le démon qu'on associe aux inventions, à la découverte. Le tueur l'a éliminé pour cette raison et il veut qu'on le sache. Ce n'est pas un psychopathe, ce type tue ces gens pour une raison particulière, une vengeance certainement. À partir de là, j'ai deux hypothèses. La première est qu'il agit en justicier. Peut-être qu'à ses yeux, toutes ces personnes méritent d'être punies pour des actes commis dans leur passé. Mais je préfère de loin la deuxième, qui me semble bien plus plausible. Toutes les victimes sont liées entre elles. Ce qui explique la tranche d'âge commune et la proximité géographique. À mon avis, pour en savoir plus sur le tueur, il va nous falloir découvrir sur quoi travaillait Trevor Weinberger et quels étaient les dossiers traités par le juge McKenna. Je suis justement sur une piste avec Noah. Je t'en ai déjà fait part, mais j'en saurai bientôt plus.

Clémence reprend sa place à table et se verse un grand verre de lait.

— Et bien sûr, de ton côté, si tu adhères à mon point de vue, tu devras revoir le dossier de toutes les victimes et trouver un lien. Cavalier en A5.

Bernard penche sa tête en arrière. Avec la découverte de la double identité d'Yves Coté, peut-être que la dépense pourrait passer.

— Ouais… c'est ça. Je comptais justement approfondir mes recherches, enquêtes de voisinage, analyses des comptes, la totale. Je vais avoir du mal à justifier ce budget faramineux, mais tu m'as convaincu. Par contre, cet incompétent de Raymond traîne pour me faire parvenir les dossiers du Démon du Vermont et nous passons à côté de précieux indices !

Il détache un carré de chocolat de la plaque et le porte à sa bouche. Elle aurait pu le placer ailleurs, un cavalier sur le bord de l'échiquier ? Elle réfléchit trop vite. L'impétuosité de la jeunesse.

Il ferme les yeux et savoure le morceau qui fond sur sa langue.

— Dame en D1.

Clémence se fige quelques secondes, sirote une gorgée de lait et demande :

— Des nouvelles de la famille Coté ? Et tu es sûr que le chocolat est bon pour ce que tu as ? Tour en E8.

Bernard visualise la partie. Le roi de Clémence est en F7, elle a un pion en F6… Un sourire triomphant éclaire son visage jaunissant.

— Non, aucune nouvelle… Je crains le pire. Si ta théorie est exacte, on les aurait fait disparaître pour ne pas qu'elles divulguent des informations sur Yves Coté, mais qui aurait intérêt à faire ça ? Cavalier en G5… Échec.

Pour le reste, cela ne te regarde pas, Clémence, ce sont mes problèmes de santé, se dit-il.

— C'est la question la plus importante, si tu veux mon avis. Ce n'est pas le tueur, en tout cas cela n'aurait aucun sens. Tu vois tonton, j'ai même l'impression d'assister à une partie d'échecs entre notre tueur et… Pion en G5, prend Cavalier.

Bernard lâche un petit ricanement.

La partie est finie, chère nièce. Ton roi est coincé. Mon fou en A3 empêche ta retraite en F8. Avec ma reine qui va te mettre en échec... tu es obligée de te réfugier en G8.

— Vraiment aucune idée de qui pourrait être l'autre joueur ? Et si c'était Wallace ? Reine en F3.

Clémence secoue la tête et repose son verre.

— Tu as gagné, je dois bouger mon roi en G8 et ton prochain coup est un échec et mat. Tu es toujours aussi fort, mais un jour… je te battrai !

— Tu es une fille brillante, mais les échecs et les puzzles sont des activités que je pratique depuis des années. Aucun doute, tu me surpasseras sous peu.

Elle se lève de sa chaise et prend le blouson en cuir accroché à son dossier.

— Je vais aller dans le Vermont et reprendre contact avec Noah. Je ne pense pas qu'il soit le joueur d'en face, mais plutôt une clé pour découvrir son identité. Je te tiens au courant, tonton.

Parfait, se dit Bernard. Et moi je vais monter dans mon bureau et consulter le dossier que je viens juste de recevoir sur monsieur Wallace.

— Tu n'as pas écouté un mot de ce que je t'ai raconté, Noah. C'est difficile d'obtenir des réponses quand tu fixes le plafond.

Il n'y a aucun reproche dans le ton de Rachel, juste une légère pointe d'inquiétude.

Noah se tourne vers elle et prend son visage entre ses mains.

— Tout va bien, je t'assure.

Il n'a pas dû être convaincant car les yeux de Rachel s'embuent.

— Je dois juste refaire un examen. Et puis il faut regarder les choses positivement. Chaque visite chez le docteur Henry me permet de remplir mon carnet de notes de mots complexes. Scissure calcarine, hémianopsie et j'en passe. Ce type est une mine d'or !

— T'es bête, dit-elle avec un sourire qui lui creuse d'adorables fossettes.

Puis elle l'embrasse.

Noah ferme les yeux et profite de ce moment, de cette lumière vive dans son océan de noirceur.

Combien de temps avant qu'il ne replonge dans les ténèbres de l'enquête ?

Demain, il va creuser davantage.

Il y a tant de fils à connecter. Rebecca Law et le juge, les recherches insolites de Weinberger. En fait, il faut parcourir l'ensemble des dossiers, anciens comme récents, avec un nouvel éclairage.

Comment l'Autre avait-il pu passer à côté du lien entre les victimes ? Difficile de plonger dans sa tête, alors qu'il n'appréhende plus le monde de la même façon.

Presque un étranger.

Il détache ses lèvres de celles de Rachel.

Ses yeux sont brillants. Le désir a remplacé la tristesse dans son regard.

Elle le pousse sur le côté et monte sur lui.

Rachel se penche pour l'embrasser à nouveau. Sa longue chevelure lui cascade sur le visage.

Elle se redresse et se cambre.

Noah se fige.

Une fille est avec eux dans la chambre.

Le trou dans son front ne laisse aucune place au doute.

C'est Chloé Coté.

Elle désigne le placard de la chambre.

Noah sait ce qu'elle veut.

Qu'il consulte son journal.

Tabula rasa

Sophie regarde le train repartir depuis le petit pont qui enjambe les rails.

Elle peut enfin souffler après une heure passée en apnée, le corps tétanisé et la tête collée contre les vitres.

Mais prendre le métro depuis Grand Central pour rallier Brooklyn était un risque nécessaire.

Le jeu en vaut la chandelle. Une fois qu'elle aura accédé à la boîte aux lettres qu'elle loue avec Blake, elle pourra lui laisser un petit mot… et récupérer quelques précieuses affaires.

Cela fait déjà deux ans qu'ils partagent cette cache. Ils n'y reçoivent bien sûr jamais un seul courrier, ils s'en servent uniquement pour entreposer leurs « petites choses » : principalement du cannabis pour Blake ainsi que quelques composants électroniques destinés au hacking de réseaux sans fil. Sophie y planque ses accessoires illégaux : kits de crochetage, fausse plaque de police, matériel d'écoute… et pistolet.

Les quinze dollars par mois payés par une certaine Amanda Roy, créée virtuellement de toutes pièces par Blake, sont bien investis.

Tu vois, Cadwell, avoue que le mauvais loup peut être utile de temps en temps.

Mais Sophie serre les dents. Dans quelques minutes, elle devra crocheter la serrure de la boîte, car sa clé est restée dans son sac à main.

Ce n'est pas la première fois qu'elle doit le faire, mais d'habitude, elle est seule au milieu de la nuit. Et si ce n'est pas le cas, Blake fait le guet pour elle.

À Brooklyn, en fin de journée, et sans le kit de crochetage qui se trouve à l'intérieur… ce n'est pas le même challenge.

Tu es folle, ma fille…

Oui, je sais papa. Et tu ne connais pas encore le tiers de ce que ta gentille petite princesse a fait.

S'il savait le nombre de fois où elle avait enfreint la loi pour parvenir à ses fins…

Le mauvais loup, mademoiselle Lavallée.

Ta gueule, Cadwell, c'était pour la bonne cause. Toujours.

Elle est désormais devant le bâtiment.

Heureusement, Brooklyn n'est pas Times Square. La 65e est peu fréquentée à cette heure, à l'exception des quelques clients d'un épicier de quartier circulant au milieu des étals de fruits et légumes.

Sophie passe en dessous des échafaudages – l'immeuble gris et beige subit un ravalement de façade – et pousse une porte bleue. La cloche tinte et la vendeuse, une femme âgée d'au moins soixante-dix ans, la gratifie d'un « Bonjour » mielleux.

Moment délicat. Si elle veut ouvrir sa boîte, elle doit d'abord acheter des trombones.

Un objet anodin, mais une source d'angoisse bien réelle.

Plusieurs articles sont accrochés au mur perpendiculaire au comptoir. Enveloppes, stylos, timbres, agrafes… et bingo : pile ce dont elle a besoin.

Sophie prend un paquet d'enveloppes, un stylo et une boîte de trombones, puis elle les pose devant la vendeuse.

— Sale temps, hein ? fait la vieille femme.

Sophie hésite à répondre. Elle est pressée, mais elle ne veut pas attirer l'attention sur elle.

— L'hiver est en avance, oui.

— À mon avis, il sera long et froid. Mais il faut regarder les choses du bon côté. On aura un Noël blanc ! L'année dernière, cela m'a manqué, pas vous ?

— Oui, c'était triste.

Bordel. J'espère qu'elle ne va pas me détailler les cadeaux sous le sapin et le menu du réveillon, pense Sophie.

Elle pose un billet de cinq dollars sur la table.

— Ma fille habite à Fort Lauderdale… Aucune chance d'avoir de la neige par là-bas.

Pourquoi ? Pourquoi cela doit-il tomber sur moi ? maugrée-t-elle.

— Oui, la Floride… c'est plus chaud. *(Bravo pour cette remarque pertinente, Sophie.)* Je vous dois combien ?

— Quatre dollars et cinquante cents.

Ouf. Fin du calvaire.

— Gardez la monnaie. Bonne fin de journée !

Son cœur bat si fort qu'elle s'attend à ce qu'il sorte de sa poitrine.

Comment une simple conversation avec une vieille dame avenante peut-elle devenir si angoissante ?

Sophie se dirige vers la pièce où se trouvent les casiers et cherche la boîte 504.

Elle jette un coup d'œil.

Personne en vue.

Sophie sort deux trombones de sa boîte.

Elle en déplie un complètement puis s'aide de sa paume et du rebord d'un mur pour façonner son extrémité en crochet.

Ensuite, elle tord le deuxième de manière à créer un angle droit.

Sophie essuie la sueur qui perle à son front. Entre la capuche et la tension qui est montée en flèche, son corps est devenu une fournaise.

Sous la casquette en tissu, ses cheveux noués l'irritent. Elle voudrait tout lâcher pour y planter ses ongles et gratter.

Plus tard. Si elle réussit.

Bien, elle est prête… et toujours personne en vue.

Sophie insère le trombone plié comme elle l'aurait fait avec une clé, puis elle enfonce celui en forme de crochet.

Pourvu qu'il ne casse pas, se dit-elle alors que d'une main moite et tremblotante elle triture le petit morceau de métal.

Pas le moment d'être gauche, Sophie.

Elle bloque sa respiration et joue de ses poignets. Le crochet exerce une pression sur les goupilles et…

… clic.

Presque !

Elle pince ses lèvres, tourne le trombone plié et…

… clac ! La porte de la boîte s'entrouvre.

Sophie étouffe un cri de joie.

Bon. Calme-toi. Tu n'as plus rien à craindre. Tu es juste une cliente qui vient d'ouvrir sa boîte aux lettres.

Elle prend le stylo qu'elle vient d'acheter et écrit quelques mots sur une enveloppe.

> « Blake, je dois disparaître quelque temps. Je suis en danger. Si tu entends des trucs sur moi, sache que je suis innocente. Désolée, je ne peux pas t'en dire plus. Ne me cherche pas.
> PS : préviens mon père et Charlie, mais surtout personne d'autre. Vos vies en dépendent ! Je t'expliquerai tout, promis. »

Et voilà. Une bonne chose de faite.

La prochaine fois qu'il ira à la boîte, il tombera sur son mot.

Et maintenant, le matériel.

C'est dangereux… si tu te fais arrêter.

Si je me fais arrêter, je suis cuite, de toute façon.

Elle ouvre son sac à dos et y range ses affaires.

Et remarque alors une enveloppe à son nom.

L'écriture de Blake.

Elle la saisit. Une bosse la déforme.

Elle l'ouvre.

Une clé USB et un petit mot griffonné sur un Post-it.

> « Au cas où il m'arrive quelque chose. »

Elle repose le mot comme s'il était venimeux.

Vous avez commis une erreur en tentant de me localiser.

— Oh Blake… qu'as-tu fait ? murmure-t-elle.

Elle referme le cadenas et reste un court instant, tête baissée, paume plaquée sur la porte.

C'est risqué. Mais elle n'a pas le choix. Il est en danger et leur ancien appartement est seulement à quelques blocs d'ici.

Les cordons jaunes, voilà ce qu'elle remarque en premier.

Estampillées « *Crime Scene – Do Not Cross* », les banderoles sont tendues de part et d'autre de l'entrée de l'immeuble où elle a résidé pendant ses études.

Deux Ford Interceptor blanc et bleu de la police new-yorkaise sont garées au milieu de la chaussée et bloquent la circulation.

Un officier portant un gilet « *NYPD Crime Scene Unit* » tient à distance les badauds qui commencent à s'agglutiner. Parmi eux, quelques reporters, micro et caméra en main, prêts à faire crépiter les flashs.

La respiration de Sophie se bloque et le sol semble soudainement sablonneux sous ses jambes flageolantes.

Cela ne peut pas être une coïncidence.

Elle fait quelques pas malgré elle vers la scène, attirée par une force invisible.

Au cas où il m'arrive quelque chose.

Blake.

La chute des flocons a repris. Mais leur danse n'a plus rien de beau, c'est une pluie de cendre glacée crachée par un ciel triste.

Chaque seconde supplémentaire passée auprès de la police la met en danger, mais Sophie doit savoir.

Elle baisse les yeux et se mêle à la foule. L'envie de déchirer les cordons jaunes et de courir vers son appartement lui vrille l'estomac.

Un policier se tourne vers elle. Sophie incline sa tête vers le sol.

Ne reste pas là, princesse, tu ne peux rien faire de toute façon.

Une main se pose sur son épaule.

Elle bondit et fait volte-face, haletante.

— Sophie ?

C'est Mme Lim, la concierge. Les yeux de la vieille dame sont rougis par les larmes, elle lève sa main tremblotante et ouvre ses bras pour l'enlacer.

— Je suis désolée, Sophie, c'est tellement horrible.

Sophie ne bouge pas.

Qu'est-ce qui est horrible ?

Un mouvement dans la foule, une clameur, le stroboscope des flashs.

Bethany vient de sortir, encadrée par deux policiers. Son visage est celui d'un spectre. Une enveloppe corporelle sans âme.

Pourquoi est-elle menottée ? Pourquoi est-elle arrêtée ?

Sophie se tourne vers Mme Lim et cherche une réponse dans les yeux plissés de la concierge.

La momie au visage parcheminé lève ses bras et sa tête se pose sur sa poitrine.

— Pauvre Blake…

Sophie devient aussi rigide qu'une statue de pierre. La tristesse s'est coincée dans sa gorge, prisonnière de la culpabilité.

C'est ma faute. Je l'ai tué… Il m'avait prévenue, je ne l'ai pas écouté. Allez, Cadwell, dis-le que c'est à cause de moi et de ce foutu loup !

Mais Stephen reste silencieux.

Et alors que les bras de Mme Lim se resserrent davantage, la boule quitte sa gorge et Sophie laisse couler les larmes.

Halliers

Rachel est partie plus tôt qu'il ne l'aurait souhaité, et la solitude a repris sa place à ses côtés.

Noah ne souffre plus d'être seul. Le silence n'est plus ce lac apaisant où son esprit peut retrouver son calme. Il est devenu un terreau fertile où germent et poussent ses plus sombres angoisses. Noah a peur.

Peur que la masse qui se développe dans sa tête ne fasse chavirer sa raison, peur de perdre les gens qu'il aime, peur des fantômes qui le hantent.

Maggie, Chloé Coté. Sont-elles de véritables apparitions, ou bien des manifestations créées par son cerveau ?

Des messages envoyés par l'Autre, prisonnier des halliers de son cortex malade.

Que dirait sa psychiatre au visage de cire ?

Noah s'arrache à la moiteur des draps, agrippe sa canne et se dirige vers le placard.

Il écarte les costumes d'un revers de main et attrape la boîte à chaussures rangée sur l'étagère.

Il l'ouvre, retire du dessus les quelques paires de chaussettes et saisit le journal.

Que Chloé soit une manifestation de l'Autre ou non n'a pas d'importance. Quelque chose doit se trouver dans le journal. Un indice qu'il n'a pas décelé la première fois, ou une information qui n'avait pas encore de sens au moment où il l'avait parcouru.

Noah prend son carnet de notes, s'installe sur le bord du lit, allume la lampe de chevet et se replonge dans le passé de la petite Chloé.

Après une lecture minutieuse, il plie le coin de trois pages du journal qui ont attiré son attention. Puis il lit à haute voix chacune des entrées.

« 15 avril 2014

Maman est rentrée en larmes. Pas la peine d'être devin pour comprendre que le rendez-vous avec le médecin ne s'est pas bien passé. J'ai attendu qu'elle se calme avant d'aller lui parler. Elle m'a expliqué que le traitement à la clozapine a fini par causer une myocardite aiguë. La transplantation est nécessaire à sa survie. Je sais que c'est une pensée horrible, mais je prie pour qu'ils puissent trouver un donneur au plus vite, même si cela veut dire que quelqu'un doit mourir pour que cela arrive. Est-ce que cela fait de moi une mauvaise personne ? »

« 17 avril 2014

Grand-père est venu à la maison. Première fois en un an. Et il était furieux. Mon père et lui se sont isolés dans le bureau et ils ont fermé la porte. Au début, je n'ai pas compris de quoi ils parlaient, mais le ton de la conversation est monté très vite entre eux. Puis j'ai entendu le nom de mon frère à plusieurs reprises. Mon grand-père reprochait à mon père quelque chose en rapport avec le traitement à la clozapine. Il lui avait suggéré une autre approche, mais mon père aurait refusé de traiter la schizophrénie de Sylvain par cette méthode. C'est monstrueux, a-t-il ajouté. Mon frère est toujours sur une liste d'attente et il peut mourir d'un moment à l'autre. J'ai peur. »

« 23 mai 2014

Sylvain est de retour à la maison. Il est encore faible, et il devra prendre des médicaments toute sa vie. Mais le plus dur est passé, l'opération a été un succès. Je regrette de ne pas avoir pu le voir pendant tout le temps de sa convalescence. Le cousin d'Élise a aussi eu une transplantation cardiaque, pourtant elle a pu lui rendre visite à l'hôpital. Pourquoi me l'a-t-on interdit ? Après tout peu importe, je suis tellement heureuse de le revoir. Mon grand-père a reparlé du traitement expérimental, mon père avait l'air d'accord avec lui. »

Noah referme le journal et pousse un soupir. Il se remémore la scène de crime à Lac-Beauport. Le tueur avait forcé Yves Coté à choisir entre son fils et son petit-fils. L'un devait mourir rapidement d'une balle dans la gorge, l'autre était condamné à souffrir le martyre.

Le cœur de Sylvain était fragile. Il n'a pas eu le rapport du légiste, mais il n'est pas impossible que son cœur ait lâché pendant la torture au « waterboarding ». C'est pour cela que son grand-père l'avait désigné.

Lors de son inspection, Noah avait ressenti de la colère en présence des cadavres. Une réaction furieuse du tueur ? Cette ultime bravade du juge l'aurait-elle mis en rage ?

Possible. Sur les autres scènes de crime, Noah n'avait rien ressenti de tel.

Était-ce cela que Chloé voulait lui montrer ?

Non, il doit y avoir autre chose dans les entrées du journal.

C'est monstrueux, a dit le père.

Réfléchis, Noah.

Il y a deux éléments nouveaux dans l'enquête.

Quels fils peux-tu relier à Yves Coté, alias Harris McKenna ?

Rebecca Law et son obsession du tricycle rouge en est un. Mais il paraît peu pertinent dans ce cas précis.

Trevor Weinberger, alias Belphégor, en est un autre, du moins si l'on se place du point de vue du tueur.

C'était un psychiatre. Donc, *a priori*, aucun rapport avec une transplantation cardiaque. Mais avec le traitement de la schizophrénie ? Peut-être était-il un ami de McKenna ?

Ce sont des suppositions, mais le lien serait établi.

Pour en découvrir davantage, il faut avoir accès au dossier médical de Sylvain. Peut-être a-t-il été traité par Weinberger ?

Le problème est qu'il se trouve de l'autre côté de la frontière. En territoire Chenu. Le reste aussi, d'ailleurs : rapports d'autopsie, dossiers des victimes. Il serait temps qu'une vraie collaboration se mette en place et que les informations circulent correctement entre les deux équipes.

Foutue politique. Foutu ego.

Chaque partie se retrouve avec des morceaux du puzzle et ni Steve ni Tremblay n'arrivent à accorder leurs violons.

En attendant, peut-être Clémence pourrait-elle l'aider ?

Noah ouvre la bouche. Ses oreilles commencent à se boucher. L'acouphène s'amplifie jusqu'à saturer sa boîte crânienne d'un sifflement aigu.

Il se laisse choir sur le dos. Le plafond décrit des cercles au-dessus de sa tête.

Ne plus penser à rien. Faire le vide.

Il serre les dents et frappe des poings sur le matelas.

Cerveau de merde.

Maudits cercles sur l'eau.

Noah ferme les yeux et se focalise sur Rachel.

Son ancre. Il s'agrippe à elle. À sa peau laiteuse, à ses lèvres charnues.

La tempête se calme et l'acouphène disparaît peu à peu…

… chassé par la sonnerie d'un téléphone.

Noah ouvre les paupières.

Il se hisse, et boitille vers la cuisine, où il a laissé sa veste.

Trop tard.

Il prend le téléphone.

Un appel en absence, un message.

Clémence.

Noah compose le numéro de la messagerie.

— Bonsoir, monsieur Wallace, je viens d'arriver à Burlington. J'ai pris une chambre d'hôtel. J'ai des informations à vous communiquer. Je parie que cela va vous plaire. Je vous rappelle demain.

Alogique

Benedict reste encore un court instant debout derrière la vitre sans tain. Il cherche le moindre indice sur le visage de Beth, le moindre élément de réponse qui pourrait apaiser le tumulte de questionnements déferlant dans son esprit.

Comment cette fille, la gentillesse incarnée, a-t-elle pu exploser la tête de son meilleur ami ?

Une fille avec qui il a ri, trinqué. Une fille simple, mais toujours agréable et prête à rendre service. Peut-être la seule connaissance dans l'entourage de Sophie qu'il supportait. La seule qui avait pris de ses nouvelles après son humiliation.

Impossible.

Et pourtant, on ne se retrouve pas du jour au lendemain avec un Glock entre les mains – numéro de série effacé et pas de permis de port d'arme – sans avoir une idée derrière la tête.

Ce qui signifie préméditation. Détermination. Sang-froid. Et donc… assassinat.

Et c'est là que cela ne colle pas.

Bethany n'est qu'exubérance et spontanéité. Pas le genre à calculer, planifier.

Et même s'il s'était trompé sur son compte – ce qui est possible, on ne connaît jamais vraiment les personnes qui nous entourent –, pourquoi avoir appelé la police en panique ? Cela ne correspond pas au profil d'une personne qui a prémédité son acte.

Les policiers l'avaient retrouvée dans un état proche de la catatonie, allongée près du corps de Blake. Bordel, elle avait même des bouts de cervelle collés à ses vêtements.

Et Blake, ce pauvre type. Il l'avait toujours détesté bien sûr, avec son côté grand frère protecteur et son prétendu sens de l'humour. Il l'a toujours soupçonné d'avoir empoisonné l'esprit de Sophie et d'avoir joué un grand rôle dans sa séparation brutale. Mais d'avoir vu les photographies…

Bon Dieu. Il ne méritait pas ça.

Et la police se trompe.

— C'est une histoire de couple, comme dans quatre-vingt-dix pour cent des cas… Crime passionnel. Enfin, plutôt une vengeance froide, vu le mode d'exécution, a déclaré Lewis avant l'interrogatoire.

Sauf que Blake était gay.

Benedict n'a rien dit. Il n'a pas voulu influencer le sergent. Mais il sait que cette piste est une impasse.

— Et si ce n'est pas une histoire de fesse ou de cœur, c'est l'argent, a rajouté le flic.

Non, là non plus ça ne colle pas. Beth vivait dans une colocation à Brooklyn et menait une vie de bohème… en apparence. Papa et maman étaient disponibles en cas de besoin. Beth et Sophie prônent toutes deux l'autonomie et l'indépendance, mais ne sont que des petites filles gâtées.

Benedict soupire.

Il ne trouve rien sur ce visage ravagé, sur ces traits tirés, dévastés. Pas l'ombre d'une réponse.

Il s'éloigne du miroir et s'adosse au mur derrière lui.

Et Sophie qui reste introuvable.

Ce qui la rend suspecte aux yeux de tous.

Giovanni, Cadwell, Blake. Tout s'est enchaîné depuis que cette idiote lui a demandé ce service.

Et là, il se maudit d'avoir accepté, d'avoir laissé son ego, non, son orgueil, dicter sa décision. S'il avait su, il l'aurait envoyée paître.

Cette affaire risque de lui exploser au visage. Elle fera encore plus de vagues si elle remonte jusqu'à son ami au FBI qui lui a donné la position de Napolitano.

Mais comment aurait-il pu prévoir la tournure des événements ? Surtout que cette fourbe manipulatrice lui avait caché son véritable objectif, son enquête sur ce journaliste disparu dans les années soixante-dix !

Sophie suspecte, Sophie meurtrière ?

Non. Il n'y croit pas une seconde.

Sophie dans la merde ?

Oui. Plus qu'il ne l'aurait souhaité lui-même.

Sophie morte ?

Il chasse cette pensée d'un signe de croix. Pourvu que non.

Sophie en danger ?

Certainement. Cela pourrait expliquer sa disparition. Elle est en fuite.

Mais qui la poursuit ?

Qui aurait tué Giovanni et Cadwell ? Et quid de Blake alors ? Une coïncidence ?

Benedict serre les poings et frappe le mur.

Au même moment, le sergent Lewis ouvre la porte et s'éponge le front.

— Cette salle est une étuve. Mais à mon avis, cette petite est folle à lier. Je suis pratiquement sûr qu'elle ne ment pas… ou alors, c'est une psychopathe. Elle est convaincue de ce qu'elle dit. Elle ne se rappelle rien de sa journée. Juste d'avoir repris conscience avec une arme à la main. Dur réveil, si c'est le cas. Mais bordel, je la crois. Encore une qui va se retrouver à bouffer des pilules dans un hôpital psychiatrique, si vous voulez mon avis.

Oui. Benedict l'a entendue hurler et fondre en larmes.

— Je ne me souviens de rien ! Je ne sais pas pourquoi j'avais cette arme. Je ne l'aurais jamais tué… c'était mon ami !

Elle a été convaincante. Certes, Beth est une actrice, mais plutôt à ranger dans la catégorie des médiocres, des sans talent. Si elle a menti dans cet interrogatoire, alors elle mérite un Oscar.

Le sergent Lewis doit avoir raison. Peut-être bien qu'elle est folle, après tout. Ou droguée jusqu'à la moelle… et la drogue lui aura fait entendre des voix. Ce n'est pas rare chez ces feignants d'artistes de s'injecter ou bien de fumer des saloperies.

Les rapports des analyses d'urine et de sang devraient bientôt apporter quelques éléments de réponse.

En tout cas, camée ou pas, cela n'explique pas le reste. Les autres morts, la fuite de Sophie.

Et si… ?

Il sourit malgré lui, et lâche un petit rire sec.

— Quelque chose de drôle, monsieur Owen ? demande le flic.

— C'est nerveux, sergent Lewis.

— Je comprends, c'est une foutue histoire.

Non, s'il sourit c'est en raison de l'ironie de la situation.

Il vient de se rendre compte que pour délier les nœuds de l'affaire, il va devoir suivre la même piste que Sophie.

D'après elle, et il n'a aucune raison d'en douter, il existe un lien entre le mafieux, l'ex-professeur et le journaliste disparu, Edgard Trout.

Il va donc reprendre le dossier à zéro. Et plutôt que de s'en amuser et d'en faire un prétexte pour persécuter son ex petite amie, il va faire son travail et se donner à fond. Car il n'est pas arrivé à se hisser si jeune à ce poste pour rien.

Il trouvera. Il est bon et il a des contacts.

Et puis, être assistant du procureur a ses avantages.

— Sergent Lewis, je vais vous délivrer un mandat de perquisition. Vous allez me fouiller l'appartement de Sophie Lavallée de fond en comble. Je veux que vous me rapportiez tout ce que vous trouvez, notes, journaux, tout ce sur quoi elle aurait pu enquêter. On va aussi émettre un avis de recherche.

Il réfléchit et ajoute :

— Dans le même temps, je veux aussi qu'on cherche chez Stephen Cadwell, dans l'appartement de Giovanni et chez Blake. Pareil, je veux des notes, correspondances, cahiers, photographies.

Le sergent Lewis le fixe, incrédule, les yeux grands ouverts.

— Quoi ? Vous n'êtes pas parti ? Vous attendez les ordres de votre capitaine, c'est ça ? Je vous fais gagner du temps, car dans cinq minutes je serai dans son bureau pour lui dire exactement la même chose !

Bien.

Si, comme il le pense, son ami au FBI a accès aux affaires non résolues, il va détenir un atout que Sophie n'avait pas.

Et quelque part, la battre à son propre jeu est une forme de victoire sur elle, non ?

À condition qu'elle soit en vie, bien sûr.

Obduration

Noah sourit. Il retrouve enfin le Steve d'avant, un bulldozer que rien n'arrête, un pitbull qui ne lâche jamais prise.

Hélas, il sait où cette virée dans la vallée de Bolton va les mener.

Sur des rails que le tueur a placés pour eux.

Noah n'a rien dit, il a laissé son ami reprendre vie, comme si la nouvelle avait insufflé de l'air dans ses poumons atrophiés.

Il l'a laissé enfreindre les limitations de vitesse et hurler sur les automobilistes trop lents sans faire une seule remarque.

Mais alors qu'ils s'apprêtent à rentrer dans cette maison isolée, perdue dans les bois qui bordent la Bolton Valley Access Road, il ressent la nécessité de désamorcer la bombe humaine nommée Raymond.

Car si c'est une impasse, son ami va exploser.

— Steve, avant qu'on n'entre, je tiens à te donner mon avis. Cet appel est bien trop providentiel, alors ne t'illusionne pas trop.

L'inspecteur agite le mandat de perquisition devant son nez. Ses gros doigts froissent l'en-tête.

— Bordel, Noah ! Tu es désespérant. Ça reste une piste ! Les témoins, ça existe ! La négligence aussi ! On commet tous des erreurs, pas vrai ? Alors pourquoi ces tarés feraient exception à la règle ? Et puis ce chalet constitue une bonne planque, non ?

Noah hoche la tête et pose la main sur l'épaule de son ami.

De la négligence ?

Non, il n'y croit pas une seconde.

Un témoin a vu le tueur s'occuper du psychiatre aux abords de la rivière. Soit. Rien d'exceptionnel, cela peut arriver. Le tueur expose ses victimes, alors il prend des risques et a très bien pu se faire remarquer.

Mais que ferait un type normal ?

Il appellerait la police.

Il ne l'attendrait pas, ne le suivrait pas en voiture, et ne se manifesterait pas quelques jours plus tard pour communiquer sa position.

D'ailleurs, pourquoi seulement maintenant ?

Deux voitures de police se garent à côté du SUV de Raymond.

Steve les invite à s'approcher d'un signe de la main puis se tourne vers son ami.

— Noah, je m'accroche au moindre fil, aussi ténu soit-il. Je sais très bien que cet appel est louche. Et oui, peut-être qu'on va dans le mur en suivant cette piste. Mais tu sais qu'il existe aussi des types qui tournent à l'adrénaline. Le témoin a peut-être pris son pied en jouant les détectives, va savoir. Et puis merde, tu crois que j'ai le choix ? Que se passera-t-il à ton avis si le tueur vit ici, et que je n'ai rien tenté pour l'arrêter ? C'est moi que la merde va éclabousser ! Bon, de toute façon, on est là, j'ai un mandat et ce foutu ciel gris ne nous a pas encore douchés. Alors, tiens-toi prêt.

Le sergent Ramirez les a rejoints.

Noah le fixe quelques secondes. Ce policier est aux antipodes de son ami. La chemise beige de son uniforme est parfaitement repassée, tout autant que son pantalon kaki strié de deux bandes jaunes. Son visage est rasé de près.

Sportif et sain, remarque Noah. Le genre à courir chaque matin, quel que soit le temps, à lever de la fonte dans son garage ou dans une salle de gym.

— Désolé, monsieur Wallace, dit-il. Il faudrait que vous restiez en retrait pour le moment. C'est une opération de police, et cela pourrait être dangereux. Vous pourrez intervenir plus tard au besoin.

Steve hoche la tête et lui adresse un clin d'œil.

Noah agrippe le pommeau de sa canne et fait quelques pas en arrière.

— Les hommes sont en place dans la forêt, la porte arrière est couverte, ajoute le sergent Ramirez.

Steve martèle la porte.

— Police d'État du Vermont ! Ouvrez !

Il attend.

— Il n'y a personne, Ramirez, conclut-il. On entre.

Steve pose sa main sur la poignée ronde.

— Ce n'est même pas fermé, commente-t-il.

Il sort le Smith & Wesson M&P40 de son holster. Ramirez fait de même.

Les deux policiers pénètrent dans la maison.

Noah s'adosse au mur en bois et patiente en regardant les feuilles mortes danser au pied des arbres décharnés.

L'hiver sera en avance, se dit-il. La fin du mois de novembre risque même d'être enneigée.

Le téléphone vibre dans la poche de son pantalon.

Clémence Leduc. Noah décroche.

— Bonjour, monsieur Wallace, je vous appelle comme convenu. Ça vous tente une petite virée dans l'État de New York ? Je peux passer vous prendre en voiture.

Noah coince le téléphone entre sa joue et son épaule et boitille vers la forêt.

— Bonjour, pas le temps Clémence, j'accompagne Steve sur une perquisition, je vous raconterai.

— Super… mais écoutez, je pense que je tiens une piste sur Rebecca Law. Une de ses anciennes amies est prête à parler. Je pourrais y aller sans vous, mais…

Steve vient de sortir par la porte d'entrée. Il le cherche du regard.

— Non, n'y allez pas sans moi, je vous rappelle.

Il raccroche. Steve marche vers lui.

— Eh bien, pour quelqu'un qui n'aime pas téléphoner, dit-il une fois à ses côtés.

— Clémence Leduc.

— Ma parole, Noah, tu t'acoquines avec la rachitique ? Tu lui trouves quoi à cette peste arrogante ?

— T'emballe pas, on travaille ensemble.

— Vous travaillez ensemble ? Bordel, Noah, je préférerais encore que tu la sautes. C'est un coup de poignard dans le dos ! Merde, c'est notre affaire ! On l'a commencée et on va la terminer toi et moi ! Pas avec ces connards de Canadiens français ! Bon allez, suis-moi. C'est la caverne d'Ali Baba à l'intérieur.

Steve est électrique, constate Noah. Son visage a repris vie.

— Y a rien, pas un meuble. Tout est clean, passé à l'eau de Javel et récuré. Sauf un endroit, déclare le flic.

Noah pénètre dans la maison. Sitôt le seuil franchi, il a l'impression d'être tiré vers l'intérieur par une main invisible. Il connaît cet endroit. Le mur à sa gauche est vide, mais l'image d'une tête d'orignal empaillée s'imprime dans son esprit. Raymond marche d'un pas pressé et le conduit à une pièce, chambre de fortune, où il découvre un sac de couchage à même le sol. Des photographies sont accrochées au mur par des punaises.

Des clichés de Jean-François et Élise Duval avant leur assassinat. La famille Coté au complet, y compris la mère et la fille. Les photos ont été prises à Montréal et Québec.

Le tueur comptait les exécuter aussi, se dit Noah. Il a dû être frustré. Trevor Weinberger a également été pris en photo.

— Il était là, Noah, ce fumier a dormi ici. Bon sang, on est proches ! Impossible que ce bâtard n'ait pas laissé de traces dans le sac de couchage, ou ailleurs dans la maison ! J'ai appelé les *forensics*, cet endroit va être ratissé au peigne fin. Il suffit d'un poil de couille et on le tient !

Il faudrait déjà que son ADN soit enregistré, pense Noah.

Non, il a laissé tout cela exprès. Rien n'est anodin, tout a un sens. Il voulait les attirer ici.

Mais pourquoi ?

— Je te laisse la pièce, Noah.

C'est cette maison.

— Fais-nous donc ta magie, et coince-nous ce type.

Pourquoi lui dit-elle quelque chose ?

C'est à toi de le faire.

Son rêve éveillé.

Celui qu'il a fait à l'hôpital.

Noah recule et se dirige vers la porte à côté de laquelle il vient juste de passer. Oui, c'est ici.

Vous allez le payer !

— Noah, qu'est-ce que tu fous, bon sang ?

Tiens-toi prêt... il arrive !

Noah ferme les yeux et pose la main sur la poignée.

Et les sensations déferlent.

L'homme dévale les escaliers, les pas font trembler les planches.

Il court vers les deux enfants.

Il se prend les pieds dans le fil tendu et tombe.

Il hurle sa colère et prend appui sur ses paumes, prêt à se redresser.

Vas-y, frappe-le ! Frappe !

Le plus jeune des enfants abat le marteau sur son crâne. Un bruit sourd.

L'homme hurle, se plaque la main sur le crâne, du sang s'écoule entre ses doigts.

Le petit continue, le marteau s'abat sur la main, puis sur le crâne à nouveau. Il pleure à chaudes larmes, mais frappe avec de plus en plus de rage, les gouttes de sang chaud lui éclaboussent le visage. Il ne s'arrête que lorsque son ami lui saisit l'avant-bras.

C'est bon, il a son compte.

Il est mort ? fait la voix du jeune enfant.

Oui, et ce fumier l'a mérité.

Noah ouvre les yeux. Il recule, titube et tombe à la renverse.

Steve se précipite vers lui.

— Hey ! Ça va ? Tu n'as pas mal ? Encore une crise ?

Noah secoue la tête.

— Je pense que le tueur voulait que je sois ici. Il veut me faire passer un message.

Le visage de Steve se rembrunit.

— Écoute, peut-être bien. C'était sûrement son objectif de nous attirer ici. Mais peu importe. On a du solide dans cette maison. On va le trouver.

Noah ne l'écoute pas. Il revoit la scène.

— Quelqu'un est mort ici, Steve, et il veut qu'on le sache.

Agélaste

Samantha Walker se lève et tire les rideaux.

La disparition du rai de lumière sous les lourdes tentures plonge le salon dans une semi-obscurité.

La femme grimace en s'asseyant.

— J'espère que cela ne vous dérange pas, j'avais le soleil dans les yeux. Je déteste ça, dit-elle d'une voix rêche.

Clémence pose deux élastiques sur le napperon en coton qui recouvre la table ronde.

— Pas le moins du monde, madame Walker. Faites à votre convenance.

— Mademoiselle, la corrige-t-elle. Je n'ai jamais eu de mari. À mon époque, le mariage gay n'existait pas. Cela fait seulement cinq ans que l'État de New York l'autorise, et là... je n'ai personne. Je me suis fait une raison... Qui voudrait de moi, à mon âge...

Ce n'est pas l'âge le problème, observe Noah. Cette femme acariâtre est percluse d'aigreur. Ses traits tirés par un chignon, ses lèvres pincées qui jamais ne dessinent de sourire, ses yeux sombres sans lueur. Elle a cinquante ans, mais en paraît dix de plus. Les lumières sont éteintes dans son cœur, sa poitrine est un abîme.

Noah griffonne « Agélaste » sur son carnet.

Samantha tire vers elle le cendrier qui repose au centre de la table ronde.

— Cela vous ennuie si je fume ?

Et sans attendre de réponse, elle sort un briquet, une Pall Mall et allume la cigarette.

Clémence grimace sa gêne et adresse un clin d'œil à Noah.

Samantha inspire une bouffée et exhale la fumée par les narines.

— Par où voulez-vous que je commence ? Car c'est une foutue histoire et ça peut prendre un peu de temps.

— Par le début, répond Clémence. Racontez-nous tout ce qui peut vous sembler pertinent sur Rebecca Law.

Samantha place son coude sur le rebord de la table, positionne son bras à la verticale, et plaque ses phalanges sur sa joue.

Le bout rougeoyant de la cigarette frôle ses cheveux. Noah s'imagine le chignon prendre feu et esquisse un sourire.

— Bien, nous avions vingt et un ans. À cette époque je n'étais pas très proche de Rebecca et pour tout vous dire, je ne l'ai jamais vraiment été. Mais j'étais amoureuse de Jenny Williams. Secrètement. Je ne pouvais pas lui avouer, vous comprenez. C'était la petite amie de Rebecca. Nous étions dans la même classe, à la Plattsburgh State University, ou SUNY Plattsburgh, si vous préférez. Nous suivions des cours de littérature moderne. C'était la belle époque. Toutes les trois dans la même sororité, Alpha Phi.

Noah observe que même à l'évocation de ces souvenirs, son visage reste figé dans la morosité.

— Rebecca Law était une fille pleine de vie. Très exubérante… trop, même. Je pense que c'est pour ça que je ne l'aimais pas. Elle avait cette facilité inouïe d'entrer en contact avec les gens comme si elle les connaissait déjà et qu'ils étaient de bons amis. Je la trouvais insolente, presque indécente. Et elle jurait beaucoup trop, ce n'était pas très beau à entendre, tous ces mots atroces dans la bouche d'une jeune fille. Mais je ne le lui disais pas. Même pas à Jenny, surtout pas à Jenny.

Samantha coince la cigarette entre ses lèvres d'une main tremblotante et tire une longue bouffée en fermant les paupières. La cendre tombe sur la table. Elle la chasse d'un revers de main.

— Mais la pauvre, ce qui lui est arrivé, ça l'a brisée. Qui n'aurait pas été brisé, d'ailleurs ? Voler une vie. Quelle horreur !

Son regard se perd dans le vague.

— Vous parlez de la mort de Jenny, c'est cela ? demande Clémence.

Samantha écrase la cigarette dans le cendrier.

— Non, bien avant. Je parle du petit garçon qu'elle a tué. C'était un accident, une erreur d'inattention. Elle revenait chez ses parents qui habitaient à Peru. Je ne sais vraiment pas ce qui s'est passé, mais elle a percuté l'enfant en rentrant chez elle. Cela l'a rendue folle. Bon sang, qui cela n'aurait pas rendu fou ?

Noah et Clémence échangent un regard complice.

— Bref, après ça… il y a eu un procès, elle a été jugée responsable. Jenny était anéantie, j'aurais voulu la consoler, lui dire que j'existais aussi, mais elle ne pensait qu'à sa Rebecca. Pfff. Elle le lui a bien rendu, sa Rebecca.

— C'était en quelle année ? demande Noah.

— Août 1986. Un des pires étés de ma vie, croyez-moi.

Samantha se lève, va dans la cuisine et rapporte une cafetière fumante ainsi que trois tasses et un sucrier.

— Vous le prenez comment ?

— Noir, s'il vous plaît, répond Noah.

Clémence signifie son refus d'un geste de la main, puis elle prend les élastiques posés devant elle.

— Vous vous souvenez du nom du juge, par hasard ? demande Noah.

Son intuition lui a déjà soufflé la réponse, mais il veut l'entendre de la bouche de Samantha.

— Pas difficile. Jenny jurait très peu, contrairement à Rebecca. Mais j'ai tellement entendu le nom du juge associé à ses gros mots que je pensais que son nom lui-même était une insulte. « Enfoiré de McKenna », « Putain de McKenna », et j'en passe. Surtout, Jenny était convaincue que ce juge était partial, qu'il cachait quelque chose. Elle s'était mis en tête de trouver quoi. Elle faisait une fixation sur lui.

Clémence fait claquer un élastique dans sa main. Son visage squelettique est fendu d'un large sourire.

— D'après ce que vous me racontez, Rebecca semblait coupable, non ? Pourquoi en vouloir autant au juge ? demande Noah.

— C'est la peine assortie au jugement. C'est vrai qu'elle était dépressive, elle a même tenté de se donner la mort. Mais le juge a exigé qu'elle soit traitée dans un établissement psychiatrique. Internée, comme une folle. Bon, c'est vrai qu'avec le recul, il n'avait pas tort. Elle avait bien un grain. Pauvre Jenny.

Samantha fait un signe de croix puis porte la tasse de café fumante à ses lèvres.

Elle grimace, puis la repose.

— Attention, il est brûlant, avertit-elle.

Clémence enroule les élastiques autour de ses poignets et demande :

— Vous n'auriez pas le nom des médecins qui se sont occupés d'elle ?

Samantha secoue la tête.

— Non, j'y suis allée avec Jenny une fois, mais je ne les ai pas vus. D'ailleurs j'ai trouvé étrange qu'elle ait été placée dans l'État voisin. Elle a été internée au Vermont State Hospital, à Waterbury.

Clémence se tourne vers Noah et hoche la tête.

Oui, il a compris également. Waterbury. Là où a été tué Trevor Weinberger. Non loin de l'hôpital psychiatrique, fermé d'ailleurs depuis 2011. Le lien est établi. Rebecca Law a été, sans l'ombre d'un doute, la patiente de Trevor.

Samantha se lève.

— J'ai quelques photos de Rebecca, Jenny et moi, si cela vous intéresse.

— Bien sûr, répond Noah.

Elle revient avec un lourd album, relié de cuir.

Une étiquette est collée sur la tranche. 1986.

Samantha le pose sur la table. Les tasses tremblent dans leurs soucoupes.

Noah se lève, prend appui sur sa canne et quitte sa chaise pour se rapprocher.

La femme tourne quelques pages puis désigne un Polaroid. On y voit les trois filles devant un érable. Même à l'époque, elle ne souriait pas, constate Noah.

— Là, c'était nous avant l'accident. C'est un passant qui a pris la photo. Nous étions vraiment ridicules, cette coupe de cheveux, les vêtements fluorescents, et regardez-moi la veste à épaulettes que je portais. La mode des années 80 ! Je ne la regrette pas.

Elle fait défiler quelques pages.

— Ça, c'est après. On était allées la voir avec Jenny, chez ses parents à Peru.

Le cœur de Noah fait un bond.

— Qui est le gars avec vous ? demande-t-il.

— C'est Antonio Da Silva, un voisin, un brave type qui s'est occupé de Rebecca après l'accident.

C'est bien lui, se dit Noah.

Antonio Da Silva. La troisième victime du Démon du Vermont.

Systémique

La patience et la persévérance sont deux qualités qui ne font pas défaut à Bernard Tremblay.

Il s'est toujours démarqué de ses collègues par cette faculté à tisser des liens, à creuser en profondeur, à déceler les fils invisibles, à dénicher des indices là où personne d'autre n'aurait cherché.

C'est une question de vision et d'esprit de synthèse, disait-il toujours.

Et de passion, de talent et d'efforts.

Pour trouver la vérité dans cette affaire complexe qui dépasse le simple cadre d'une série de meurtres, il faut la considérer comme cette mosaïque morcelée en carton qu'il assemble dans son garage depuis maintenant une semaine.

L'appréhender dans son ensemble requiert une approche systémique. De l'organisation. Un travail méticuleux de tri, d'analyse et de classement pour en isoler les éléments. Noah Wallace, les victimes, les suspects potentiels, les lieux, les dates, les institutions policières... C'est une étape essentielle pour ne pas se perdre dans des conjectures inutiles ou des assemblages farfelus.

Puis vient l'interaction. C'est une phase délicate. Il faut être capable non seulement de découvrir des corrélations entre les blocs, mais aussi de déceler les synergies, car « la somme des parties est plus grande que le tout ».

Et enfin, vient la totalité.

Lorsqu'il a le nez collé à un puzzle de cette dimension, il ne distingue que quelques couleurs, ou un morceau de building. L'étroitesse de son champ de vision limite sa perception.

Mais il suffit de faire quelques pas en arrière pour cerner les limites et les contours de la fresque. Et la vue de New York depuis la fenêtre, même incomplète, peut déjà prendre forme dans son esprit. Mieux encore, il peut la resituer dans son contexte. Un beau matin ensoleillé capté par la vision d'un photographe.

Il en va de même pour l'enquête.

Dès lors qu'il a compris que le tueur en série n'est que la partie visible de l'iceberg, il a pris du recul pour en avoir une vision holistique.

Bernard sourit.

Près de la moitié de la vue de New York est reconstituée. La partie supérieure, le ciel, l'Empire State Building au complet, ainsi que la majorité des immeubles sombres sur la droite.

Le reste sera plus facile, se dit Bernard. Et il en va de même de l'affaire.

Il stoppe le chronomètre et note : « 2 h 35' 12" » sur son carnet.

C'est un échauffement parfait, une bonne mise en jambes pour s'attaquer à l'autre casse-tête.

Celui qui l'attend dans son bureau.

Les trente-deux mille morceaux ne sont rien à côté de ce que son équipe a récolté cette dernière semaine. Tout y est passé, comptes épluchés, dossiers médicaux, bulletins scolaires. Un travail de fourmi… Et tout cela gravite autour de sa pièce maîtresse.

Noah Wallace.

Bernard sort du garage et traverse son jardin. Il foule la pelouse déjà gelée d'un pas rapide pour échapper au froid mordant de la brume givrante.

Il ouvre la porte de la cuisine qui donne sur la terrasse.

Les vingt-deux degrés lui font l'effet d'un sauna.

Josée se tient debout à côté de l'îlot central et bat des œufs avec énergie. Elle lève les yeux et lui sourit.

— Tout va bien, chéri ?

Niveau boulot, tout est parfait. Niveau santé, c'est une autre histoire. Mais comment le lui avouer ?

— On ne peut mieux ! Je vais travailler encore une heure et je redescends.

— Parfait, je prépare une tarte aux pommes, elle sera cuite le temps que tu aies fini.

Une femme en or. La plus merveilleuse des personnes.

Bernard soupire et monte les marches de l'escalier.

Après avoir allumé sa pipe, il contemple la fresque qui prend forme sur le tableau de liège.

Il lui manque encore quelques Post-it à accrocher, et pas les moindres.

Leopold Blackburn, première victime supposément torturée. Celui-ci cachait un secret, et pas n'importe lequel : il travaillait pour la CSIS, les services secrets canadiens. C'est tout ce qu'il a pu apprendre, le reste est top secret. Mais ce n'est pas grave. Le contexte peut laisser deviner le reste. Il note « Nouvelle identité » sur un Post-it et le colle sur le fil le reliant à Yves Coté, alias McKenna.

Jean-François Duval, lui, a collaboré avec la CIA. D'abord chercheur en psycho-phénoménologie, il a cessé d'exercer dans les années quatre-vingt-dix pour écrire des romans policiers sous un autre nom, Michel Ballard. Pas de grosses ventes, et sûrement pas de quoi justifier son train de vie. Grosse maison, vacances au Mexique dans des cinq étoiles deux fois par an, Porsche. Évidemment, la CIA n'a pas voulu communiquer sur sa relation avec lui.

Deux services secrets impliqués ? Cela n'est pas un hasard.

Bernard exhale une bouffée, cale sa pipe entre ses molaires et griffonne « CSIS et CIA ? » sur le Post-it. Il le plaque ensuite sur le fil qui relie Duval à Blackburn.

Mais ce n'est pas fini. Et c'est là que la recherche approfondie a porté ses fruits.

Trevor Weinberger et Jean-François Duval. Ils ont un an d'écart, mais surtout ils ont été élèves dans la même classe en 1965 à l'université McGill à Montréal. Ils y ont étudié la psychiatrie, mais Jean-François a changé de discipline deux ans plus tard. Mieux encore, Trevor a travaillé dans les années soixante-dix au Allan Memorial Institute, le département psychiatrique du centre universitaire de McGill.

D'après ce que lui a rapporté sa nièce, Trevor avait mis au point un traitement expérimental du cancer basé sur la suggestion mentale. Bernard colle « Projet commun ? » entre Duval et Weinberger. Puis il pose sa pipe dans le cendrier et se place au centre de sa fresque.

Il fixe son attention sur la photo de l'homme qui le préoccupe le plus dans cette affaire.

Noah Wallace.

Et enfin, le voile du mystère qui l'entoure se lève peu à peu. Surtout la partie qui occulte son enfance.

D'après son ami, les Wallace avaient fait plusieurs demandes d'adoption dans les années quatre-vingt. Après avoir fouillé un peu, il a pu découvrir que Noah avait neuf ans quand ils en ont obtenu la garde. Et impossible de savoir où il était avant. D'ailleurs, fait singulier, le gamin n'avait aucun souvenir de ses neuf premières années. Et le plus savoureux dans cette histoire, c'est que son amnésie avait été traitée, sans succès, au Vermont State Hospital. Son ami n'a pu mettre la main sur les dossiers. Mais à cette époque, un certain Trevor Weinberger y travaillait. Comme par hasard.

Bernard se fend de son plus beau sourire. Il écrit « Patient ? » et relie Noah à Trevor.

Il fait quelques pas en arrière et contemple le tableau criblé de photos et d'annotations d'un air satisfait. La mosaïque est incomplète, mais son cerveau remplit les blancs. CIA, tueurs, interrogatoires, projets scientifiques.

Non, cette affaire n'a rien d'ordinaire.

Un beau puzzle.

Son plus beau, même. Pourvu qu'il tienne jusqu'à sa résolution.

— La tarte est prête ! hurle sa femme depuis la cuisine.

Exactement ce qu'il lui fallait.

Au diable le pancréas qui se meurt, se dit-il.

Cette tarte aux pommes promet d'être savoureuse.

Cauteleux

Cela fait cinq ans que Noah ne s'est pas plongé dans l'atmosphère boisée et rustique du Muddy Waters.

Son fief d'antan est selon lui le meilleur endroit pour boire un café dans Burlington.

Les lieux n'ont pas changé, il y retrouve cette ambiance à la croisée d'un saloon, d'une forêt tropicale et d'une vieille bibliothèque.

Enfoncé dans un fauteuil en cuir, un *latte* posé sur la table basse, il observe Steve se démener avec son parapluie dans l'entrée.

Noah lève la main pour attirer son attention. Steve lui répond d'un signe de tête et le rejoint.

Le flic arbore sa mine des mauvais jours.

— Temps de merde… Désolé pour le petit retard, Noah.

Puis il se love dans le fauteuil d'en face, plie son imperméable et le pose sur l'accoudoir.

Steve fait peur à voir.

Il a encore des cernes qui lui encrent le bas des yeux. Son visage est agité de spasmes nerveux et ses mains ne tiennent pas en place.

— J'avoue que ton appel m'a étonné, Steve. Je m'étais attendu à ce que tu viennes me chercher pour une nouvelle scène de crime.

Steve esquisse un sourire sans joie.

— Tu vois, il est là, le problème. Tu lis mon nom sur l'écran du téléphone et tu ne te dis pas : « Oh, ce bon vieux Steve va m'inviter à un barbecue ! » À la place, tu penses : « C'est parti pour un tour en voiture, destination la dernière horreur à la mode. » Et tu sais quoi ? Je suis fatigué de cette vie de chien.

— En même temps… tout ce rituel définit assez bien nos relations, même avant mon accident. Voiture, scènes de crimes, un restaurant de temps en temps. Et puis, cela fait une semaine que je n'ai pas eu de tes nouvelles. Je n'aurais pas été étonné que le tueur ait frappé à nouveau. D'ailleurs, j'attends toujours les dossiers manquants. J'ai déjà du mal à comprendre que tu fasses de la rétention d'information auprès de Tremblay et son équipe, mais que tu agisses de la sorte avec moi, j'avoue que cela me dépasse.

Le visage de Steve s'assombrit.

— Merde, Noah ! Tu crois que c'est ma faute ? Tu crois que j'ai le contrôle de la situation ? Tu as vu ma tête ? Je veux… Bordel, j'aimerais juste clore ce putain de dossier et qu'on n'en parle plus… Tu ne te rends pas compte de la pression que je subis !

Si. Noah le voit bien et il s'en inquiète. Les signaux se multiplient.

Noah se redresse dans son fauteuil et s'apprête à répondre, mais l'arrivée d'une serveuse le contraint au silence.

— Je vous sers quelque chose ?

Il lève les yeux. La jeune fille est vêtue d'un jean qui épouse parfaitement le galbe de ses longues jambes et d'une chemise canadienne à carreaux rouges et noirs.

Une beauté naturelle, se dit Noah.

Steve prend la carte posée sur la table et passe sa commande.

— Assortiment de bagels et double *ristretto* pour moi, merci.

Noah désigne son *latte*.

— Je suis déjà servi, merci.

La serveuse hoche la tête et repart vers le bar.

— Steve, j'en ai besoin pour avancer, reprend Noah. Fais-moi confiance, veux-tu ? Et puis il n'y a pas que les dossiers, je n'ai pas eu de retours non plus à propos de la maison. Tu as fait des recherches ? Tu as eu confirmation de la mort d'une personne ? Ou bien d'un fait divers ?

Steve secoue lentement la tête et regarde ses pieds en se triturant la moustache. Puis il se redresse.

— Écoute, Noah. Je ne voulais pas te le dire au téléphone, je tenais à être en face de toi, parce que, bordel, je te dois bien ça. C'est pour cela que j'ai proposé qu'on aille boire un café ensemble. Ce n'est pas pour rien que je ne t'ai pas donné les dossiers ni parlé de la maison. Je n'ai pas le droit.

Steve écrase son poing sur l'accoudoir du fauteuil.

— Bordel… Je n'ai plus le droit de parler avec toi de cette affaire. C'est venu d'en haut. Ils me coupent le budget consultance, et le FBI va y mettre son nez. Voilà. C'est dit. C'est moche. Je vais assister le FBI pendant un temps et toi…

Noah est immobile dans son fauteuil, il ne réagit pas. Les mots auraient dû le terrasser, mais il reste inerte, apathique.

Retiré de l'affaire. Alors qu'il se sent si proche du but. Il s'était attendu à ce que cela arrive, c'était inévitable. Mais pas si tôt. Est-ce parce qu'il a enquêté de son côté avec Clémence ?

Steve lui parle encore, mais il ne l'entend plus. Les lèvres du flic s'ouvrent et se ferment sans que le moindre son n'en sorte. Ses traits se plissent sous la colère, ses yeux enflent.

Noah n'est plus avec lui.

Il sent une pression sur ses épaules, une force qui voudrait l'enfoncer dans le sol. Il ressent également une main géante qui pèse sur sa poitrine.

L'air lui manque. Ses poumons sont à l'étroit dans sa cage thoracique.

Et Steve blêmit. Son visage passe du rouge au blanc. Ses lèvres bleuissent, son regard se fige et ses yeux deviennent vitreux. Puis une mouche sort d'une de ses narines, suivie d'une deuxième. Noah veut crier. Mais aucun son ne sort de sa bouche. Le visage de Steve noircit, ses lèvres se flétrissent.

Les sons reviennent brusquement.

— … et puis, ça ne me fera pas de mal de sortir un peu plus. Je vais emmener mon père à la pêche. Tu pourrais venir si tu veux.

Noah se frotte l'arrière du crâne.

La tumeur… elle doit encore me jouer des tours.

La serveuse s'approche avec un plateau.

— Voici les bagels et le double *ristretto*, annonce-t-elle.

Noah détaille ses courbes alors qu'elle se penche vers Steve.

Vraiment une belle fille.

— Bon appétit, dit la serveuse.

Steve croque dans un bagel, le repose et essuie la crème restée sur sa moustache d'un revers de manche.

— Noah, ça va ? Tu es tout pâle… Oh merde, je suis con ! Putain, avec ce que tu as, je n'aurais pas dû… Tu veux que je t'emmène chez le médecin ?

— Je ne peux pas me retirer de l'affaire, pas maintenant. Même sans paie, je vais continuer, Steve, avec ou sans toi.

Steve grimace.

— Avec l'autre maigrichonne, j'imagine, peste-t-il.

— Ou tout seul. Parce que Steve, qu'en est-il de ton « On a commencé cette affaire ensemble, on va la terminer ensemble, toi et moi » que tu me sers à chaque fois ?

Steve frappe son poing sur la table. Du café se renverse et un bagel tombe sur le sol.

— Bordel, puisque je te dis que je suis coincé.

Il réprime une grimace et un coup sur la table. Puis il expire lentement.

— Officiellement coincé, ajoute-t-il.

— Mais pas officieusement, réplique Noah.

Steve le dévisage comme s'il venait de blasphémer devant un prêtre.

— Je rêve, je suis sur la sellette et tu me demandes de t'aider à continuer l'enquête ?

Noah hoche la tête.

— Juste quelques infos. Ne me laisse pas, Steve. Cette affaire m'aide à tenir.

Le policier se renfrogne et regarde de nouveau le sol. Un signe que Noah reconnaît. Il lui cache encore quelque chose.

— Steve, quel est le problème ?

— Une des raisons pour lesquelles on veut m'évincer… c'est qu'on a retrouvé d'autres clichés dans la maison. Ce salaud m'a pris en photo. Je suis sur sa liste. Et…

De nouveau le regard fuyant.

— Quoi, Steve ?

— … Rachel. Elle aussi est sur les clichés. Ça devient privé, pour toi et pour moi.

Noah accuse le coup, cette fois-ci. Il est sonné, envoyé au tapis par un direct du droit. Le monde est devenu une spirale. Et c'est machinalement qu'il répond au téléphone qui vibre dans sa poche.

— Noah Wallace.

— Allô, c'est Bernard Tremblay. J'aimerais vous parler.

Ne réveillez pas…

Sophie n'a finalement passé qu'une nuit dans le dortoir pour sans-abri de Burlington.

Grâce à Brett Walker, un excentrique militaire à la retraite, bénévole au refuge, elle a pu passer les quatre suivantes emmitouflée dans un sac de couchage, presque au chaud, dans un demi sous-sol humide que Walker a bien voulu lui sous-louer en échange de quelques services : ménage, vaisselle et même un peu de cuisine. Il l'a accueillie sans poser de question, et au vu des quelques affaires trouvées dans la cave, ce n'était pas la première fois qu'il aidait des réfugiés, des fugueurs ou des marginaux. Contre cinquante dollars de plus, le type lui a même permis d'utiliser sa vieille Toyota pour ses déplacements et lui a donné un code wi-fi.

Durant ces cinq nuits, elle a à peine dormi. Elle est restée les yeux grands ouverts, le pistolet à portée de main, sous l'oreiller. Impossible de trouver le sommeil entre la peur constante de l'agression et le chagrin qui la ronge. Blake, son pilier, son confident, l'homme le plus serviable qu'elle ait jamais connu, n'est plus.

Mais il est hors de question de se laisser aller davantage. C'est une survivante.

Elle le doit en partie à son éducation militaire et aux credo de son père qu'elle récitait comme des mantras. Sa volonté a été façonnée d'une main de fer dès son plus jeune âge. Elle est forte, elle l'a toujours pressenti. Désormais, elle le sait.

Et elle ira jusqu'au bout. Pour Blake, pour Beth, et aussi pour Cadwell.

Pour poursuivre son enquête, elle n'a qu'une seule piste : Timothy Carter. Mais comment aborder ce Noah Wallace ou ce Steve Raymond sans être sûre de ne pas se jeter dans la gueule du loup ?

Elle doit aussi comprendre pourquoi Blake a été exécuté. Qu'a-t-il pu trouver qui ait fait de lui une cible ?

Sophie pose sur la table l'ordinateur qu'elle vient d'acquérir, l'allume, et sirote une rasade de thé froid tandis que sa session achève de s'ouvrir.

Son MacBook lui manque, mais le vendre était plus prudent. Elle ne connaît pas tous les détails – une histoire d'« adresse MAC » –, mais elle sait qu'il aurait pu révéler sa localisation. Et puis, elle avait besoin d'argent. Rien que le voyage à Burlington l'avait mise presque sur la paille.

Elle sait exactement ce qu'elle doit faire. D'abord, installer un navigateur sécuritaire. Tor fera l'affaire. Hors de question que l'IP locale attire l'attention. Blake le lui avait déjà rabâché de nombreuses fois. Prends un VPN pour tes torrents, Sophie !

Ensuite, elle avale une nouvelle rasade, insère la fameuse clé USB laissée par Blake et ouvre le dossier « D.N.A. ».

Ce n'est pas la première fois qu'elle l'explore. La différence, c'est qu'elle sait désormais mieux l'exploiter.

Internet est une mine d'or. On peut tout y apprendre, même les rudiments de la programmation. Sans aller jusque-là, elle sait maintenant qu'elle peut ouvrir ces fichiers .log avec un simple logiciel comme Notepad.

Et la voilà avec, sous ses yeux, une liste d'adresses IP, dont l'une est séparée par une ligne et flanquée de deux mots : « *Match Found* ».

Blake avait donc réussi à remonter jusqu'à la source. Il avait pisté son mystérieux contact et obtenu une adresse.

Mais il avait dû se faire repérer et cela lui avait coûté la vie. En vain ? Car pour l'instant, elle est dans une impasse.

Cette adresse IP, c'est du chinois pour elle. Mais cela ne devrait pas durer.

On peut tout trouver sur le Darknet… y compris des pirates prêts à vous donner un coup de main sur des forums pourtant pas très recommandables. Et si la majorité des *Hackers for hire* lui avaient demandé d'être payés en bitcoins, d'autres avaient proposé leurs services gratuitement, pour le défi, pour le sport.

Sophie accède au *hidden service* Hackerbay. Sa nouvelle caverne d'Ali Baba.

Une fois identifiée, elle envoie un message privé à BlackSparrow, un cryptoanarchiste revendiqué.

Elle saisit : « Peux-tu me trouver le serveur associé à cette adresse IP ? », puis elle colle l'adresse dans le message.

Elle attend quelques secondes, qui lui paraissent des minutes.

BlackSparrow répond : « Sure. Je vais check. Devrait pas être long. »

Sophie attend à nouveau, plusieurs minutes cette fois.

Puis la ligne apparaît, cinglante :

« T'es suicidaire ? C'est un putain de serveur de la CIA ! »

… le chat qui dort

Sophie entrouvre la vitre de la vieille Corolla. Elle préfère encore laisser s'engouffrer le froid de ce début de soirée d'automne pluvieux que de supporter une minute de plus l'odeur de cigarette qui imprègne les sièges et que ni les trois sapins pendus au rétroviseur intérieur ni le passage au shampoing n'ont jamais pu dissiper.

Le temps lui semble d'autant plus long que l'écoute n'a rien donné pour l'instant. Son bras est engourdi à force d'avoir tendu le micro parabole vers la fenêtre.

La prochaine fois, elle s'installera un trépied. Enfin, si prochaine fois il y a. Jamais une session d'espionnage n'a été si ennuyeuse. D'habitude, il y a toujours un détail croustillant, une scène de ménage, un coït bruyant.

Mais là, c'est le néant. L'appartement de Noah Wallace est inquiétant de calme. Pas de télévision, pas de musique. Pas le moindre coup de téléphone pour venir rompre la monotonie de son écoute.

Les seuls bruits qu'elle a captés sont des raclements de canne sur le plancher et quelques quintes de toux.

Le type n'a même pas quarante ans et il se comporte déjà comme un grand-père.

Sophie réprime un bâillement. La mélodie des gouttes qui s'écrasent sur le pare-brise et le toit en tôle de la voiture, conjuguée à son ennui, a un effet soporifique.

Elle ouvre davantage la vitre, comptant sur le froid pour lui donner un coup de fouet. Elle pose le micro, aspire les dernières gouttes de son smoothie kiwi-banane, puis achève d'un coup de dent le reste de son burrito végétalien. Elle froisse le papier et le jette dans le sachet en carton Bueno Y Sano.

Sano, peut-être, mais pour *Bueno*, on repassera. Ce n'est pas le meilleur qu'elle ait mangé ; mais Burlington, ce n'est pas New York.

Bien, c'est le moment de remballer, ma Sophie, tu perds ton temps, se dit-elle.

D'ailleurs, pourquoi ne pas tenter une approche plus directe ? Il y a quelque chose de doux, de rassurant, chez ce Noah Wallace. Et puis ce n'est pas un policier. Peut-être pourrait-il l'aider ?

Ou il pourrait très bien appeler la police et te faire arrêter.

Non, elle doit en apprendre davantage avant de se découvrir.

Sophie referme la vitre. Le froid est devenu inconfortable. Puis elle place le casque sur ses oreilles et oriente la parabole vers l'appartement en soupirant.

On ne sait jamais… Peut-être va-t-il passer l'aspirateur pour rompre la monotonie ?

Elle se redresse alors dans son siège.

La voiture qui vient se garer attire son attention. Des Québécois, si elle en croit la plaque d'immatriculation blanc et bleu. Sophie se recroqueville afin de ne pas se faire repérer et observe du coin de l'œil les deux personnes qui en sortent.

Un type aux cheveux blancs tout droit sorti d'un film de détective et une fille assez maigre qui semble flotter dans une chemise canadienne trop longue, et dont la tête disparaît dans un bonnet en laine.

Avec un peu de chance, ils vont chez Wallace.

La sonnette d'une porte résonne dans son casque. Sophie murmure « *Yes !* » et se fend d'un sourire de petite fille.

Allez, pourvu que ce ne soit pas des témoins de Jéhovah !

« Bonsoir, monsieur Wallace. »

« Monsieur Tremblay, Clémence, entrez. »

L'échange qui suit est quasi inaudible. La pluie fait interférence.

Sophie ajuste le casque et replace la parabole.

« Je suis désolé de l'apprendre, mais cela ne m'étonne pas. Je n'ai toujours pas eu les dossiers sur certaines victimes et je pense savoir pourquoi. » Donc ça, c'est la voix de l'homme aux cheveux blancs, note Sophie. « Je vous écoute. »

Elle perçoit le raclement de la canne et les chaises qui se tirent.

« J'ai fait des découvertes perturbantes et je tenais à ce que cela reste dans un cercle fermé. »

« Clémence m'avait fait comprendre que vous me suspectiez, pourtant. »

Le passage d'une moto empêche Sophie d'entendre la suite.

Fuck ! peste-t-elle. La poisse !

Elle joue encore sur la molette.

«… dans votre tête. Et je pense avoir trouvé un lien avec cela aussi. »

« J'avoue que mes séances chez la psychiatre commencent à me coûter cher, alors si vous avez des informations, je suis preneur. »

« Saviez-vous que vous aviez été soigné au Vermont State Hospital, monsieur Wallace ? »

« Je… Non… Je n'ai pas souvenir de cette période… Où voulez-vous en venir ? »

« Vous avez été traité pour amnésie dès l'âge de neuf ans et je soupçonne que Weinberger faisait partie de vos thérapeutes. Si c'est le cas, c'est la preuve que vous êtes lié à toute cette histoire. »

Weinberger ? Sophie griffonne le nom et l'entoure.

« Ce n'est pas tout. J'ai aussi trouvé un lien entre Weinberger et Jean-François Duval. Ils ont tous les deux étudié à McGill, même promotion. Et encore plus intéressant, Duval a travaillé pour la CIA. »

Putain. La CIA… encore ! Quel pourrait être le lien avec Trout, Carter, le Démon du Vermont… et Noah ?

Sophie est venue chercher des réponses, mais n'a trouvé que d'autres questions.

« Le tueur serait donc lié aux services secrets ? La CIA serait impliquée, alors ? »

« Ce serait logique. Cela pourrait expliquer pourquoi certains dossiers traînent et pourquoi la GRC fait pression pour me retirer l'enquête. »

« C'est fascinant… et terrifiant. »

« J'ai même mieux, monsieur Wallace. En creusant un peu plus dans les archives de McGill et la promo 1965, j'ai pu identifier que les deux faisaient partie d'un club scientifique animé par le docteur Esther Grady. Elle s'est notamment fait connaître pour ses travaux sur le cerveau. »

Le son grésille et la suite de la conversation est inaudible.

« Tu peux lui montrer tes notes ? Je pense que mon oncle pourrait t'aider », dit la fille.

Ils se lèvent et changent de pièce.

Merde. Il faudrait qu'elle se rapproche.

C'est possible, mais cela implique de sortir de la voiture ou de la stationner ailleurs.

Sophie se prépare à changer de place, mais se fige dans son mouvement.

Un type est garé et lui fait face.

Plus étrange encore, l'homme possède un micro parabole comme le sien et vise l'appartement de Noah.

Et soudain, Sophie se glace d'effroi.

Elle reconnaît le véhicule dans lequel il s'est dissimulé.

C'est le *muscle car* qui l'avait doublée sur la route.

C'est la voiture de l'homme qui l'avait traquée dans le verger.

Industrieux

La main plongée dans la poche intérieure de la veste posée sur la chaise, Noah hésite une dernière fois.

Depuis qu'il a quitté Steve pour regagner son appartement, une voix s'est mise à hurler dans les profonds abîmes de son esprit. Il n'entend aucun mot, juste une plainte étouffée et lointaine, mais il ressent une profonde détresse dans ce cri, comme un appel au secours.

Est-ce l'Autre qui se manifeste ? Veut-il le mettre en garde ?

Noah a la conviction que le Chenu et Clémence sont en possession d'une clé capable d'ouvrir certaines des portes scellées dans son cerveau, mais il a peur de ce qu'il peut trouver derrière.

Craindrait-il que l'Autre se libère ?

— Monsieur Wallace ? appelle Clémence d'une voix inquiète. Tout va bien ?

Non. Sa poitrine est compressée, des étoiles dansent devant ses yeux. Mais il tente de le dissimuler sous un sourire forcé.

— Je pense que le *latte* n'est pas passé, ment-il.

Puis Noah sort ses deux carnets et les presse contre son ventre. Il n'est pas encore prêt à se départir de cette extension de son esprit.

Bernard Tremblay s'avance vers lui, la main tendue.

— Écoutez, je sais que les choses n'ont pas bien débuté entre nous. Mais je tiens à ce que cela évolue. Je suis comme vous. Je veux faire la lumière sur cette affaire. Et nous savons tous les deux que l'enjeu n'est plus simplement d'attraper un tueur, mais de découvrir ce qui se trame derrière cette série de meurtres. Croyez-moi, nous pouvons continuer l'enquête. Pour l'instant, j'en ai encore le contrôle. Mais pour avancer, j'ai besoin de vous. Je suis à deux doigts d'exposer certains rouages de cette mécanique complexe, mais il me manque des morceaux du puzzle, ceux que vous détenez.

Le Chenu appuie son index sur sa tempe blanchie.

— Et pour les trouver, il faut aller les chercher dans votre tête.

Noah sourit. Clémence avait tenu les mêmes propos. Ces deux-là sont de la même étoffe.

— Bien, répond Noah. Mais à une condition.

Les yeux de rapace de Bernard Tremblay se plissent.

— Laquelle ?

— Je veux participer à l'enquête et je veux être tenu au courant de toutes les avancées. Il n'y aura pas de demi-mesures. Je veux être impliqué à cent pour cent…

— Bien sûr, cela va de soi…

— Je n'ai pas fini, continue Noah. Cela implique également que je ne retournerai pas chez IFG

Companies remplir des contrats d'assurance et qu'il me faut un salaire. Je veux que vous m'embauchiez.

La bouche du Chenu s'ouvre sous le coup de la surprise.

— *Criss*, je ne me serais pas attendu à cela de votre part, lâche-t-il. C'est uniquement une question d'argent ?

— Ne vous méprenez pas, je ne suis pas vénal, mais je me suis reconstruit. J'ai un appartement, une petite amie, des frais de santé qui me ruinent et je viens de perdre mon travail. Je pense que vous pouvez le comprendre, non ?

Tremblay hoche la tête.

— Là encore, il va falloir me faire confiance, vous n'êtes pas canadien. Je ne peux pas vous embaucher comme cela. Je vais voir ce que je peux faire pour…

Noah prend appui sur sa canne et secoue son index.

— Non, je n'ai pas besoin d'un contrat.

— J'ai compris. Bien, ce n'est pas très légal, mais je vais trouver une solution. Marché conclu.

Noah tend les carnets et boite vers la table de la cuisine.

— Je vais préparer du café.

— Volontiers, nous allons en avoir besoin. Mais votre petite amie ne vient pas ? demande l'inspecteur.

Noah ouvre le robinet, remplit la cruche d'eau et répond :

— Nous ne vivons pas encore ensemble. Je suis seul la moitié du temps. Mais cela nous convient comme cela. Ce soir, nous avons la nuit devant nous, d'ailleurs je vais commander des pizzas.

— À mon compte alors, ajoute Tremblay avec un clin d'œil.

L'inspecteur a déjà posé un carnet sur la table et s'est plongé dans la lecture de l'autre. C'est le carnet des mots complexes, remarque Noah.

Clémence s'est collée à son oncle et lit par-dessus son épaule.

— J'ai fait quelques recherches sur Jean-François Duval, dit le Chenu. Ses travaux sont très intéressants, bien plus que ses romans policiers.

Noah verse l'eau dans la cafetière et la met en route.

— Enfin, intéressants… Pour être franc, si j'avais lu cela en dehors du contexte de l'enquête, j'aurais sûrement pensé que ce type était un halluciné et j'aurais refermé le livre.

Tremblay recule dans sa chaise et pointe un mot dans le carnet.

— Monsieur Wallace, « Chenu »… c'est pour moi ?

Noah prend place à table et hoche la tête.

— Cela vous correspond bien, je trouve, avoue-t-il avec un sourire amusé.

L'inspecteur grimace et continue de feuilleter les pages.

— Mais… lire ce qu'a écrit Duval m'a permis d'envisager les meurtres sous un autre angle.

Noah sort la boîte de Vicodine de sa poche et la place sur la table.

Derrière lui, la cafetière ronronne et le parfum du café se diffuse dans la cuisine.

— La myrrhe, par exemple, continue Tremblay. Nous avons admis qu'elle faisait partie du rituel du tueur et lui avons attribué une connotation religieuse. Ce qui paraissait logique au vu des mises en scène macabres. Mais selon les écrits de Duval, certaines odeurs peuvent être utilisées comme des déclencheurs. Un peu comme des mots en hypnose, si vous voulez.

Tremblay referme le carnet de notes et pose sur Noah son regard de hibou.

— Clémence m'a parlé des mots que le tueur vous a envoyés, et surtout de votre réaction à leur lecture. Et lorsque vous analysiez les cadavres, à chaque fois vous avez eu un comportement étrange. Je vous ai même pris pour un fou dans le labyrinthe. Selon vous, quel est le point commun entre ces lettres que vous avez reçues et les scènes de crime ?

— La myrrhe, lâche Noah, presque dans un murmure.

Tremblay hoche la tête.

— Et puis je me suis demandé si les mises en scène n'allaient pas au-delà de leur simple représentation iconique. Vous savez, Belphégor, les démons, etc. Et si elles avaient pour véritable but de provoquer des réactions, pour réveiller des souvenirs, par exemple ?

Je compte sur toi pour lire entre les lignes.

— Le tueur essaierait donc de m'envoyer des signaux olfactifs et visuels pour me faire réagir, mais pourquoi ?

Pour réveiller l'Autre ?

— Il doit avoir eu accès à vos données médicales datant de votre enfance. Écoutez, je sais que cela sonne très « pseudo science ». Mais Duval parle bien de cela dans son ouvrage… et il a travaillé avec la CIA. C'est pour cela que je le prends au sérieux. Et puis il y a les lettres que vous avez reçues. Je pense que certains mots associés à la myrrhe ont pu provoquer vos crises. D'ailleurs, il faudrait que vous me les montriez également.

— Cela n'a aucun sens, inspecteur Tremblay. Tout cela pour moi ?

— Non, intervient Clémence. Je pense que son but premier est de punir, il poursuit une vengeance. En revanche, je pense que son spectacle vous est destiné.

Noah acquiesce en silence. Puis il se lève et se dirige vers la cafetière.

Et alors qu'il saisit la cruche fumante en grimaçant, il se fige, et réprime un frisson.

Tout va bien se passer, Noah.

Alea jacta est

Sophie rabat sa casquette sur son visage et s'enfonce dans le siège passager. Les battements de son cœur ont repris un rythme normal, mais ses mains sont toujours moites et sa gorge sèche. La panique liée à la surprise a disparu, mais la peur est encore présente.

Son agresseur, l'homme qui a provoqué son accident et l'a poursuivie dans le verger, est ici, à Burlington. Face à elle.

Et un rien la sépare de la Chevrolet Camaro noire, une vingtaine de mètres, tout au plus.

Une chance qu'il pleuve et que l'homme ne l'ait pas remarquée. Elle n'a pas été des plus discrètes avec son microphone-espion équipé d'une large parabole. Un seul regard dans sa direction aurait pu trahir sa présence. Il s'en est fallu de peu.

Elle frissonne à l'idée de ce qui aurait pu se passer s'il l'avait reconnue.

Sophie hésite entre rester cachée et s'éloigner de ce type.

Démarrer la voiture risque d'attirer l'attention sur elle. Non, le plus prudent serait de la laisser sur place et de partir à pied dans la direction opposée, quitte à revenir plus tard rechercher le véhicule. Si elle reste, elle augmente ses chances d'être détectée, mais elle peut encore glaner quelques informations précieuses.

Et puis, le risque de se faire repérer est minime. Il fait presque nuit, le temps est pluvieux et la lumière des réverbères n'expose qu'une partie de la place du conducteur.

Sophie, tu sais quelle est la bonne décision, non ? Tu vas sortir de la voiture, t'éloigner de ce fou dangereux, prendre un taxi pour retourner dormir dans la cave de Brett Walker.

Non, pas de taxi, papa. Tu as oublié les règles de survie ? Et puis, la présence de cet homme prouve que je suis sur la bonne piste. Quelles sont les chances de retrouver son agresseur en train d'espionner un des principaux acteurs de l'affaire du Démon du Vermont, sans qu'il y ait de liens avec sa propre enquête ?

Aucune.

Et si ce gars est là, ce n'est pas pour rien. C'est un professionnel.

L'emplacement qu'il a choisi est moins exposé, plus à l'ombre. Le matériel qu'il utilise est plus sophistiqué. Il est équipé d'un long micro à canon directionnel. Ce genre de modèle possède une plus grande portée et a une meilleure définition. Et puis il y a cette petite caméra dans laquelle il plonge son regard à intervalles réguliers. Elle doit être thermique. Quel serait l'intérêt d'observer un mur ?

Après qui en a-t-il ? Noah Wallace ? L'inspecteur ? Les deux, peut-être ?

Pour qui travaille-t-il ? La CIA ?

Il faut qu'elle en apprenne davantage.

Sophie remet le casque et lève discrètement la parabole de manière à ce qu'elle épouse les ombres projetées dans l'habitacle.

Un crépitement, puis la voix de l'homme aux cheveux blancs retentit dans les écouteurs.

« Mais votre petite amie ne vient pas ? »

Bien, au moins ils sont de nouveau à portée.

Tout en restant à l'écoute, elle porte son attention sur la Camaro.

« Nous ne vivons pas encore ensemble... »

L'homme observe l'appartement via sa caméra.

«... je vais commander des pizzas. »

Il n'a pas bougé d'un pouce. Une statue, constate Sophie. Ce type doit être un robot, une machine.

«... certaines odeurs peuvent être utilisées comme des déclencheurs. »

L'homme retire brusquement l'œil de son objectif, ôte les écouteurs et prend un téléphone cellulaire.

Puis il tourne la tête dans sa direction.

Sophie s'abaisse et se laisse glisser sur le siège. Ses genoux cognent la boîte à gants.

Ce n'est pas passé loin. Sois plus prudente.

La prudence ? Non, ce n'est pas ce qui la préoccupe.

Pourquoi téléphone-t-il si subitement ? À qui ? Est-ce en raison de ce qu'il a entendu ?

Oh non, princesse... Je sais ce que tu veux faire et... je ne te le conseille pas.

Sophie Lavallée, née le 12 avril 1992 sous le signe du Bélier. Curieuse... et impulsive.

Elle relève la tête et pointe le micro en direction de la Camaro noire.

L'espion espionné. Prends ça, ducon.

« L'inspecteur Tremblay pose problème. Il a fait le lien entre Duval et Weinberger. »

La voix de l'homme est légèrement voilée. Comme s'il sortait d'une trachéite. Difficile de lui donner un âge. Son ton est glacial. Il hoche la tête.

« Bien, compris, je continue. »

L'homme cale le téléphone entre son oreille et son épaule, oriente son micro vers l'appartement et pose un écouteur du casque sur l'autre oreille.

Sophie réoriente la parabole vers l'immeuble…

«… Je pense que certains mots associés à la myrrhe ont pu causer vos crises. »

… puis vers l'homme à nouveau.

« Je confirme. Ils en savent déjà trop. C'est dangereux. »

Silence.

« J'ai le feu vert ? »

Silence à nouveau.

« Et Wallace ? J'en fais quoi ? »

Hochement de tête.

« Et s'il résiste ? »

« Affirmatif, ce sera fait. »

Puis il raccroche.

Bordel. Ça sent mauvais. Que compte-t-il faire au juste ? se demande Sophie.

À ton avis ? Ça me paraît plutôt clair, non ? Il va tous les tuer, voilà ce qu'il va faire.

Non. Il ne s'attaquerait pas à un inspecteur de police. Ce serait trop flagrant.

Ils peuvent trouver un moyen de trafiquer la réalité. L'agression de Giovanni, le suicide de Cadwell... la mort de Blake !

L'homme pose le micro et la caméra sur le siège passager, puis il se penche vers la banquette arrière de la voiture.

Il se prépare. Ça y est. Il va prendre une arme et les éliminer. Tu ne peux pas le laisser faire.

Non. Ce n'est pas ton problème, Sophie. Tu dois penser à ta survie. Et il y a un policier à l'intérieur, il est certainement armé, il saura se défendre.

Le claquement de la portière la fait sursauter.

Elle le distingue bien mieux maintenant, malgré le rideau de pluie. Jean, blouson de cuir. Grand, plus d'un mètre quatre-vingts. Coupe rasée militaire.

Il regarde en direction de la fenêtre.

C'est maintenant ou jamais.

Quel loup, mademoiselle Lavallée ? C'est le moment de choisir.

— Merde ! peste-t-elle.

Puis, tout en restant baissée, elle plonge sa main derrière le siège passager et agrippe son sac de sport.

L'homme est presque au niveau de la porte.

Sophie tire sur la fermeture Éclair, plonge sa main dans le sac. Ses doigts rentrent en contact avec le métal froid du Glock.

Réfléchis, Sophie… Je t'en conjure.

Merci de m'avoir appris à tirer, papa. Cela va enfin me servir.

Sophie ferme les yeux et lâche une série de *fuck*. Puis elle ouvre la portière côté passager, marche accroupie. Elle prend position derrière la voiture et vise.

L'homme vient d'ouvrir la porte et entre dans l'immeuble.

Sophie bloque sa respiration et appuie sur la détente.

Imbroglio

Pour Bernard Tremblay, les mots inscrits sur les notes de Wallace sont autant de morceaux de puzzle qui ne demandent qu'à être assemblés.

Des bribes de pensées arrachées à un esprit prisonnier d'un labyrinthe. Des miettes semées par un Petit Poucet pour qu'il retrouve son chemin.

Peut-être que Noah Wallace ne voit dans son rituel d'écriture que l'ancrage de repères qui le guident dans ses brumes intérieures. Mais lui y décrypte autre chose. Une expression de son subconscient, telle que décrite dans les ouvrages de Duval.

Et si tous ces mots avaient un sens caché ? Et si, en possession du codex adéquat, celui-ci lui serait révélé ?

Il lui faut les lettres que le tueur a fait parvenir à Wallace.

La douleur qu'il ressent au bas-ventre lui arrache une grimace.

Bon sang, pourvu que je tienne jusqu'au bout, se dit-il en faisant pression sur son pancréas.

Juste le temps de finir cette affaire, de compléter le puzzle. Après, qui que vous soyez, vous pourrez m'emporter où bon vous semble.

Noah se retourne, la cruche à la main.

— Le café est prêt. Désolé, je n'ai pas de sucre. Cela ne vous dérange pas ?

Bernard lève la tête du carnet et s'apprête à répondre.

La détonation du pistolet l'en empêche.

La vitre de la cuisine explose, des éclats de verre volent dans la pièce. La balle se fiche dans le plafond et en arrache des morceaux de plâtre.

Noah sursaute et lâche la cafetière. Clémence pousse un cri strident.

— À terre ! hurle l'inspecteur.

Il s'accroupit et entoure sa nièce de ses bras pour faire un bouclier de son corps.

Noah glisse le long de la gazinière comme une poupée de chiffon.

Son visage est crispé.

— Bordel, ça fait mal !

Le sang de Tremblay ne fait qu'un tour… puis il pousse un soupir de soulagement en constatant que la douleur ressentie par Wallace provient de sa jambe couverte de café brûlant.

Un deuxième coup de feu retentit dehors. Suivi de hurlements de terreur dans la rue.

— Je vais aller voir ce qui se passe ! Restez ici et appelez la police. Et ne vous montrez surtout pas aux fenêtres.

— Je peux à peine bouger, de toute façon, réplique Noah dans un rictus.

Il exhibe sa paume ensanglantée. Un éclat de verre est fiché au centre.

— Clémence, va aider M. Wallace et appelle le 911.

Sa nièce lui pose la main sur l'épaule.

— Sois prudent, tonton Bernie, lui souffle-t-elle.

Tonton Bernie. Elle doit vraiment être inquiète pour l'appeler comme ça.

Il sort le pistolet de son holster et progresse tête baissée vers l'entrée de l'appartement.

Une troisième, puis une quatrième détonation le poussent à se coller contre le mur.

Les deux derniers coups de feu étaient plus secs.

Pas la même arme. Il doit y avoir deux tireurs, constate Bernard.

Bordel, qu'est-ce qui se passe ? Dans quoi vas-tu mettre ton nez, Tremblay ?

L'inspecteur dévale les escaliers, le pistolet au poing. Arrivé au niveau de la porte d'entrée, il s'adosse au mur et risque un rapide coup d'œil dehors.

Rien. Juste un rideau de pluie qui bat l'asphalte.

Puis il entend un crissement de pneu et le vrombissement d'un moteur gros cylindre.

Le véhicule rugit. L'inspecteur passe sa tête dans l'embrasure et fait un pas en direction du trottoir. Il a à peine le temps de se couvrir le visage qu'une Camaro noire déferle en trombe et fend en deux une énorme flaque d'eau.

L'éclaboussure l'a trempé presque intégralement.

Il secoue ses jambes, essore son pantalon puis, toujours le pistolet à la main, s'avance au milieu de la rue.

Une odeur de poudre imprègne l'air.

L'inspecteur évalue rapidement la situation.

Rien à gauche, ni à droite.

Le bolide doit appartenir à l'un des deux tireurs. Celui-là s'est enfui, peut-être que l'autre rôde encore.

Bon sang, Tremblay. Ce n'est peut-être qu'une rixe qui a mal tourné, qu'est-ce que tu fais à traîner dans la rue ?

Quelques curieux regardent par les fenêtres de l'immeuble en briques rouges où habite Wallace. Un peu plus loin, à la croisée de College Street et de Champlain Street, un joggeur trempé serre dans ses bras son petit chien emmitouflé dans un gilet.

L'inspecteur l'invite à déguerpir d'un geste de la main. L'homme ne se fait pas prier et reprend sa course.

Tremblay se poste ensuite sous la vitre qui a été brisée.

Vu la hauteur, cela ne devait pas être une balle perdue, conclut-il. Ou alors, il était mauvais. Non, la fenêtre a été visée délibérément.

Et pas besoin d'être un expert en balistique pour deviner d'où le coup a été tiré.

Logée dans le plafond, côté cuisinière.

Bernard visualise mentalement l'angle et recule de quelques pas.

Il remarque une douille à terre. Tombée juste à côté du pneu d'une vieille Toyota Corolla, modèle 1990.

Il s'agenouille, la saisit entre son index et son pouce. Elle est encore tiède.

Il reconnaît le calibre, du 9 mm. Cela correspond au son du premier coup de feu. Le tireur devait donc se trouver derrière la voiture lorsqu'il a tiré.

Il s'accroupit au niveau du coffre et mime la visée avec sa propre arme.

Oui, cela pourrait coller.

Puis il remarque une deuxième douille dans le caniveau.

Et un mince filet de sang qui recouvre les feuilles jaunes détrempées.

Il devait y en avoir plus, mais la pluie a dû en laver la majeure partie.

L'inspecteur se lève, il y a d'autres traces, de fines nappes rouges ondoient dans les flaques.

Le tireur est blessé. S'il fait vite, il pourra peut-être l'intercepter.

Mais il n'a pas à aller bien loin.

Un bruit sourd le fait se retourner.

Quelqu'un cogne sur la vitre arrière de la vieille Corolla.

Une fille. Elle grimace de douleur et se tient l'oreille avec un bout de tissu ensanglanté.

Bernard la met en joue.

La fille montre que son autre main est vide, puis elle place son index sur ses lèvres.

Bernard la vise toujours, mais progresse lentement vers le côté de la voiture. Il remarque le sang sur la poignée.

Il saisit un mouchoir dans la poche intérieure de sa veste en tweed et tire sur la poignée.

À peine la portière est-elle ouverte que la fille s'avance vers lui. La panique se lit sur son visage.

— Inspecteur Tremblay ! J'ai besoin de votre aide ! Mon nom est Sophie Lavallée, je peux tout vous expliquer ! Mais vous devez empêcher que la police me mette la main dessus. Je peux vous aider !

— Bordel, comment connaissez-vous mon nom ? Et m'aider à quoi ?

La fille grimace, du sang lui coule dans le cou.

— J'ai des informations liées à votre enquête… et on cherche à me tuer pour cela. Et vous aussi désormais. J'ai tiré sur la vitre pour vous alerter, un type qui m'a déjà agressée voulait vous éliminer. Aidez-moi et je vous raconterai tout !

Noah retire le morceau de cruche enfoncé dans sa paume et prend appui sur l'autre main pour se relever.

— Vous pouvez me passer ma canne, s'il vous plaît ? dit-il à l'adresse de Clémence.

La jeune fille range son téléphone et se précipite vers lui avec l'objet en main.

— La police est en route, monsieur Wallace. Je dois aussi appeler une ambulance ou ça ira ?

— Aidez-moi juste à me relever, merci. Je me suis tellement gavé d'antidouleur que je ne sens presque plus rien. J'ai juste eu un peu mal avec le café bouillant.

Une fois redressé, il s'adosse à la gazinière.

Le téléphone vibre dans sa poche. Noah l'extirpe de son pantalon.

Steve.

Il décroche.

— Noah ? Tout va bien ? J'ai été mis au courant d'une fusillade dans ta rue. J'arrive dans quelques minutes, mon pote !

Horions

Noah est adossé au mur de la cuisine qui fait face à la fenêtre brisée.

Steve fait les cent pas autour de la table, tête baissée. Il marmonne et se ronge les ongles. Il est si rouge que Noah s'attend à voir sortir de la fumée de ses narines et de ses oreilles. Et ce n'est pas de la colère. Noah peut ressentir le stress dévorer son ami de l'intérieur comme un cancer affamé. L'angoisse le consume, ses métastases ont déjà envahi son corps.

Ce n'est pas le lieutenant Steve Raymond qu'il voit, mais une marionnette sous l'emprise de la peur.

Le flic se tourne vers lui.

— Réfléchis encore. Tu es sûr que tu n'as rien vu ou entendu d'autre ? On m'a signalé qu'une fille était dans la rue. Elle portait une casquette. Des témoins l'ont vue tirer.

Steve éponge son front dégoulinant d'un revers de manche.

Pourquoi est-il si préoccupé par cette histoire ? se demande Noah.

— Explique-moi. Depuis quand as-tu besoin d'accompagner tes hommes pour une simple affaire de fusillade de rue, Steve ? Je ne comprends pas.

La question fait l'effet d'une pique de torero fichée dans le flanc d'un taureau blessé.

— Bordel, mais tu t'entends parler, Noah ? Une simple fusillade ? Mais dans quel monde tu vis ? Et puis, tu aurais fait quoi dans ma position ? Si tu avais appris que des coups de feu avaient été échangés pile à l'endroit où habite un de tes amis ?

Puis il désigne la vitre et le plafond.

— Et apparemment, j'avais raison de m'inquiéter !

Noah reste calme face à la bête prête à charger.

— Un coup de fil aurait suffi. Et comme tu peux le voir, je vais bien, j'ai juste une petite blessure à la main. En outre, cela n'explique pas pourquoi tu me poses toutes ces questions.

Le flic ouvre la bouche, mais aucun son n'en sort. Puis il lâche un soupir.

— Écoute, je ne vais pas te mentir. Je suis sur la sellette, tu le sais. Je suis un peu à cran, j'ai flippé en pensant que tu pouvais être en danger.

Non. Noah n'est pas convaincu.

— Le Steve que je connais ne flippait pas aussi facilement. Dis-moi vraiment ce qu'il se passe.

C'est cette histoire de photo prise par le tueur, réalise Noah.

— Et le Noah que je connaissais n'était pas aussi condescendant et méfiant envers ses amis !

— Tu sais quoi ? Tu prends tout ceci beaucoup trop à cœur. Je pense que tu as besoin d'air. Tu vas finir par rester sur le carreau, si tu continues. Et ce n'est pas de la méfiance, mais de l'inquiétude que je ressens. Je te vois dépérir, tu empestes le whisky, tu remets les mêmes habits, tu te nourris de *junk food*. Ressaisis-toi, mon vieux.

Steve recule de deux pas. Son visage passe du rouge au blanc et il fixe Noah comme si celui-ci venait de lui planter un poignard dans le ventre.

— Ne t'inquiète pas, je vais t'en donner de l'air ! Et je sais pourquoi tu adoptes ce ton avec moi ! Tu m'en veux parce que tu n'es plus sur l'enquête. Comme si c'était ma faute ! Et merde, tu sais quoi ? Va te faire foutre ! Allez tous vous faire foutre !

Steve frappe le mur de son poing et quitte l'appartement sans se retourner.

Noah ne cherche pas à le retenir. Il le connaît trop bien pour savoir qu'on n'arrête pas ce taureau en pleine charge.

Ab ovo

Sophie pose sa main sur la table de la cuisine.

— Et voilà. Vous savez tout, désormais. Merci de m'avoir écoutée, aidée et… encore désolée de vous avoir espionnés…

Elle désigne la couverture accrochée à la tringle à rideaux et attachée au mur à l'aide de scotch.

— … et aussi pour la vitre, mais je devais trouver un moyen de vous prévenir… et je n'ai pas pu tirer sur un homme. C'est au-dessus de mes forces.

Le silence règne autour de la table.

Tremblay est penché en arrière et a les yeux levés vers le plafond. Noah peut presque voir les liens que tisse son esprit calculateur.

Clémence étire un sourire et pose la girafe en trombones qu'elle vient de fabriquer sur la table. Une façon de canaliser sa concentration, il le sait désormais.

Quant à lui, de toutes les informations que la jeune journaliste vient de livrer, une a attiré son attention en particulier.

Sophie a mentionné Amy Williams, la fille du mafieux. Amy, comme le prénom qu'il avait écrit dans son carnet. Est-ce un hasard ? Et quel est son lien avec Timothy Carter ?

Sophie lève les bras, paumes face au plafond, et brise le silence.

— Aucune réaction ? Ou alors vous avez tellement de questions que vous ne savez pas par où commencer ?

— Tu devrais changer le bandage, lui répond Clémence, il saigne à nouveau. Et je pense qu'il te faut des soins. Tu as quand même un bout d'oreille arraché.

Noah tend une gaze à Sophie. Elle se l'enroule autour de la tête.

— Non, l'hôpital est bien trop risqué. Je vais me débrouiller, et puis ce n'est qu'un bout d'oreille.

— C'est un signe distinctif, cela vous expose, fait remarquer Tremblay qui est sorti de sa transe.

— Je sais, mais peu importe. Si vous avez écouté ce que je vous ai dit, vous avez compris que nous sommes tous en danger désormais. Une organisation en lien avec la CIA, peut-être la CIA elle-même, ne veut pas que votre affaire soit élucidée. Le tireur a réagi lorsque vous avez parlé des travaux de Duval et du lien avec Weinberger.

Sophie hésite, puis ajoute :

— Il y a encore une chose qui m'a frappée. Quand vous avez évoqué Duval, vous avez parlé d'hypnose…

Les yeux de Tremblay se plissent et son nez aquilin semble s'allonger lorsqu'il pose son regard sur Sophie.

— Je n'ai rien dit de tel, coupe Tremblay.

Sophie l'ignore.

— Mon ami Blake s'est fait tuer par sa colocataire. Et cela n'a aucun sens. Alors je me suis dit…

— Qu'elle avait été contrôlée ? Sous hypnose ? Vous êtes sérieuse ?

Tremblay fixe la jeune fille comme un faucon le ferait avec une musaraigne.

— Et pourquoi pas ? intervient Clémence. C'est peut-être ce qui est arrivé avec Rebecca Law. Elle aussi a tué sa petite amie, et sans raison apparente. D'ailleurs cela commence à faire beaucoup. À ce stade, on ne peut plus parler de coïncidence, tonton.

— Mon Dieu, lâche Sophie. Il y a eu un précédent ?

Puis elle secoue la tête et lève les yeux au plafond en se mordillant la lèvre inférieure.

— Non… c'est… impossible. Ça ne peut pas être ça…

— Vous savez quelque chose ? demande Tremblay.

— Juste… une théorie. Et en même temps… tout concorde. Les services secrets et l'époque aussi… Le scandale avait été révélé sous Nixon en 1975.

Tous les yeux sont fixés sur Sophie.

— De quoi parlez-vous ? demande Noah.

— Du projet MK-Ultra.

Discipline et volonté

Benedict expédie un direct dans le sac de frappe au moment où les enceintes Magico diffusent les premières notes de *Nocturne op.9 n° 2* de Frédéric Chopin.

Ce soir plus que tout autre, chaque coup porté lui rappelle que sa vie n'a été qu'une succession de combats.

Il grogne, balance deux crochets et sautille en arrière.

Un combat gagné contre la génétique qui lui a permis de transformer le jeune garçon rachitique en guerrier spartiate.

Il enchaîne avec un coup de pied circulaire si puissant qu'il en ébranle la chaîne en fer et fait trembler le rail sur lequel le sac est accroché.

Un combat qu'il a remporté contre les préjugés des imbéciles qui ne voyaient en lui qu'un fils à papa et l'héritier d'un géant de l'immobilier new-yorkais.

Il souffle, expédie une série d'uppercuts, puis se met en garde, tout en restant en mouvement.

Car Benedict Owen n'a jamais considéré la richesse de sa famille comme un avantage, mais comme un handicap à surmonter. Déjà adolescent, il avait compris qu'il faudrait se battre pour gagner le respect et mériter une place que tout le monde lui croyait acquise de droit.

Et aujourd'hui, il ne lui manque plus qu'à rembourser le financement de ses études et le splendide appartement à Greenwich Village que lui a offert son père, pour gagner sa liberté et revendiquer son indépendance.

Il lui reste encore du chemin à accomplir, mais il sait qu'il est armé pour réussir. Grâce à deux choses : la volonté et la discipline.

C'est pour cela qu'à 23 heures, il frappe jusqu'à l'épuisement un boudin en cuir rempli de tissu, alors que d'autres sont vautrés dans leur canapé et se vident le cerveau devant une téléréalité abrutissante.

Benedict attrape le sac et alterne les coups de genou en hurlant.

C'est pour cela qu'il grimace et qu'il sue, pendant que d'autres s'esclaffent devant les glapissements d'un histrion illettré, un verre de bière à la main et une part de pizza dans l'autre.

Il repousse le boudin, enchaîne deux directs, un crochet et un coup de pied retourné.

Discipline et volonté.

Il va en avoir besoin, car un autre combat l'attend, et contre un adversaire aussi redoutable qu'invisible.

— *Jab, jab, cross, hook*, hurle-t-il pour ponctuer ses dernières frappes.

Un adversaire qui a fait peur à son ami au FBI, assez pour qu'il arrête ses investigations.

Benedict attrape le sac et le stabilise.

Franz Liszt a remplacé Chopin. Et le piano de *Hungarian Rhapsody* succède à celui du *Nocturne*.

Il saisit sa serviette blanche, s'éponge le front et consulte sa montre. Son rythme cardiaque est à cent quarante. Parfait.

Il est 23 h 15, ce qui lui donne cinq minutes pour préparer son *shake* de protéines et enchaîner avec la musculation.

Il déverrouille le boudin en cuir et le fait coulisser le long du rail accroché au plafond, puis l'attache à la colonne de brique à l'aide d'un crochet.

Mais il n'est pas son ami du FBI. Benedict n'est pas du genre à jeter l'éponge. Malgré les obstacles, il ne voit pas un combat perdu d'avance, mais une autre opportunité de se dépasser.

La partie sera difficile, il le sait. Il va falloir jouer serré, car l'affaire a désormais des ramifications jusque dans le cœur des institutions américaines.

Mais lesquelles ? Quelles organisations auraient pu faire pression sur son ami pour qu'il arrête de creuser ?

Et Sophie… C'est certainement pour leur échapper qu'elle a voulu disparaître et a fui son appartement.

Benedict verse la poudre de lactosérum dans le blender posé sur l'îlot central de sa cuisine et y ajoute un œuf, du lait et une cuillerée de créatine.

Puis, d'une pression, il mixe le tout et fait taire quelques secondes la mélodie du compositeur hongrois.

Il est face à un dilemme. Doit-il communiquer les informations qu'il a reçues à la police ?

Son rôle l'y obligerait ; après tout, il a une responsabilité dans l'enquête et il représente le bureau du procureur.

En même temps, il ne possède rien qui puisse justifier un lien réel avec l'investigation en cours. En quoi serait-ce pertinent de leur divulguer qu'un ancien journaliste nommé Trout a contacté le FBI dans les années soixante-dix pour signaler que des gamins étaient détenus dans un manoir à Peru ? Il y a bien l'histoire de cette Amy Williams hébergée un temps chez les Cadwell qui pourrait avoir un rapport, mais le lien est bien trop ténu.

Et aussi les vieux tests de QI retrouvés dans la maison des Cadwell. Un logo en forme de tête de corbeau était imprimé sur chacune des feuilles. Il faut qu'il creuse cette piste.

Benedict boit le contenu du blender d'une traite et éponge la moustache de mousse qui lui borde les lèvres.

Étrange que personne n'ait pris des dispositions à l'époque pour enquêter sur ces enfants.

Non, visiblement, quelque chose cloche.

Et plus il y pense, moins il a envie de partager ses informations avec la police.

Surtout depuis cette histoire de rapport psychiatrique et médical de Beth égaré, puis retrouvé trois jours plus tard.

Bien, il est temps. Encore une séance dans la cage à squat et il ira méditer sur tout cela au lit. La nuit porte conseil et une journée chargée l'attend demain.

Benedict s'apprête à regagner le salon lorsque la sonnette de l'appartement retentit.

Il coupe la musique, saisit un t-shirt et s'avance vers l'entrée tout en s'habillant.

Arrivé au niveau de la porte, il pose son œil sur le judas.

Un homme au visage grave et à la mâchoire carrée. Il brandit une carte du FBI.

Bizarre, qu'est-ce que les fédéraux lui veulent à cette heure ?

Il ouvre la porte, prêt à protester.

Il n'en a pas le temps. L'homme a levé son bras droit, il tient un pistolet équipé d'un silencieux dans sa main. L'index presse sur la détente, et la discipline et la volonté de Benedict sont anéanties dans un éclair de sang.

Monarch

Malgré les grêlons et les bourrasques, Clémence appuie sur l'accélérateur et se déporte afin de doubler la Chevrolet Silverado rouge qui se traîne sur la Theodore Roosevelt Highway.

Le moteur de la Nissan rugit et dépasse l'imposant véhicule, au moment précis où le ciel de nuit se zèbre d'éclairs.

Attention, cette fille va nous faire repérer.

— Hey, c'est limité à quarante miles à l'heure ! crie Sophie. Ce serait bien de ne pas se faire remarquer. Si on se fait arrêter, je suis cuite.

— Il se traînait, proteste la conductrice. Et je trouve que c'est un comportement normal, au contraire. Personne ne serait resté coincé derrière cet escargot, surtout que la route est déserte.

— Facile à dire, ce n'est pas toi qui risques la prison, répond-elle. Et puis c'est dangereux avec ce temps, et les nids-de-poule… On se croirait au Québec.

Sophie voit dans le rétroviseur que Clémence contient une réplique, elle se mordille la lèvre inférieure et ses sourcils sont froncés.

Cette fille a presque autant de caractère que moi, se dit-elle. Cela va péter dans pas longtemps.

Noah se tourne vers la banquette arrière.

— Dites-moi, mademoiselle Lavallée, vous avez l'air d'en connaître un rayon sur le projet MK-Ultra.

Elle esquisse un sourire. La question est une diversion à peine dissimulée. Mais elle décide de saisir la perche qui lui est tendue pour détendre l'atmosphère.

— J'ai beaucoup étudié le sujet, confie-t-elle. J'administre… enfin, j'administrais un blog que certains pourraient taxer de conspirationniste. Mais le projet MK-Ultra est une réalité. D'ailleurs, c'était son nom dans les années soixante-dix, mais son origine remonte aux années cinquante.

— Oui, à ce propos, il a un lien avec les Nazis, non ? demande Clémence.

— En quelque sorte. En 1945, la Joint Intelligence Objectives Agency a été créée pour, entre autres, diriger l'opération Paperclip, un programme de l'OSS qui permit de récupérer des savants nazis à la barbe des Russes et dans le dos de Nuremberg.

Clémence hoche la tête.

— J'ai entendu parler de cette opération. Il y a même des rumeurs prétendant que Josef Mengele en personne aurait été dans le lot, ça me paraît un peu gros, remarque Clémence.

— Comme toute affaire de ce style, il est difficile de dénouer le vrai du faux, répond Sophie. La séparation de l'ivraie du bon grain est ce qui va distinguer le journaliste du blogueur sensationnaliste en mal de clics. En revanche, l'opération Paperclip et le projet Artichoke, qui deviendra plus tard MK-Ultra, sont des faits avérés. Le gouvernement américain ne l'a pas nié lorsque le scandale a éclaté. Maintenant, en ce qui concerne Mengele, rien ne prouve qu'il ait pu trouver asile aux États-Unis ou au Canada.

— Le Canada ?

Eh oui. Le Canada aussi, et même la Belle Province, mademoiselle Leduc.

— Bien sûr. D'ailleurs, le projet MK-Ultra a des ramifications au Québec. Par exemple, l'infâme docteur Cameron a travaillé pour le compte de la CIA à l'université McGill à Montréal. Sous couvert de traiter la schizophrénie, il élaborait des méthodes de programmation mentale à base de barbituriques, d'électrochocs et de *brainwashing* au magnétophone.

— Sympa, j'ai justement étudié à McGill, déclare Clémence.

La Nissan oblique à gauche et quitte Theodore Roosevelt Highway pour s'engager vers la Bolton Valley Access Road.

Clémence la fixe dans le rétroviseur et déclare :

— Je dois avouer qu'au début, je t'ai prise pour une illuminée quand tu as parlé du projet MK-Ultra. Mais plus tu me parles de cette histoire ubuesque, plus les choses se recoupent. Par exemple, plusieurs victimes du tueur faisaient partie des services secrets. Et puis il y a les travaux de Weinberger et de Duval.

Comment la blâmer, qui aurait pu deviner ?

— Moi non plus, je n'ai pas fait le lien tout de suite, le projet a été officiellement arrêté en 1988. Justement, en parlant des victimes, le rôle du tueur n'est pas clair.

— C'est une histoire de vengeance, affirme Clémence. Et cette vengeance a un lien avec Noah. Pourquoi le projet a-t-il été arrêté ?

— On le doit au scandale du Watergate en 1973. L'affaire a créé un vent de panique et le directeur de la CIA de l'époque, Richard Helms, a ordonné la destruction de tous les documents officiels. Mais il faut croire que cela n'a pas suffi, puisqu'en 1974 le *New York Times* révélerait le rôle de la CIA et qu'un an plus tard la commission Rockefeller exposerait le programme au grand jour.

— Et ils auraient laissé tomber plus de vingt ans de recherches ?

— Si l'on en croit les aveux du docteur Gottlieb, un des responsables du projet, ils n'auraient jamais réussi à créer leur assassin parfait. C'était la finalité du projet, la programmation d'un robot humain qui devient soudainement un tueur sous une simple injonction, un mot déclencheur. Leur cible numéro un de l'époque était Fidel Castro. On ne peut pas dire que ce fut un franc succès.

— Eh bien, on dirait que les recherches ont continué et qu'ils ont réussi, avec l'histoire de Rebecca Law et…

Clémence ne termine pas sa phrase.

Sophie plaque sa tête contre la vitre froide.

Blake, oui. Aussi fou que cela puisse paraître, Beth a été conditionnée pour le tuer. Et vu le timing, cela veut dire qu'ils peuvent programmer une personne en peu de temps. Pas étonnant, vu le bond technologique et scientifique effectué en quarante ans.

— Je m'en veux de ne pas l'avoir compris plus tôt. J'aurais dû réagir lorsque Cadwell m'a raconté l'histoire de la petite Amy Williams embarquée par des hommes en noir. Ma première idée a été de penser à de la prostitution pédophile. Et bon sang, si ce que j'ai lu sur le projet Monarch est vrai… j'en suis presque à regretter que ce ne fût le cas.

— Monarch ? Je suis perdu, déclare Noah qui sort de sa bulle de silence.

— Désolée, monsieur Wallace. MK-Ultra regroupait plusieurs projets. Monarch était l'un d'eux. Je ne vais pas rentrer dans les détails. Mais disons que cela impliquait des enfants conditionnés très tôt. Drogue, privation sensorielle… et même viol ou meurtre forcé. La première étape du contrôle mental est de briser la volonté. Cela passe par des expériences traumatiques.

— C'est n'importe quoi. Je veux bien croire qu'on puisse faire des expériences à base de LSD ou d'hypnose… et même des électrochocs, réplique Clémence. Mais des viols d'enfants ?

— Question de période. C'était le début de la guerre froide et la course contre la montre était engagée entre les deux superpuissances, il fallait développer les techniques de contrôle mental avant les Russes qui, eux, maîtrisaient déjà leur sérum de vérité. Les enfants étaient sans doute des orphelins, des…

— Stop, cela m'écœure, déclare Clémence. C'est dégueulasse.

La voiture remonte le chemin de terre et ses phares éclairent la maison isolée.

— C'est bien ici ? demande Clémence.

— Difficile de l'oublier, même pour un amnésique comme moi, répond Noah. Oui, c'est bien cette maison qui a servi de planque au tueur.

— Et merci Sophie, beau travail de recherche, en une journée, c'est impressionnant.

— De rien, on peut faire des miracles avec internet, quand on sait où creuser, je l'ai déjà fait plusieurs fois.

Je confirme, mademoiselle Lavallée…

— En revanche, je ne vois toujours pas pourquoi on doit y aller, ajoute-t-elle.

Clémence pointe Noah.

— C'est quand vous avez trouvé le nom du propriétaire décédé. Moi j'ai tiqué, c'est sûr… Mais lui… il a eu un flash.

— C'était qui au juste, ce type ? demande Sophie.

— Le révérend Terrence McKenna. C'était le frère de Harris McKenna, une des récentes victimes du tueur.

Syndromes

Bernard porte le morceau de tourte à sa bouche et entame une lente mastication.

Cela fait quelques semaines qu'il a perdu l'appétit et, hormis quelques pâtisseries, il mange plus par obligation que par plaisir.

Et ce n'est pas la récente nouvelle que lui a annoncée ce suffisant bouffi d'imbécillité – ou plutôt ce *criss* de con – de Thierry Simard qui va le lui redonner.

La GRC reprend l'enquête. Il les assistera quelques jours pour assurer la transition, puis devra leur abandonner le dossier.

En même temps, il fallait s'y attendre, surtout depuis l'épisode des coups de feu dans les rues de Burlington.

Au regard des nouveaux événements, c'est plus qu'évident que la CIA veut étouffer l'affaire. Ils prennent leurs précautions pour qu'un fin limier comme lui ne tombe pas sur des éléments pouvant compromettre leurs agissements. Dieu sait de quels moyens de pression l'agence dispose en haut lieu, même au Canada. Le CSIS, l'armée, le haut commandement de la GRC ?

Trop tard pour ça. Et s'ils voulaient l'écarter, c'est raté. Il continuera seul, s'il le faut.

Il repose la fourchette et saisit le verre d'eau pour s'aider à déglutir.

La pâte est un peu trop sèche, il préfère quand elle baigne dans la sauce. Il prend une autre bouchée, pour faire plaisir à sa femme. Il sait qu'elle s'inquiète de sa baisse d'appétit.

Il faudra bien qu'il lui avoue. Mais la nouvelle risque de la terrasser.

Josée est en face de lui, mais c'est à peine s'il la voit. Ces derniers temps, leurs repas prennent la forme de monologues. Pendant que sa femme essaie d'attirer son attention, lui se mure dans le silence de ses réflexions.

— Tu as vu Bernard, les voisins ont déjà installé leurs abris « tempo », il faudra qu'on installe le nôtre, ou alors que tu libères le garage. Et tu as pensé aux pneus d'hiver ?

Bernard hoche la tête en silence et marmonne un :

— Huhum.

Non, si ces connards de la GRC ou bien des services secrets pensent qu'il va laisser tomber et qu'il va s'asseoir sagement sur le banc de touche, ils se mettent le doigt dans l'œil ou dans le fondement. Surtout avec ce nouveau morceau du puzzle venu de la bouche de la jeune fille.

— Chéri, tu as à peine touché à ton assiette ! Tu aurais préféré que je la prépare avec du gibier ?

Bernard hoche la tête.

Reste à déterminer qui l'a contactée. D'après son histoire, l'hypothèse la plus probable est que quelqu'un à la CIA doit vouloir exposer ce groupe. Sauf que…

Une personne sensée n'irait pas miser sur une jeune journaliste fraîchement sortie de l'école. Même s'il faut avouer que la petite a des ressources.

Ou alors, il ne fait pas confiance aux journalistes institutionnalisés. Ce qui est à la fois possible… et inquiétant.

— C'est étrange quand même, Bernard, il y a la femme des voisins qui court toute nue dans le jardin avec des branches de rhubarbe à la main.

Bernard hoche la tête une fois encore, et reprend une gorgée d'eau pour faire passer la bouchée de tourte coincée dans le gosier.

Et dire que si on lui avait parlé de MK-Ultra et de projet top secret avant qu'il ne soit plongé dans cette affaire, il aurait ri et répondu par un sarcasme cinglant du genre :

« On n'est pas dans *X-Files,* mais dans la vraie vie ! »

Sauf que là, il y croit. Et son scénario est le suivant :

Un tueur élimine des membres d'une organisation qui a dû reprendre les recherches du projet MK-Ultra. Peut-être un petit groupe au sein de la CIA qui bénéficie de l'appui de personnes puissantes et fortunées. Ce groupe a des ramifications dans les organisations des gouvernements canadien et américain. Le tueur est entraîné, peut-être est-il même un membre des forces spéciales. Il est intelligent et capable d'échapper à la surveillance de ses ennemis et de la police. Son mobile est la vengeance et en même temps il cherche à communiquer avec Wallace, sûrement pour raviver des souvenirs enfouis.

L'un ou l'autre doit être une victime des expérimentations de l'organisation en question, peut-être même les deux. Ce qui expliquerait cette période floue de l'enfance de Wallace.

— Je suis au courant pour ton cancer, Bernard.

Il hoche la tête…

Puis se fige. Il repose sa fourchette dans l'assiette et lève la tête.

Sa femme le fixe, elle lui sourit.

— Josée…

Elle sait.

Bien sûr qu'elle sait. Elle n'est pas idiote.

— J'ai enfin ton attention ? Je sais que tu as cherché à me le cacher et je comprends pourquoi tu l'as fait, mais je ne suis pas stupide. Ton teint jaune, ta perte d'appétit, tes démangeaisons… Je suis ta femme, tu penses vraiment que je n'aurais rien remarqué ?

Bernard n'arrive pas à contenir l'émotion qui le submerge. Son corps ne lui obéit plus, sa gorge se contracte.

Josée savait. Et ne disait rien.

Quel imbécile ! Quel mari minable !

Il éclate en sanglots.

— Je… je suis… Je ne voulais pas que tu t'inquiètes.

Il saisit la serviette et essuie les larmes qui embuent ses yeux.

— C'est le pancréas, tu sais que…

Il n'arrive pas à le dire, c'est bloqué dans sa gorge. Y a-t-il seulement une bonne façon d'annoncer à sa femme qu'il ne lui reste qu'une poignée de mois à vivre ?

Adénocarcinome canalaire pancréatique. Trois mots qui tuent.

— Je sais, Bernard. Écoute. J'avais deviné, mais j'ai eu le docteur Lagrange. Il a essayé de te joindre sans succès. Il a fini par me téléphoner. Il… normalement, il n'aurait rien dû me dire, mais j'ai menti et je lui ai affirmé que je savais. Suite aux derniers examens, il propose une intervention chirurgicale… l'opération de Whipple, je crois. Tu n'imagines pas à quel point je suis…

Josée enfonce son visage dans la paume de ses mains et pleure à son tour.

Bernard reste interdit sur sa chaise. Y aurait-il de l'espoir ?

L'opération pourrait ôter une grosse partie de la tumeur.

Mais les chances sont si faibles…

Arrête de te lamenter, Bernard. Et cesse de te comporter comme un lâche.

Tu as été lâche d'avoir laissé ta femme dans l'ignorance, lâche d'avoir abandonné ton fils sous prétexte qu'il n'est pas aussi brillant que tu l'aurais souhaité, lâche d'avoir capitulé lorsque ton chef a…

Bon sang.

Et si…

— Bernard, tu m'écoutes ?

Non. Il ne peut plus l'écouter. Son esprit vient de se verrouiller.

Bernard se lève de table d'un bond, se précipite vers sa femme et l'embrasse sur le front.

— Josée, tu es la plus formidable des femmes. Je t'aime de tout mon cœur. Et Étienne aussi hein, c'est un bon à rien, mais je l'adore.

Il se précipite vers l'entrée et décroche sa veste du portemanteau.

— Tu t'en vas Bernard ? Je ne comprends pas !

— Je dois passer au bureau. J'ai un dossier important à consulter.

Mais oui.

Comment n'a-t-il pas fait le lien plus tôt ?

Indicible

Noah ferme les yeux.

Le décor a changé, mais il n'y a pas de doute. C'est bien ici, dans cette pièce. Cela s'est passé il y a plus de trente ans, mais les flashs qui se sont succédé par vagues – un kaléidoscope d'images – n'ont pas menti. Il ressent ce qu'il avait déjà expérimenté lorsqu'il était à l'hôpital avec Steve, et plus tard, lors de la perquisition.

En plus précis, en plus intense, en plus sombre.

C'est ici, dans ce qui était une cuisine, que le drame a commencé.

Vous avez quinze minutes.

La voix rauque de l'homme résonne encore dans sa tête. Son ton est autoritaire, menaçant.

Noah inspire.

Le sifflement de l'acouphène progresse dans ses oreilles à mesure que les sons se distordent.

— Il fait quoi au juste ? demande Sophie.

Noah n'entend pas la réponse de Clémence. Le décor se brouille devant ses yeux. Les bruits s'assourdissent comme s'il plongeait sa tête dans l'eau, et sont engloutis par la pulsation aiguë qui s'amplifie dans sa tête.

Puis le temps se cristallise.

La pièce vide et froide dont le sol est couvert d'une bâche et de quelques cartons laisse place à une table ronde, des chaises en plastique orange et une cuisine équipée de la même couleur. Une forte odeur de café instantané flotte dans la pièce.

« L'échec n'est pas toléré », assène la voix rocailleuse.

Noah est à présent dans le corps du petit garçon, il ressent son angoisse. Le Révérend le terrorise. Sa gorge se noue, ses intestins se liquéfient. Il connaît le prix de l'échec.

Un autre garçon est assis en face de lui. Il doit avoir dix ans, pas plus. Il est frappé par la froideur et l'intelligence de son regard. Il n'est pas encore brisé, il n'a pas subi autant que lui les punitions du Révérend.

Tout comme lui, il est assis, face à une feuille, un crayon à la main.

Ce sont des tests. Ce n'est pas la première fois qu'il en fait.

Toujours les mêmes feuilles. Et ce symbole, une tête de corbeau, imprimée en haut de la page.

« Fais ce que je te dis et tout va bien se passer », lui dit-il.

Mais il ne le croit pas, cela ne se passe jamais bien.

Cette fois, il doit compléter une série de calculs d'intégrales. C'est beaucoup trop difficile. Il n'a que six ans.

Le garçon en face de lui oriente sa feuille de façon à ce qu'il puisse la voir. Le gamin veut l'aider. Il lui suggère de copier sur lui.

« Il reste dix minutes. J'exige un sans-faute. Chaque erreur aura de lourdes conséquences… »

Mais il hésite. Que se passera-t-il s'il se fait prendre ? Non, il préfère ne pas y penser.

« Plus que cinq minutes. On m'a parlé de petits génies cette fois-ci… J'espère que vous ne me décevrez pas. »

Il ne peut pas réussir sans tricher. Est-ce cela que le père McKenna désire ? Est-ce cela le test ?

Les larmes coulent sur les joues du jeune garçon.

« Si tu ne réussis pas… il va lui faire du mal. Copie ! » ordonne l'autre garçon.

Mais s'il triche, c'est à lui qu'il va faire du mal. Et il ne pourra pas revivre ce cauchemar.

Il secoue la tête, les larmes roulent sur ses joues rosies.

Il sent le regard du Révérend. Il sait qu'il est près de lui et qu'il guette un faux pas.

Le garçon en face l'accuse du regard. Noah a envie de lui dire que ce n'est pas sa faute. Devant son insistance, il s'est même résolu à copier, mais les talonnettes claquent sur le carrelage et se rapprochent de la table.

« Le temps est écoulé ! »

C'est fini. Il urine le long de sa jambe.

« Je suis déçu, je vais devoir sévir. Suis-moi à la cave. »

La vision se brouille, et peu à peu la cuisine disparaît.

Monsieur Wallace ?

La voix de Clémence est comme un écho lointain. Une main posée sur son épaule le ramène à la réalité.

— Tout va bien ? demande Sophie.

Noah cligne des paupières et secoue la tête. Les deux jeunes filles sont côte à côte, face à lui.

— Le Révérend faisait passer des tests à des enfants. Je pense que…

Il désigne la porte qui mène à la cave.

— … il les punissait là-bas. Je vais descendre. Et j'avais l'impression que c'était moi qui…

— Vous n'étiez pas né lorsque le Révérend est mort. Ce n'était pas vous, monsieur Wallace, affirme Sophie.

Il hoche la tête.

Dans un sens, il aurait préféré que ce soit ses souvenirs. Que signifient ces visions, si ce n'est pas le cas ?

Noah agrippe sa lampe torche et descend les escaliers en bois.

Ceux-là mêmes qu'avait dévalés le Révérend quarante ans plus tôt, avant de se faire tuer par les deux garçons.

Il progresse en claudiquant, sa canne frappe chacune des marches.

Ses pieds se posent enfin sur le sol. Une dalle de béton.

Le sol était en terre battue à l'époque, remarque Noah. Il a été recouvert entre-temps.

— Tout va bien en bas ? s'inquiète Clémence.

Le Révérend est mort à quelques pas. Mais ce n'est pas pour cela que Noah est dans cette cave. Il perçoit autre chose.

Il braque la lampe et balaie la pièce. Le faisceau ne dévoile qu'un vide angoissant, des murs décharnés, et une tuyauterie apparente. La pluie frappe la petite lucarne qui donne sur la cour arrière de la maison.

Noah ferme les paupières et se laisse submerger par la déferlante d'ombres. Il est de nouveau dans le corps du petit garçon.

« Tu sais ce que tu as à faire », dit le Révérend d'un ton calme.

Le garçon tient un marteau dans sa main tremblotante. Il sait ce que ce monstre de McKenna attend de lui.

Un homme est attaché à un poteau, ligoté. Son visage apparaît sous le timide halo jaune d'une lampe de faible puissance, qui fait danser les ombres sur le sol. C'est un homme noir, d'une quarantaine d'années environ. Ses traits sont déformés par les ecchymoses.

De la fumée s'échappe d'un diffuseur d'arôme en terre cuite posé sur un tabouret. Noah reconnaît l'odeur.

« Sais-tu que la myrrhe représente le côté humain du Christ, Richard ? C'est aussi une promesse de résurrection. »

Le Révérend prend sa main, place un clou au niveau du genou de l'homme.

« C'est à toi de le faire, Richard. »

L'homme tend une main implorante vers lui. Un râle s'échappe de sa bouche scellée par la déshydratation.

« Si tu ne le fais pas, tu sais ce qui va arriver, n'est-ce pas ? »

Son regard croise celui de l'homme. Il lève le bras, les larmes inondent son visage.

Il hurle.

Et laisse tomber le marteau.

« Bien. Tu as fait ton choix, assume-le ! »

Le Révérend le tire par le bras, le traîne sur le sol puis le menotte à un radiateur en fonte.

Il ouvre la cellule où une petite fille est maintenue prisonnière.

Elle est si maigre, si veule, si… brisée.

Le Révérend la guide sans peine vers un carcan et l'immobilise.

Et tout en le fixant, il baisse son pantalon.

« Sache que ce qui va se passer est entièrement ta faute ! »

Noah hurle.

Il veut s'extraire de ce cauchemar, s'en échapper, remonter à la surface, sa vision s'est figée sur les paupières fermées et la grimace qui déforme les traits du Révérend. Cette image est imprimée en filigrane sur sa rétine, marquée au fer rouge dans son esprit. Les cercles sur l'eau n'arrivent pas à l'effacer.

… Wallace…

… Vous… bien…

Les voix de Sophie et Clémence.

Des lumières qui le guident dans les ténèbres.

Mais l'horreur n'en a pas fini avec lui et fait peser sa main invisible sur son crâne pour le maintenir dans les abysses.

Les images se succèdent par flashs. Son esprit flotte dans un autre lieu. Une cave. Mais différente. Le sol est en terre battue, quelques fils électriques pendent entre les poutres apparentes fixées au plafond. Des outils – marteau, scies, sécateurs – dépassent d'un évier en céramique suspendu à un mur en brique, des bâches en plastique recouvrent le sol humide. Des gouttes tombent des tuyauteries.

Il n'y a pas de carcan ni de cage, mais deux enfants sont enchaînés. *D'autres enfants, plus jeunes.* Ils se blottissent, soudés l'un à l'autre comme des siamois. Le premier, une petite fille aux cheveux blond filasse et au visage maculé de boue, fixe son regard apeuré vers les escaliers. L'autre, un petit garçon brun au crâne rasé, a collé sa joue contre le mur humide et grimace de terreur.

La vision de Noah se voile d'un nimbe flou, puis disparaît brusquement. Dans le noir, il entend le raclement métallique des entraves qui glissent sur les anneaux, les pleurs et les gémissements. Puis des néons clignotent et éclairent la cave d'une pâle lueur et dévoilent une ombre grandissante sur le sol.

La petite s'agrippe de toutes ses forces au garçon. L'homme est là pour elle.

Noah ressent la peur lui dissoudre les entrailles. Une pelote de ténèbres lui obstrue la gorge.

Nouveaux flashs, nouvelle déferlante, nouvelle pièce. D'abord le bruit d'une perceuse qui se mêle aux hurlements étranglés, puis une odeur de chair brûlée, ensuite le fracas d'une tête de marteau qui s'écrase sur des phalanges.

Les bâches se zèbrent de sang, les yeux ruissellent de larmes.

La poitrine de Noah se compresse au point de devenir un étau pour son cœur. Ses yeux se révulsent. Il veut s'échapper, mais la main invisible comprime sa cage thoracique.

Autre flash. Autre cave.

Briques rouges et sol en linoléum. Un homme nu est attaché à une large colonne au centre de la pièce, son corps est couvert d'entailles et couturé de cicatrices.

Noah distingue une petite tête brune qui observe en silence l'homme gémir.

Une injonction autoritaire fuse.

« Fais-le, ou je crève un œil à ton ami. »

Une petite main se lève, agrippée à un scalpel.

Nouveau flash. Une autre cave. *D'autres enfants, encore.*

... Noah !

Autre cave.

— Noah !

Il sort de son apnée et ouvre les yeux. Il est adossé à un mur humide. Les deux filles sont agenouillées. Sophie lui tend sa canne. Clémence passe sa main sur son front couvert de sueur.

Tous ses membres tremblent. Sa tête est sur le point d'exploser.

Une autre catharsis, docteur Hall ?

Est-ce la tumeur, docteur Henry ?

— Vous êtes brûlant, déclare Clémence.

Noah reprend son souffle et déglutit la pelote d'obscurité coincée dans sa gorge.

Sa raison revient peu à peu. La surface de l'eau s'aplanit.

— Le garçon s'appelle Richard et je crois qu'Amy était ici, ainsi que Trout. Et, mon Dieu, c'est horrible... il y a d'autres enfants, il existe d'autres endroits comme celui-ci. D'autres caves. Le programme ne s'est jamais arrêté.

Ironies du sort

Bernard ferme la porte et lâche un soupir.

Ce bureau va lui manquer.

Cela fait cinq ans qu'il partage l'exiguïté de cette pièce avec un cactus cierge du Pérou que sa femme lui a offert à l'occasion de sa promotion au rang d'inspecteur.

Josée avait bien insisté pour qu'il place la plante à proximité de son ordinateur.

« Tu seras moins sur le terrain et tu vas passer beaucoup plus de temps devant un écran. C'est connu, cela absorbe les ondes, avait-elle dit. Et les ondes, cela peut être dangereux pour la santé », avait-elle ajouté en déposant un baiser sur son front.

Cette pensée lui arrache un sourire amer.

On dirait que le cactus n'a pas réussi à en stopper suffisamment.

Bernard prend son temps, c'est peut-être la dernière fois qu'il pose les pieds sur le sol en parquet ciré et qu'il s'installe face à l'écran aux « ondes mortelles ».

Après ce qu'il s'apprête à faire, cela sera déjà beau s'il échappe à la prison.

Il passe sa paume sur le carré de verre poli placé au-dessus de son bureau en noyer, puis il s'installe dans sa chaise en cuir.

La vie et ses ironies.

D'abord, il apprend sa future promotion au grade d'inspecteur-chef prévue pour l'année prochaine, et quelques mois après, on lui diagnostique un cancer et cette saloperie de maladie lui ôte toute perspective d'avenir.

Bernard ouvre le tiroir à dossiers. Il en sort sa cafetière à piston et un sachet de café moulu.

Lorsque cette affaire de meurtre lui est tombée dessus, il y a surtout vu le meilleur moyen de finir en beauté. Faire que le nom de Bernard Tremblay reste dans les annales de la SQ.

Un beau baroud d'honneur, en quelque sorte.

Et pourtant, il s'apprête à mettre fin à sa carrière, précisément à cause de cette enquête.

Un comble pour un homme qui a toujours été fier de son uniforme vert et jaune et des deux drapeaux qui trônent dans un coin de son bureau. Celui de la SQ et celui du Québec.

Bernard appuie sur la bouilloire, puis il verse deux cuillerées de Moka Sidamo au fond de la cafetière.

Pour la première fois en trente ans de service à la Sûreté du Québec, il va désobéir à ses supérieurs et enfreindre la loi. Il va trahir sa maison, sa famille.

Et si l'Unité Permanente Anticorruption n'est pas vérolée, d'autres têtes que la sienne vont tomber. Il sourit en imaginant le faciès rubicond de Simard blanchir alors qu'il se fait arrêter.

Bernard se baisse, met en route l'unité centrale et attrape la boîte de Tic-Tac rangée dans le premier tiroir, juste à côté des punaises multicolores.

Il en prend deux dans sa paume et la plaque contre ses lèvres.

Oui… la vie et ses ironies.

C'était devant ses yeux. Tout ce temps.

Comme un petit moucheron immobile sur un écran qui était là en permanence, mais qu'on ne finit par remarquer que lorsqu'on quitte le moniteur des yeux.

Son attention était tellement focalisée sur Noah Wallace et la traque du tueur qu'il n'avait pas pu faire le lien.

Pourtant, c'est clair désormais. Et, cerise sur le *sundae*, peut-être va-t-il mettre un point final à une ancienne affaire non résolue.

« *One stone, two birds* », comme disent les anglophones.

Bernard écrase un Tic-Tac entre ses molaires.

Il y a deux ans, la GRC avait fait pression pour stopper son enquête. À l'époque, il avait fait le choix de la loyauté en suivant les ordres de Thierry Simard et en abandonnant ses investigations.

La vie et ses ironies.

Si son intuition est la bonne, il va pouvoir relier son ancienne affaire à Trevor Weinberger, et cette fois-ci, ni la CIA, ni la GRC, ni encore cet *ostie* d'imbécile de Simard ne pourront le retenir.

Et lorsque ce vieil ordinateur aura fini de faire gratter et gémir son disque dur, il aura de quoi frapper.

Un claquement sec lui annonce que l'eau est bouillante.

Weinberger, Duval, Simard, la GRC. Et si tout ce beau monde était relié au projet MK-Ultra ?

Bernard verse l'eau dans la cafetière, l'arôme du moka emplit la pièce.

Si c'est le cas, cela signifie que la jeune Sophie a raison et que ce projet se poursuit. Et ses activités illégales sont couvertes par quelques personnes influentes et bien placées aux USA et au Canada.

Après tout, quelle est l'hypothèse la plus logique ? Que plus de vingt ans de recherches dans divers champs de la médecine, même les plus discutables, aient été jetés aux oubliettes en réponse à un scandale médiatisé ? Ou bien que ces connaissances aient été récupérées, vendues et exploitées ?

Non, Bernard n'a plus de doute sur le lien entre cette affaire et MK-Ultra. Même le tueur lui avait glissé un indice subtil, bien qu'impossible à comprendre à l'époque : la carte du Château Frontenac. Clin d'œil à la Seconde Guerre mondiale et aux conférences de 1943 et 1944 qui avaient réuni Churchill, Roosevelt et Mackenzie King à Québec, entre les murs du château. Les États-Unis, le Canada, l'Angleterre : trois pays qui avaient été les acteurs d'un projet initié par les scientifiques nazis.

Les osties de Nazis.

Bernard presse lentement sur le piston.

Bien. La brouette qui lui sert d'ordinateur est prête. Et il a une longue nuit devant lui.

Oui… la vie et ses ironies.

Il n'aurait jamais pensé que ce fichier volumineux qui dort dans son ordinateur allait lui servir dans le cadre d'une série de meurtres plusieurs années plus tard.

Bernard verse le café dans la tasse en céramique sur laquelle est peint « Papa ». Un cadeau de fête des pères fabriqué par Étienne bien avant qu'il ne devienne ce légume avachi dans un canapé.

Alors oui, c'est vrai qu'il va chercher une aiguille dans une meule de foin. Témoignages, confessions du tireur, rapports psychiatriques. Il va chercher dans tout ce qu'il a pu constituer avant que l'enquête ne lui soit retirée.

Mais trier, trouver, assembler… c'est ce qu'il fait de mieux.

Et pas besoin de chronomètre ni de carnet cette fois-ci.

Juste du café… beaucoup de café.

Catharsis

Peut-être Noah aurait-il dû accepter l'invitation de Clémence. Le risque de se faire sauter dessus était grand, aucun doute à avoir, mais au moins aurait-il été en bonne compagnie.

Il referme la porte avec appréhension, sa main reste crispée quelques secondes sur la poignée métallique.

La lâcher, c'est affronter ses peurs, car il sait qu'il ne trouvera pas de réconfort dans le vide de son appartement.

La solitude, cette fausse amie, l'attend au cœur de l'obscurité avec son lot de questions. Plus que jamais, elle est un miroir dans lequel Noah craint de se refléter.

La compagnie des autres lui a permis d'éviter que son regard ne plonge trop profondément dans les abîmes, mais il est seul désormais.

La balle logée dans le plafond, le tueur qui s'est infiltré chez lui, ou encore son ami Steve, dont le cœur peut lâcher à chaque instant. Tout cela n'est rien, comparé à ce qu'il craint de trouver dans les recoins sombres du silence.

Noah fait quelques pas vers la cuisine. Le son d'un clapotis l'arrache momentanément à ses pensées. Il réalise qu'il vient de marcher dans l'eau. La fenêtre. Il remarque la traînée humide qui coule le long du mur et forme une flaque qui s'étend jusqu'à l'évier. Avec la tempête et les vents de biais, les couvertures se sont gorgées de pluie et ont transformé sa cuisine en piscine.

Noah n'a pas la force de passer la serpillière. Pas après cette soirée. Pas après ce qu'il a vu dans cette cave.

Un bâillement réprimé crispe ses mâchoires et tétanise son cou.

Il est grand temps d'aller te coucher, Noah. Et qui sait, peut-être que ce soir, le sommeil t'accueillera enfin sans que tu subisses l'assaut des spectres.

Noah prend la direction de sa chambre en s'aidant des murs.

En vérité, ce n'est pas tant la tourmente de questions qui l'effraie que la présence grandissante de l'Autre dans son esprit.

Il est plus vivant que jamais, sa voix se fait plus forte. Noah sait qu'il n'y a plus qu'une légère membrane qui sépare leurs deux mondes, que son éclosion approche.

Mais alors qu'il avait tant souhaité que l'homme de son passé se libère des rets mentaux qui le maintiennent prisonnier, il craint désormais sa rencontre. Pire, il la sait inéluctable et il a peur de la vérité nue, sans ambages. Peur de lui, de ce qu'il a vécu, de ce qu'il pourrait avoir fait, de ce qu'il pourrait faire.

Qui es-tu, Noah Wallace ?

Cette singulière question posée par Clémence et le Chenu est la clé qui ouvre sur un monde inconnu. Un monde dans lequel les secrets de son enfance lui seront révélés.

Tout ce qu'il a ressenti dans la maison, avec une telle acuité, l'a ébranlé et fait voler en éclats le peu de certitudes qu'il avait sur sa vie.

Le tueur l'avait prévenu de ce qui pourrissait dans son passé et que vouloir le découvrir en ferait sortir les remugles. L'horreur, l'indicible, il en avait eu un avant-goût dans cette cave.

Est-ce une autre catharsis, madame « lèvres de mérou et seins en silice » ? Pourquoi n'avez-vous rien trouvé de tout cela dans ma tête ? Avez-vous au moins essayé ? Pourquoi m'avoir fait revivre sans cesse mon accident, plutôt que d'évoquer mon enfance et d'en extraire le fiel ?

— À part m'abrutir avec vos prescriptions, vous ne m'êtes d'aucune aide, docteur Hall, murmure-t-il alors qu'il tâtonne pour trouver l'interrupteur de sa chambre.

Son enfance, les lettres du tueur, son amnésie, le fait qu'il ait été le jouet de Trevor Weinberger dans un asile psychiatrique. Il aura bientôt des réponses, il le sent. La croûte opaque faite de mensonges et faux-semblants se fissure.

Noah appuie sur l'interrupteur. L'ampoule flashe l'espace d'une seconde, puis éclate.

Il lâche un soupir, puis marche en direction du lit.

Il s'assoit sur le rebord du sommier, se penche et étend son bras pour atteindre la lampe de chevet.

Mais il s'arrête… et renifle.

L'odeur de la myrrhe.

Noah se frotte les yeux et secoue la tête. Sûrement encore une manifestation de son cerveau malade.

L'odeur persiste.

Il appuie sur l'interrupteur de la lampe et remarque l'enveloppe qui dépasse du tiroir de la table de chevet.

Il la saisit du bout des doigts, et l'ouvre délicatement.

Comme les fois précédentes, c'est une lettre tapée à la machine.

> « Noah,
>
> Ceci est ma dernière lettre, elle sera courte. Je veux juste te dire que tout ce que j'ai fait et tout ce que je m'apprête à faire n'a qu'un seul but : tenir une promesse que je t'ai faite il y a bien longtemps. Je pense que tu as su lire entre les lignes, et pu voir la vérité éclore telle une rose dans un tas d'immondices. Tu as des doutes sur toi-même et tu crains de recouvrer tes souvenirs. Je ne vais pas te mentir, cette confrontation avec toi-même te fera mal. Mais tu es prêt à y faire face désormais, et bientôt tu seras à mes côtés. Et lorsque ce sera le cas, tout deviendra clair. Je n'ai pas pu précipiter cette rencontre, Noah. Tu ne l'aurais pas accepté. Ton cerveau était truffé de cadenas et de mines, ils sont presque tous déverrouillés. En revanche, ce n'est pas à moi de les ouvrir, tu devras le faire seul.
>
> À très bientôt. »

Noah pose la lettre.

Comment le tueur peut-il deviner ce qui se passe dans sa tête ? Ses craintes, ses doutes ? Et s'infiltrer si facilement chez lui ?

Et si…

Non Noah, c'est impossible… Avec ta canne, ton handicap ? Tu ne pourrais pas faire de mal à une mouche.

L'Autre pourrait très bien ignorer la douleur ! Qui sait ce que m'a fait Weinberger, ce spécialiste des troubles dissociatifs de l'identité ? Combien de personnes vivent dans ma tête ? Suis-je fou ?

Noah plaque son front contre les paumes de ses deux mains.

Le bruit de chute d'une casserole dans l'évier le fait se redresser d'un bond.

Quelqu'un est ici.

— Qui est là ? hurle-t-il d'une voix étranglée.

Aucune réponse.

Noah s'extirpe du lit et avance à tâtons vers la porte de sa chambre.

Il boitille vers l'entrée et risque encore un :

— Qui est là ?

Parvenu à la cuisine, il distingue dans la semi-obscurité une silhouette proche de l'évier.

Une silhouette familière.

— Rachel ? C'est toi ?

La grande rousse se retourne.

— Désolée, je ne voulais pas te faire peur. Je voulais te voir.

Son visage est grave, remarque Noah.

— Je ne t'ai pas entendue rentrer, il est si tard… et je ne t'attendais pas.

Rachel esquisse un sourire.

— Tu es si beau. Tu vas me manquer.

La gorge de Noah se noue. Comment ça, lui manquer ?

— Rachel ? De quoi parles-tu ? Pourquoi je devrais te manquer ? Je ne comprends pas. Tu me fais peur.

Elle s'avance vers lui.

— Je suis désolée, Noah, il faut que tu me pardonnes, et sache que mon amour était sincère.

Noah chancelle, une main invisible lui empoigne les entrailles.

Elle le quitte.

Pourquoi ?

Ça n'a pas de sens…

Rachel le fixe et lui sourit.

— Tout va bien se passer, Noah.

Son cœur manque un battement, sa bouche s'ouvre en grand et un cri meurt dans sa gorge.

Car il se souvient

d'avoir laissé la clé sur la serrure de la porte.

Et il remarque

que Rachel n'a pas fait de clapotis en marchant sur l'eau.

Noah s'adosse contre le mur et se laisse glisser, les yeux fixés sur la rousse, la main tendue vers elle.

Non. Pas elle.

Non. Pas Rachel.

Non.

Et alors qu'elle disparaît devant lui et que l'effroi le cloue au sol, il n'entend pas son téléphone portable vibrer dans sa veste.

Gambit

Cela fait cinq minutes qu'il s'est garé, mais Bernard ne sort pas de sa voiture. Il contemple la danse des flocons qui tombent et la neige qui recouvre peu à peu le gazon et l'allée en gravier de sa maison.

Sa femme avait raison, il aurait dû sortir l'abri « tempo » et appeler le garage pour faire installer les pneus contact. L'hiver s'est invité chez lui, sans crier gare, pendant qu'il passait la nuit au poste, le nez fixé sur son « générateur d'ondes mortelles ».

Son regard oblique vers les bûches sous la bâche bleue, entreposées à côté du garage.

Il sourit.

Josée aime tellement les flambées dans la cheminée du salon. Elle peut rester des heures sur la méridienne, un livre à la main, à profiter de la chaleur de l'âtre, pendant que le paysage se couvre de blanc, plongée dans un silence que seuls les craquements du bois viennent perturber. Et puis, il y a l'odeur…

Il aurait dû en profiter davantage, lui aussi, mais il n'a jamais vraiment eu le temps. Ou plutôt, il n'a jamais pris le temps.

Le travail. Sa carrière. Ses puzzles.

Il les a toujours privilégiés. Ils passaient avant sa femme, et même son fils.

C'est à peine s'il l'a vu grandir, son gamin. Il était un peu présent au début, bien sûr. La nouveauté, la fierté d'avoir transmis ses gènes à la génération suivante. Déjà bébé, il se l'était imaginé en fin limier et champion d'échecs, puis il était devenu le braillard, l'enfant difficile, et finalement l'adolescent qui vit sous le même toit. Il a été lâche, il le sait. Il l'a abandonné dès qu'il a compris qu'Étienne n'avait pas… l'étincelle. Une déception. Et maintenant, il regrette, mais c'est trop tard.

Peut-être est-ce sa faute, après tout, s'il s'isole dans sa cave, qu'il s'empiffre de saloperies et que leurs conversations se limitent à un bonjour consenti du bout des lèvres lorsqu'ils se croisent le matin.

Quel modèle de père lui a-t-il donné ? Un fantôme obsédé par la traque des monstres, un cérébral cynique et désabusé perdu dans ses casse-tête insolubles. Heureusement que Josée était là pour lui apporter de l'amour. Une mère adorable. Une femme formidable, qu'il ne mérite pas.

Bernard regarde la tasse en céramique posée sur le siège passager, au-dessus de la pile de feuilles imprimées qu'il a rapportées du bureau.

Étienne sera-t-il à la hauteur, saura-t-il gérer la maison et soutenir sa mère ? Il l'espère de tout cœur.

Il se frotte les yeux, sirote les dernières gouttes de café et repose le thermos. Puis il prend la tasse, son dossier, et coupe le contact.

Il est 7 h 30 du matin. Son fils ronfle sûrement sous la couette et Josée doit l'attendre dans la cuisine. Elle n'a pas dû dormir de la nuit. Il la connaît.

Il sort de la voiture et traverse la cour déjà recouverte de neige. Il s'y enfonce jusqu'à la cheville et sent son baiser humide et glacé sur ses pieds.

Il remarque la couronne de houx accrochée à la porte d'entrée. Josée a dû la mettre ce matin. Une décoration bien sobre en comparaison de celles des voisins qui rivalisent déjà de mauvais goût. Chaque année, sa rue est le théâtre d'une lutte pour déterminer quelle maison sera la plus kitsch. Sûrement les Larouche. Ils remportent la palme à chaque fois avec leurs bonshommes de neige géants, entourés de guirlandes, leurs cerfs et traîneaux grandeur nature et leur facture Hydro-Québec à quatre chiffres.

Merci Josée, une simple couronne de houx. C'est parfait.

Bernard ouvre la porte. Il est accueilli par une odeur de baguette grillée et de pancake. Sa femme, en robe de chambre, se précipite hors de la cuisine.

— Bernard ? C'est toi ? J'étais inquiète ! Tu aurais pu me prévenir que tu allais passer la nuit au poste ! Je me suis fait un sang d'encre !

Ses yeux sont rouges. Elle a pleuré, remarque Bernard.

Tu es un imbécile égoïste, Tremblay…

— Désolé, chérie, j'ai été pris par le travail et… écoute…

Sa femme secoue la tête. Il reconnaît ce regard et ce visage fermé. C'est celui d'une Josée qui ne veut rien savoir. Elle s'abrite dans son cocon de certitudes, elle plonge la tête dans le sable.

— Bernard, s'il te plaît, viens déjeuner, reste avec moi. Tu as vu comme c'est beau dehors ? On va s'installer devant la baie vitrée. Pour une fois, reste avec ta femme. J'ai…

Sa gorge se noue et elle sanglote. Elle ne peut plus faire semblant.

Le visage de Bernard se durcit. Il déteste la voir dans cet état. Et le pire, c'est qu'il n'a jamais eu autant envie d'être avec elle que maintenant. Mais sa tête est ailleurs, et il se connaît trop bien. Même s'il s'installe à ses côtés et qu'elle lui parle des voisins, de sa sœur ou de n'importe quoi d'autre, il ne sera pas vraiment là. Une partie de lui est restée dans son bureau, avec MK-Monarch et les expériences inhumaines perpétrées sur des enfants avec le consentement des gouvernements. De son gouvernement. De son armée. Et on parle d'expériences faites par des Nazis… Des *osties* de Nazis !

Alors non, il ne peut pas parler des Larouche et de leurs décorations de Noël, ni de sa belle-sœur qui fait un *burn-out* et qui compense sa déprime en enchaînant les amants, on encore de son mari qui souffre de la goutte. Qu'il fasse du sport, ce gros lard, et qu'il arrête de se goinfrer d'ailes de poulets de chez KFC ou de poutines géantes de chez Ashton.

Bon sang, Bernard, ta femme est triste. Et il se peut que tu ne la revoies plus. Alors, fais un effort.

Tu lui dois bien ça, surtout avec ce que tu t'apprêtes à faire. Agis comme ta nièce… Joue la comédie… Fais semblant. Juste aujourd'hui. Juste pour elle.

Il pose ses affaires à terre, la prend dans ses bras et lui dépose un baiser sur le front.

— Il reste du beurre de cacahuètes ? J'ai une faim de loup.

Josée lui sourit. Un des plus beaux sourires qu'elle lui a adressés depuis des années. Et ils s'enlacent à nouveau.

Elle plaque sa joue contre sa poitrine et il plonge sa main dans ses cheveux. Les larmes mouillent ses yeux.

— Maman ? Papa ? Quelque chose ne va pas ?

Étienne est debout en bas des escaliers, en pyjama. Ses yeux sont plissés et ses cheveux en bataille.

Bernard renifle et essuie ses yeux d'un revers de main.

— Bonjour, non… Juste, je suis content d'être rentré, j'ai passé une nuit difficile. Et tiens, j'étais au travail et j'ai…

Il se baisse et ramasse la tasse.

— J'ai retrouvé ça, j'ai pensé que… Tu sais, la nostalgie. Tu bois du café, non ?

Étienne grimace. Une moue d'ado embarrassé.

— Pa'… Sérieux, à quoi tu joues ? Je suis plus un gamin, tu ne t'en étais pas encore rendu compte ?

Bernard ignore la pique. Il visualise l'enfant tavelé de taches de son et ses deux dents du bonheur.

— Tu avais huit ans quand tu l'as faite… T'étais mignon, à l'époque. Tu ressemblais à Ron Howard, tu sais.

Puis il réalise que son fils ne doit même pas savoir de qui il parle.

Étienne hausse les épaules et lève les yeux au ciel.

— *Whatever*… lâche-t-il.

Et il prend le chemin de la cuisine.

Bernard l'intercepte et lui pose la main sur l'épaule.

— Excuse-moi, Étienne. Pour tout. Je n'ai pas été assez présent pour toi…

— De quoi tu parles, papa, ça va, t'es pas si pire. Pas violent, pas méchant, pas embêtant non plus… juste absent.

Bernard l'ignore encore.

— Ne pas avoir été un mauvais père ne veut pas dire que j'en ai été un bon.

— *So what ?* Et c'est quoi cette humeur déprimante ce matin ?

— Non, pas de la déprime, juste un peu de nostalgie.

Bernard presse son fils contre sa poitrine et lui ébouriffe les cheveux.

Josée le regarde comme s'il était un étranger, puis son visage se rembrunit.

Malgré la fatigue, Bernard apprécie ce moment en famille, il en savoure la moindre seconde et mange comme si c'était son dernier repas.

— Et hop, encore un peu de sirop d'érable. Ces pancakes sont succulents, Josée !

Étienne le regarde avec les yeux écarquillés alors qu'il verse le sirop.

— Woh, ça fait longtemps que je ne t'ai pas vu manger comme ça… Hey, stop… tu vas vider la bouteille !

Étienne rit.

Dieu que cet éclat de bonheur lui fait du bien.

Mais pas à Josée. Sa femme n'a pas cessé de lui jeter des regards en coin pendant le déjeuner. Elle a cherché à le lire, à savoir ce qu'il lui cache. Bernard l'a remarqué. Sa femme n'est pas dupe.

— Bon, il faut que je me prépare, le bus sera là dans quinze minutes. On se voit tantôt. Ah p'pa, j'allais t'en parler, mais j'ai commencé un club d'échecs à l'école… Mais je ne suis pas très bon, alors je me suis dit…

Le cœur de Bernard se serre.

— C'est… excellent. Bravo. Je te donnerai des conseils, bien sûr.

— Je savais que ça te ferait plaisir.

Plus que plaisir. Cela le rend fier.

— Ah, Étienne, tu pourrais me rendre un service ? Le puzzle dans mon garage, il… il reste moins de mille pièces pour le finir. Cela me ferait vraiment plaisir que tu le complètes.

Son fils se renfrogne et se gratte derrière la tête.

— Les échecs, je trouve ça cool, mais les puzzles…

— Juste cette fois. S'il te plaît. Le plus dur est fait.

Étienne hoche la tête.

— OK, j'essaierai en tout cas.

Puis il se lève, débarrasse la table et monte les escaliers quatre à quatre.

Josée secoue lentement la tête et l'interroge du regard.

— Quoi ? J'ai du sirop sur la joue ? Une miette collée à mes poils de nez ?

— Que se passe-t-il, Bernard ? La tasse, tes paroles, le petit déjeuner, et même ton puzzle ? Tu n'agis pas normalement. Tu me caches des choses, encore une fois.

Bernard se nettoie les lèvres à l'aide d'une serviette et répond.

— Je dois partir pour une mission très importante, aux États-Unis. Je vais prendre une douche, dormir une ou deux heures, et je serai obligé de te laisser à nouveau. Je ne peux pas m'y soustraire, Josée. C'est un devoir, tu comprends ? Des vies en dépendent.

— Rien de trop dangereux ?

— Non, ment-il. Mais je risque d'être parti quelques jours.

— Bien Bernard, je te crois.

Un mensonge, remarque-t-il. Son regard fuyant et son sourire sans joie indiquent le contraire. Josée a replongé sa tête dans le sable.

— Je vais prendre ma douche.

Mais elle ne l'écoute plus, elle a pris la direction de l'évier et fait couler de l'eau.

Bernard soupire en montant les escaliers. Tout est prêt, ou presque. Et dans quelques heures il sera sur la route, direction Burlington.

Peut-être pour la dernière fois.

Mais avant cela, il lui reste quelques petites choses à faire.

La plus importante. Envoyer un message et des scans de documents sur le forum privé que la jeune Sophie Lavallée a créé sur le Darknet. C'est elle qui devra s'occuper de révéler l'affaire.

Puis il ira poster le dossier à l'UPAC.

Si l'Unité Permanente Anticorruption fait bien son travail, les têtes vont tomber.

Après le puzzle viennent les échecs. La fin de la partie est proche et il lui reste quelques beaux coups à jouer.

Mais qu'il soit gagnant ou perdant, il sait qu'il a peu de chances de s'en sortir.

La CIA ou le cancer l'attendent au tournant.

Languide

Noah progresse dans ce long couloir souterrain, éclairé par la seule lumière crue et erratique d'un néon clignotant. Sa canne cogne le carrelage à chacune de ses foulées, son écho résonne entre les murs sans vie de la morgue.

Steve est posté devant la porte. Il l'attend, immobile.

Noah serre les dents et presse le pas, malgré la douleur lancinante qui irradie dans sa jambe.

Il s'arrête devant son ami et prend appui sur sa canne.

Steve ne lui a jamais paru aussi faible qu'aujourd'hui. Cette force de la nature au cou taurin n'est plus qu'un animal blessé.

Ses yeux sont encore rouges d'avoir trop pleuré. La peau de son visage est marquée par les stigmates de la fatigue. La lassitude et la douleur y ont creusé leurs sillons.

Mais Noah n'éprouve aucune pitié pour lui. Cette colère sourde qui tempête dans sa poitrine ne s'est pas calmée depuis qu'il a pris le taxi. Il lui en veut. Les photos de Rachel avaient été retrouvées chez le tueur, il l'avait désignée comme cible. Steve aurait dû la protéger. La police aurait dû être là pour elle. Et s'ils ne l'avaient pas écarté de l'affaire, peut-être que lui-même aurait pu faire quelque chose pour empêcher que le drame ne se produise.

Noah ne bouge toujours pas. Son regard est chargé d'éclairs.

Steve lève ses bras et s'apprête à l'enlacer. Noah ne fait rien pour l'y inciter et garde ses distances. Alors, il se rétracte, il bat en retraite.

— Bonjour Noah. Je suis désolé, mon vieux, je…

La culpabilité marque ses traits, son regard est fuyant, des tics nerveux font tressaillir ses zygomatiques.

— C'est arrivé quand, Steve ? coupe-t-il d'une voix étranglée par l'émotion.

Steve se gratte la joue avec sa paume, comme si sa gêne était un prurit qu'il pouvait apaiser.

— Bordel, j'ai essayé de te joindre avant, Noah, plusieurs fois… Tu n'as jamais répondu, s'excuse-t-il.

Possible. Il avait laissé son téléphone portable, comme l'avait suggéré Sophie, pour faire croire à son absence, afin de ne pas attirer l'attention sur leur escapade.

— Quand, Steve ? répète-t-il.

Le flic se frotte la moustache.

— D'après un examen préliminaire du coroner, il les a tuées en fin de journée, hier.

Si c'est le cas, alors Rachel était déjà prise dans les rets du tueur pendant qu'il revivait les horreurs de la maison du Révérend.

— Il les a déposées devant une école primaire, Edmunds Elementary School, sur Main Street. C'est une bande d'ados qui est tombée sur les corps.

Une école. Pourquoi a-t-il choisi une école ?

— J'ai besoin de la voir, Steve. Maintenant.

Steve pose sa main sur la poignée et commence à la tourner. Puis il stoppe.

— Crois-moi, je sais ce qui se trouve derrière cette porte, Noah. Et ce n'est pas beau à voir. N'espère pas trouver des réponses là-bas… juste de la douleur, du chagrin. Si jamais tu veux conserver une belle image de Rachel, ne rentre pas. Alors, réfléchis Noah, tu es sûr de toi ?

Oui, il est sûr. Noah veut savoir, il veut comprendre. Cela doit avoir un sens.

Il darde sur Steve un regard glacé.

— Ce n'est pas logique qu'il s'en soit pris à elle, pas plus qu'à l'autre d'ailleurs. Cela n'a aucun sens, comment pourraient-elles être liées à…

Il s'arrête, son ami n'est pas au courant de ses découvertes, et encore moins de ses investigations clandestines.

— Quoi, liées à quoi ?

Noah pourrait lui dire. Mieux, il a envie de lui dire. Steve est un bon flic. Alors pourquoi ne le fait-il pas ?

À cause de la lueur fugace qui a traversé son regard. Pas de la curiosité, mais de la méfiance. Non, de la peur presque. Steve lui cache quelque chose.

— Liées aux autres victimes, ment-il. Peux-tu ouvrir, s'il te plaît ?

Le flic incline la tête en silence et tourne la poignée.

— Bien, alors je te laisse, tu as dix minutes, tu ne devrais même pas être là, heureusement que le légiste t'apprécie. Le préposé a laissé des gants et des masques. Pour le reste, ne touche à rien. Bordel, si le FBI apprend que tu étais ici… Tu es sûr que tu veux être seul ?

Ses lèvres dessinent un sourire sans joie.

Seul ? Il l'est déjà, et à jamais.

Il vient de perdre son unique source de lumière. Le phare est désormais éteint, et il est condamné à naviguer sans guide dans les eaux turbides, un aveugle dans les ténèbres. Il est définitivement devenu une créature de l'ombre, errant à jamais en apnée dans les abysses poisseux. Les spectres ont gagné. La solitude sera son tombeau.

Quant au FBI, Noah se fout des conséquences. Qu'a-t-il à craindre ? D'être arrêté ? La belle affaire, il est déjà emprisonné : dans son propre corps. Ajouter une couche de béton et des barreaux à sa cellule de chair n'y changera rien.

— J'ai besoin de solitude pour me concentrer, Steve, ça n'a rien de personnel, finit-il par répondre après un long silence.

Ce qui est à moitié vrai.

La porte se referme derrière lui et le laisse seul face à la mort, dans une pièce qu'il a déjà tant visitée il y a cinq ans. Les lieux ont changé, ils se sont modernisés.

Les anciennes tables en céramique ont été remplacées par les modèles plus récents en acier inoxydable.

L'éclairage est plus vif, plus cru, légèrement bleuté.

Mais il y éprouve les mêmes sensations, le froid, l'odeur de Javel et d'antiseptiques, le bourdonnement des compartiments réfrigérés. Et surtout, il a toujours cette impression d'être l'intrus, le vivant en visite dans une antichambre de l'au-delà. Celui qui trouble la quiétude des morts.

Et ses deux hôtes l'attendent, étendus sur l'inox, recouverts d'une couverture mortuaire blanche. Deux corps qui n'ont pas encore été profanés par les outils du légiste, bien qu'ils aient déjà subi les outrages du tueur.

C'est Rachel qu'il remarque en premier. Deux longues mèches rousses aux reflets cuivrés dépassent de la couverture mortuaire.

Des cheveux qu'il glissait dans le creux de ses doigts, qu'il portait à ses narines, qui cascadaient sur son visage lorsqu'elle le chevauchait.

Elizabeth Hall, la psychiatre, est étendue à côté, à moins d'un mètre de distance.

Noah serre les poings.

Le tueur va payer. La pitié qu'il avait ressentie pour lui s'est volatilisée. Oui, il cherchait à se venger d'atrocités commises par toutes ces personnes impliquées dans le projet MK-Ultra. Et sûrement est-il lui-même une victime. Mais pourquoi s'en est-il pris à Rachel ? Elle qui n'était que douceur et gentillesse.

Rachel… *sa* Rachel.

Figée. Partie. Perdue dans le grand vide de l'éternité. Et lui, privé à jamais de son sourire au réveil, de la sensation apaisante de ses mains posées sur ses épaules. De ses rires discrets.

Pire, elle sera bientôt une poupée de chair entre les mains du médecin légiste.

Noah frissonne à l'idée de savoir que sous la lumière d'un scialytique, Rachel sera disséquée, son thorax ouvert par une pince costotome, ses organes prélevés puis posés sur une balance. Que le scalpel ira fouiller dans ses chairs, que les ciseaux…

Stop.

Il faut qu'il se ressaisisse, il le sait. Le professionnel doit rentrer en scène, l'homme au cœur triste doit tirer sa révérence et rester derrière les rideaux, il ne ferait qu'interférer.

Des réponses à ses questions se trouvent derrière cette bâche blanche.

Noah prend le masque de la morgue et enfile les gants en latex, il les fait claquer puis s'avance vers la table en inox.

Il pose une main tremblante sur la couverture, hésite un court instant et dévoile le visage.

L'espace d'une milliseconde, l'horreur s'imprime sur sa rétine.

Alors qu'il contemple les orbites vides, l'image d'une Rachel radieuse se matérialise dans son esprit, comme pour venir contrebalancer la vision de cette parodie de visage qui lui fait face.

Ses beaux yeux verts en amande, qui se plissaient à chacun de ses sourires…

Quelle est la signification de cet acte barbare ? Il ferme les paupières, il voudrait entrer en contact avec elle, qu'elle se manifeste à nouveau comme elle l'a fait chez lui. Il voudrait comprendre pourquoi le tueur s'en est pris à elle. Mais rien ne se produit, rien ne vient briser le silence sépulcral de la salle d'autopsie.

Noah serre les dents, crispe sa main sur le pommeau de sa canne et poursuit son analyse.

Il fait courir son index ganté sur la peau bleuie, s'attarde sur la joue et stoppe au niveau de la bouche.

Les lèvres ont été cousues, suturées par un fil de nylon noir.

... son sourire, ses dents blanches, l'éclat de son rire...

Que veut-il lui faire comprendre ?

Rien de malveillant n'a jamais franchi la barrière de ces lèvres. Aucun poison, aucune colère. Juste du réconfort. Quel est le sens de cette punition ?

Et pourquoi ce revirement dans son mode opératoire ? Pas de myrrhe, pas de message. Se pourrait-il que le tueur ait changé ? Qu'il lui veuille du mal ?

Il s'était prétendu son ami dans ses lettres. Il l'avait sauvé de son AVC, il...

Réfléchis, Noah. À quoi t'attendais-tu, au juste ? À des scrupules ou de la pitié ? Peut-être s'est-il vengé d'anciens bourreaux, mais en quoi leurs enfants étaient-ils responsables ? Le fils et le petit-fils de McKenna ? Élise ? Iris et Lucas ? Il te manipule et tu le laisses faire.

Ses jambes sont agitées de spasmes et sa gorge s'étrangle dans un sanglot refoulé.

Tout va bien se passer, Noah.

Non. Rien ne se passera plus jamais bien. Maggie, et maintenant Rachel. Le sort s'acharne, il est un chat cruel qui a fait de lui sa souris.

Noah fait glisser un peu plus la couverture et expose désormais la poitrine et le ventre.

Il grimace. Le corps de Rachel a été profané. La lame d'un couteau a déchiré sa peau laiteuse, s'est enfoncée dans la chair pour y graver des symboles depuis le pubis jusqu'au sternum.

... cette peau si douce... si sensible à ses caresses...

Noah penche la tête. Et l'espace d'un clignement de paupière, les boursouflures rosées et les taillades carmin forment un mot dans son esprit.

בְּלִיַּעַל.

— Bélial, murmure-t-il, brisant le silence pesant.

Le son de sa voix lui fait l'effet d'un fouet.

Comment peut-il lire ces caractères ? Est-ce l'Autre qui se manifeste ?

Bélial.

Noah recule d'un pas et s'écarte du corps comme s'il faisait face à un serpent venimeux prêt à mordre.

Bélial.

Un démon, encore.

Et cette langue… Elle est forcément à connotation biblique.

Réfléchis, Noah. La Bible a été écrite en hébreu, en araméen et en grec.

Noah sort son téléphone. Le signal est faible, mais il capte un peu de réseau.

Il ôte le gant en latex, lance l'application Google traduction et pianote sur son clavier virtuel.

Il tape « Bélial » et choisit l'hébreu comme langage de destination.

La vérité glaçante lui apparaît sous forme de caractères :

Qui es-tu, Noah Wallace ?

Puis il saisit à nouveau « Bélial » dans le moteur de recherche.

La réponse ne tarde pas à s'afficher et Noah consulte quelques liens.

Ses recherches lui apprennent que dans la Bible, le terme signifie vaurien et qualifie les idolâtres ;

mais il est surtout connu pour être le démon du mensonge.

Son cœur manque un battement. Sa poitrine se serre.

Démon associé au mensonge.

Mensonge.

… Je suis désolée, Noah, il faut que tu me pardonnes…

Qu'a pu faire Rachel ? En quoi et pourquoi lui aurait-elle menti ?

Il se tourne vers le second cadavre. Elizabeth Hall.

Mensonge.

Et si…

Noah claudique vers la deuxième table en inox et pose la main sur la couverture mortuaire, presque certain de ce qu'il va découvrir en dessous.

Il dévoile le visage d'Elizabeth.

Sa psychiatre a subi le même traitement. Yeux retirés des orbites, lèvres cousues.

Ce qu'il observe ensuite n'est pas une surprise.

Les mêmes symboles sont gravés sur son ventre.

Alors, selon le tueur, sa psy aussi lui aurait menti ? À quelle fin ?

Une déferlante de questions s'abat sur lui et le fait tanguer. Les mots s'entrechoquent dans les brumes de son esprit.

Puis sa vision se brouille, ses mains se couvrent de sueur, ses jambes flageolent et menacent de céder sous son poids, sa gorge s'assèche et il peine à déglutir.

Il chancelle et doit poser sa main sur la table en métal pour retrouver un semblant d'équilibre.

Noah frissonne alors que l'acouphène familier amorce son sifflement strident et que les pulsations de ses battements retentissent dans sa tête.

L'Autre tente d'éclore...

L'Autre doit savoir... il veut te faire comprendre.

Quelques images apparaissent, des flashs lumineux.

Un livre. Des illustrations de démons. Bélial, Belphégor, Belzébuth.

Une assemblée de personnes en robe, réunies autour d'un homme attaché à une croix inversée. Il hurle alors qu'un enfant lui enfonce un crochet dans l'abdomen.

Noah s'agrippe au bord de la table.

L'acouphène est devenu douloureux, la pression est telle qu'il a l'impression que son cerveau va fissurer son crâne. Son œil gauche se voile de noir. Il suffoque et détache un bouton de sa chemise.

Sa peau est brûlante. Son pouls s'accélère, les battements tambourinent à un rythme frénétique. Son visage est secoué de spasmes.

Noah tombe à terre et se roule en boule sur le carrelage glacé.

L'odeur de myrrhe jaillit de nulle part et emplit ses narines.

Puis viennent les sons, plus forts, plus réels.

Les cris d'agonie. Les gémissements orgiaques. L'écho de nombreuses voix.

Les paroles susurrées à ses oreilles. Mots complexes, en différentes langues, formules mathématiques.

Ses yeux se révulsent et soudain, il n'est plus là.

La morgue disparaît, happée par un kaléidoscope lumineux.

Noah ouvre les paupières, sa joue est collée à la vitre de la portière arrière d'une voiture. Celle-ci vient de quitter la route et s'engage sur un chemin en gravier. Il aperçoit un grand manoir victorien dominer un vaste parterre à la pelouse parfaitement entretenue.

D'un coup d'œil dans le rétroviseur intérieur, il identifie le conducteur. C'est Antonio Da Silva, en plus jeune.

Le passager avant se penche vers l'autoradio, éjecte une cassette et la retourne.

Il le reconnaît. Timothy Carter, jeune lui aussi.

Les premières notes de musique synthétique crachées par les haut-parleurs lui sont familières.

Timothy se tourne vers lui.

— On est arrivés, gamin, c'est ta nouvelle école.

« Just a steel town girl on a Saturday night... »

Ce titre, il le connaît.

... Noah...

Maniac. Un hit des années quatre-vingt.

... Noah...

Il se réveille en tremblant.

— Noah, ça va ? Je t'ai entendu hurler.

Steve est debout et lui tend la main.

— Tu as vu quelque chose ? On dirait une de tes crises !

Noah secoue la tête.

— Non, c'est l'émotion. Tu avais raison Steve, je n'aurais pas dû venir.

Son ami n'a pas à savoir.

Qu'il a recouvré une partie de sa mémoire.

Et qu'il se souvient de l'institut de Peru.

Choc

Elle a beau militer farouchement contre le gaspillage de l'eau, Sophie rêverait de prendre un bain. Après deux jours supplémentaires passés dans l'humidité de sa planque, elle commence à ressentir l'inconfort. Et la fatigue. Pas moyen de fermer l'œil, et puis il y a encore tant de recherches à faire. Surtout depuis que Tremblay lui a posté son dossier sur leur forum privé du Darknet.

Non seulement elle ne revient toujours pas de ce qu'elle y a découvert, mais sa méfiance vient de monter d'un cran.

Mais là, il est temps de faire une pause, la faim parasite son cerveau et l'empêche d'avoir les idées claires. Sophie s'apprête à se lever lorsque la porte s'ouvre en grinçant.

Par réflexe, elle rabat l'écran de l'ordinateur portable, puis elle tend sa main vers le pistolet posé juste à côté.

Quelqu'un dévale les marches. Le pas est léger, rapide.

Sophie enserre la crosse, son doigt effleure la gâchette.

Une fine silhouette émerge de l'ombre, le visage de Clémence apparaît sous la faible lumière de l'ampoule.

Sophie lâche un soupir et repose le pistolet.

— Ça va ? On dirait que t'as vu un fantôme !

— C'est… cette cave, je suis sur les nerfs… et je ne t'attendais pas de sitôt, pour être franche.

Clémence tire ses cheveux et les noue avec un élastique.

— Si tôt ? Il va être 23 heures !

Puis elle renifle et ajoute :

— C'est moi ou ça sent le brûlé ?

Sophie acquiesce d'un hochement de tête.

— C'est le convecteur, c'est un vieux modèle, je pourrais même m'en servir comme grille-pain. Mais sans ce truc, je serais déjà figée dans la glace. Tu es venue pourquoi, au juste ?

— Il fallait que je te voie, je pense tenir quelque chose sur le symbole que Noah a remarqué sur les tests de QI. Je voulais lui en toucher un mot, mais il est injoignable. Ça te dérange si je reste un peu pour qu'on en discute ? Et t'inquiète, personne ne m'a suivie.

De la compagnie ? Comment refuser ? Rester dans cet endroit sordide seule avec un PC va la rendre folle. Encore quelques jours et elle l'appellera Toshiba et se mettra à lui raconter sa vie.

Et pas de Grumpy non plus pour venir se lover sur ses cuisses ou dessiner des huit autour de ses mollets.

— Non, et ça tombe bien que tu sois là. J'ai aussi quelque chose à te montrer, un truc vraiment louche.

Sophie désigne une chaise de camping.

Clémence la saisit par le dossier, la fait racler sur le sol en béton et prend place à côté d'elle.

— Tu t'en sors ? Pas trop dur, la cavale ?

— Le grand luxe, comme tu peux le voir. Une table de camping branlante, quelques chaises, un radiateur des années cinquante qui risque de faire sauter les plombs, une cave humide, et je t'avoue que je prendrais bien une douche aussi. Mais je ne me plains pas, et merci pour l'aide.

Sophie désigne les quelques salades et plats à base de tofu entassés sur un buffet en bois couvert de poussière.

Clémence hausse les épaules et la fixe.

— De rien. Je peux être franche avec toi ? demande-t-elle.

Sophie hoche la tête.

— La première impression que tu donnes est celle d'une fille à papa. Tu sais, le genre qui se rebelle et qui joue au casse-cou, mais qui aura toujours un parachute doré pour lui garantir un atterrissage en douceur. Mais tu commences à faire mentir cette image que j'avais de toi, t'as du cran. Si je t'aide, c'est que je t'apprécie et que je pense que tu peux être utile.

Sophie reste silencieuse. Encore une qui l'a jugée à l'emporte-pièce parce qu'elle a le look d'une fille bien sage ou parce que son père est un général de l'armée. Ils ignorent tout d'elle, de son enfance, des épreuves qu'elle a traversées auprès de son frère. Mais elle apprécie sa franchise.

— Comme tu peux le constater, le parachute Lavallée ne s'est pas ouvert et j'ai bien failli m'écraser.

Clémence ne relève pas et sourit.

— Alors qui commence ? lui dit-elle avec une lueur de défi dans le regard.

Sophie ouvre le PC.

— Vas-y en premier. Ton histoire de symbole m'intéresse. J'ai fait quelques recherches de mon côté, je suis curieuse de savoir ce que tu as trouvé.

Clémence sort un élastique de la poche de son jean.

— OK, alors je suis partie de la symbolique du logo sur les tests de QI. Le corbeau. C'est un animal qui symbolise la magie, le pouvoir, mais aussi l'intelligence. Perso, j'aurais opté pour un œil ou un triangle, mais passons. Plusieurs sociétés utilisent le corbeau comme logo. Raven Software ou encore Raven Industries, par exemple. Pour en trouver une en rapport avec le QI, j'ai dû gratter un peu et j'ai trouvé la trace d'une entreprise spécialisée dans le dépistage et l'accompagnement des enfants surdoués : Raven School. Ils proposent un programme pour les parents et un suivi psychologique pour les enfants surdoués. J'aurais pu m'arrêter là. Mais j'ai creusé un peu plus. Et tiens-toi bien, Raven School a été fondée au début des années soixante-dix par Esther Grady.

— La prof de Duval et Weinberger à McGill ! s'exclame Sophie.

Puis elle ajoute :

— Stephen Cadwell soupçonnait Amy Williams d'être une surdouée. Et d'après Noah, elle était dans la cave du Révérend. Peut-être a-t-elle passé ces tests aussi chez les Cadwell.

Clémence hoche la tête et fait claquer l'élastique.

— Oui, cela concorde. La fille aurait passé des tests, aurait été repérée suite à ses résultats…

— Et conduite chez le Révérend avec d'autres enfants pour être intégrée à leur programme, conclut Sophie.

— En revanche, une chose me chiffonne, répond Clémence. Je ne suis pas une spécialiste, mais le projet Monarch ciblait plutôt des individus faibles et malléables. Pourquoi aller chercher des QI surdéveloppés si c'est pour en faire des robots ?

— Je n'ai pas toutes les réponses. Peut-être s'agit-il d'un autre projet ? Il est difficile de dire de combien de sous-projets MK-Ultra était composé. Plus de cent cinquante, mais la plupart des documents ont été détruits par la CIA. D'ailleurs, en parlant de ça, je suppose que tu n'as pas vu le message laissé par ton oncle sur notre forum privé ?

Au regard que Clémence lui adresse, Sophie comprend que non.

En quelques clics, elle accède au forum.

Bernard Tremblay a posté des centaines de pages, des noms, des photos.

— Regarde, ton oncle soupçonne ses supérieurs d'être impliqués dans une affaire qu'il pense pouvoir relier à MK-Ultra et il a monté un dossier. Il veut que je le diffuse le moment venu, mais ce n'est pas tout. Regarde ce qu'il a trouvé d'autre. Une photo prise par un passant, un peu avant l'assassinat d'un journaliste canadien à Québec.

Sophie clique sur une photo en pièce jointe. On y voit un homme brandir un pistolet dans une foule et pointer son arme vers un autre.

— Regarde bien. Là, dans la foule.

Un homme habillé en costume observe la scène.

Les yeux de Clémence s'écarquillent et sa bouche s'ouvre comme celle d'un poisson prêt à gober une mouche.

— Oh putain, lâche-t-elle.

Exécration

Noah n'a jamais tiré sur personne.

Il abhorre la violence sous toutes ses formes, mais il la comprend.

Comment pourrait-il en être autrement ? Il l'a si souvent côtoyée et vue se manifester tout au long de sa carrière. C'est son quotidien d'en étudier les symptômes, de la décrypter sur les blessures, de la lire sur les faciès, de la déceler dans les regards.

Pour autant, elle lui reste étrangère, comme une voisine qu'il croiserait tous les jours, dont il connaîtrait toutes les habitudes et les manies, mais à laquelle il n'aurait jamais adressé la parole. Alors il s'est toujours demandé ce que pouvait ressentir Steve lorsqu'il explosait de colère suite à une remarque. Ce qui se passait dans son corps lorsqu'il faisait valser les tasses ou bien écrasait les canettes en fer et les lançait sur les murs. Quelle était l'origine de ce raz de marée, ce tsunami qui pouvait balayer d'un coup tout ce que la raison pouvait construire, échafauder ?

Hormis ses crises, qu'il impute à sa médication ou bien à sa tumeur, Noah a toujours su garder le contrôle sur ses émotions.

Aucun débordement. Aucune manifestation de haine.

Jusqu'à aujourd'hui.

Son esprit est loin d'être un lac tranquille et il y a bien plus que des cercles à la surface de l'eau. Des bulles éclatent et, dans les profondeurs, le sol se fissure et un volcan menace d'entrer en éruption.

Pourquoi maintenant ? Pourquoi ressent-il cette envie de tuer ? Cette rage sourde qui le consume peu à peu, cette soif de vengeance ? La seule chose qui pourrait lui donner satisfaction, c'est d'ôter la vie à ce monstre. Le faire payer pour lui avoir par deux fois volé sa lumière.

Est-ce l'Autre qui le pousse ? Est-ce de cette façon qu'il va sortir de sa chrysalide, en la déchirant ?

Et fallait-il qu'il soit privé de sa lumière pour qu'il soit enfanté par les ténèbres ?

Noah sort de son holster l'arme de poing posée sur la table de la cuisine.

Non, Noah n'a jamais tiré sur personne.

Pas même sur une cible d'entraînement.

Et pourtant, grâce à la souplesse de la législation de l'État du Vermont, le voici en possession d'un pistolet, un Beretta. Et il est déterminé à s'en servir.

Un modèle fiable, lui a assuré le vendeur, un grand type en treillis militaire et débardeur kaki qui avait dû abuser des stéroïdes.

« Beaucoup ne jurent que par les Glock. Mais moi, je vous conseille le 92FS », avait-il ajouté en ponctuant sa phrase d'un clin d'œil complice.

Peut-être que ce type avait déjà tué. Des animaux, peut-être même un homme qui aurait cherché à l'agresser.

Noah saisit une poignée de balles et les insère une à une dans le chargeur. Une fois rempli, il le fait coulisser dans la crosse et le ferme d'un claquement de paume.

Il le pointe en direction de la porte d'entrée. Son bras tremble, mais il parvient à se stabiliser en s'aidant de son autre bras.

Noah répète le mouvement deux fois, puis range l'arme chargée dans son holster.

Qu'espères-tu, Noah ? Éliminer le tueur ? Dans ton état ?

À distance, non.

Mais à bout portant, c'est une autre histoire.

Il suffit qu'il s'approche de quelques mètres seulement. Ça, et l'élément de surprise.

Tu te prétends mon ami ? Tu prétends me connaître ? On verra ça, fumier.

Noah consulte une dernière fois l'adresse à l'écran.

15 Howard Drive, Peru.

L'institut – ou plutôt ce qu'il en reste – est à une heure et demie de chez lui.

Et il n'a pas de raison d'ignorer le message du tueur.

Mensonge.

Il ne sait pas ce qui l'attend au juste là-bas. Mais il sait qu'il doit y aller seul.

Il n'embarquera personne avec lui, cette fois. Il ne se fait plus confiance.

Peu importe ce qu'il lui arrive.

Il n'a plus rien à perdre.

Noah compose le numéro du taxi.

Rencontres

Bernard avance sur le sable rigidifié par le givre, les étoiles qui scintillent dans un ciel noir d'encre se reflètent dans les eaux chromées du lac agité par les vents.

Il grimace sous l'assaut des rafales glacées qui lui flagellent les joues et le nez.

Steve l'attend. Le flic mastodonte est accoudé à une chaise de maître-nageur rouge. Il se bat contre la tourmente pour allumer une cigarette avec son briquet.

Alors qu'il avance vers la berge, le lieutenant l'aperçoit et lève la main afin de signaler sa présence.

Bernard sourit.

Geste inutile, pense-t-il. L'Américain n'est pas le genre de personne à passer inaperçu, même en pleine nuit.

— Ah, inspecteur Tremblay, vous êtes pile à l'heure.

— Bonsoir, lieutenant Raymond, vous allez peut-être m'expliquer pourquoi avoir choisi une plage comme lieu de rencontre ?

Steve lève son index pour lui signifier de patienter, puis bataille une fois encore avec son briquet. Il place la paume de sa main pour s'isoler du vent, actionne plusieurs fois la molette, mais renonce après quelques tentatives.

— Plus de gaz. J'aurais dû prendre un Zippo, mais bordel, je n'avais pas vraiment prévu de fumer, en fait.

Bernard reste impassible, il analyse son interlocuteur. Il remarque son regard de biais, ses pieds qui tapent sur le sol, ses gestes saccadés.

Pourquoi tant de nervosité ?

— Pourquoi au bord d'un lac ? Pourquoi pas au poste ou dans un bar ?

— Oh, mais ce n'est pas un simple lac. C'est le lac Champlain. J'ai passé toute mon enfance ici.

Il pointe la rangée d'arbres qui s'intercale entre la plage et le parking.

— Regardez, c'est ici que j'ai baisé ma première nana. Tracy Mason. Pas de quoi me glorifier, elle avait le feu au cul et avait déjà déniaisé la plupart de mes potes, et c'était l'officielle de mon meilleur ami à l'époque. Mais bon, après quelques bières, ce genre de considération disparaît assez vite. Et bordel, comment je pourrais oublier ? C'était mon premier coït, et paf, manque de bol, j'ai le frein qui lâche. Je ne sais pas, peut-être qu'elle n'était pas assez lubrifiée ou bien qu'un grain me l'avait râpé. Mais putain, je m'en souviens comme si c'était hier, quelques va-et-vient et une sensation humide. Fallait voir la déception sur son visage, elle a cru que j'avais déjà joui. Quand je me suis retiré, du sang a giclé par petits jets sur le sable et je lui ai aspergé son t-shirt. Un putain de carnage, et Tracy a hurlé d'épouvante. Bordel, elle a cru qu'un bout de mon engin se trouvait encore entre ses cuisses.

Il rit et coince la cigarette à la commissure de ses lèvres.

Bernard esquisse poliment un sourire et sort son briquet à pipe. Steve tend sa cigarette et plisse les yeux.

— Merci.

Il regarde triomphalement l'objet de son désir, puis il inspire une bouffée, bascule sa tête en arrière en fermant ses paupières, et laisse sortir la fumée par ses narines.

— Bordel, ça fait cinq ans que j'ai arrêté la clope. Je ne me rappelais plus à quel point la première taffe était dégueulasse. Et le pire, c'est qu'avec un père qui a un trou dans la gorge, ça aurait dû me calmer, mais non. C'est le stress, Tremblay. Ce putain de stress. Je n'ai même pas cinquante ans et je me sens sur le point de caner.

De l'agitation, de la nervosité encore. Pourquoi Steve s'épanche-t-il autant sur sa vie ?

— Je sais ce que c'est, je connais le métier, lieutenant Raymond. Mais vous n'avez pas répondu à ma question. Pourquoi ici ?

Steve hausse les épaules.

— Par mesure de précaution, Tremblay. Pour nous isoler, pour parler librement. Votre message, votre ton… vous m'avez fait peur avec vos histoires. Alors, ici on est tranquilles, vous ne trouvez pas ?

Tranquilles ? Pas vraiment. Isolés, c'est certain.

— Merde, vous m'avez quand même bien dit de n'en parler à personne, même pas à la police. Bordel, je suis la police, Tremblay. Qu'est-ce que je suis censé comprendre ? Qu'il y a des fuites ? Bref, ici vous pouvez me parler, vous pouvez me hurler dessus si ça vous chante. À cette saison, y a même plus une mouette pour nous entendre et les jeunes d'aujourd'hui sont bien trop frileux pour aller venir faire des fêtes sur la plage.

Bernard enfile les mains dans son blouson. Sa main droite se pose sur la crosse de son Glock, la gauche sur son téléphone.

— Bien, je n'ai pas l'intention d'être long, et oui je suis méfiant et je ne voulais pas en parler au téléphone. Croyez-moi, je me serais bien passé de ce rendez-vous nocturne. Ne nous cachons pas la vérité, on ne s'apprécie pas. Mais même si nous sommes partis du mauvais pied, nous avons un objectif commun. Résoudre cette affaire. Trouver le tueur (*et écrouer ceux qui jouent aux marionnettistes avec de pauvres gens, voudrait-il ajouter*). Je sais que vous êtes relégué au second plan et que le FBI a repris la balle au vol, eh bien moi c'est pareil, la GRC a mis son grain de sel et a repris le flambeau. Mais je n'ai pas lâché, pas cette fois. Et mieux que ça, je peux relier cette histoire à une de mes anciennes affaires qui n'a pas pu aboutir, car on m'avait déjà muselé à l'époque.

Steve tire une large bouffée et expulse la fumée en toussant.

— Et qu'est-ce que j'ai à voir là-dedans ?

Bernard marque une courte pause. C'est là qu'il faut jouer serré. Raymond n'est pas censé être au courant pour MK-Ultra, et encore moins pour les « infidélités » de Noah.

— Il y a huit ans, j'étais sur une affaire. Un journaliste, un gars d'Ottawa, s'était fait tuer par un taré armé d'un flingue dans le quartier du Petit Champlain à Québec, et ce en plein été, en pleine saison touristique. Cela aurait pu être une simple affaire d'homicide, mais tout s'est compliqué. Déjà, le type était un touriste américain originaire du Vermont. Et puis, il n'a pas cessé de nier son geste, de répéter qu'il ne comprenait pas pourquoi il avait tiré, qu'il n'avait même pas d'arme. Évidemment, cela frisait le ridicule, on avait des témoins à la pelle, des empreintes et même des photos prises par des passants.

— Bordel, je me souviens de cette affaire, le gars a été condamné chez nous, il est encore en train de croupir en cellule si je ne m'abuse.

Bernard confirme d'un hochement de tête et poursuit. Il doit hausser le ton en raison des fortes rafales.

— Et pendant que les procédures d'extradition étaient lancées, moi j'ai continué de creuser. Le type avait des antécédents psychiatriques et avait été traité au Vermont State Hospital en 2007. Et puis il y avait la victime, Michael Briggs, qui était un journaliste d'investigation, et pas du genre à avoir sa langue dans sa poche. J'allais continuer à enquêter sur Briggs, sur ses contacts, sur les menaces qu'il aurait pu recevoir. Mais on m'a retiré le dossier. La GRC et le directeur de la SQ ont fait pression. À l'époque, j'ai fermé ma gueule. Pour ma carrière.

— OK, triste pour vous, Tremblay, mais je répète, quel est le foutu rapport avec moi et notre affaire de tueur qui, je le rappelle au cas où vous n'auriez pas suivi le film, n'est plus entre nos mains ?

Le téléphone vibre et sonne dans sa poche.

— Vous ne répondez pas ?

Bernard ignore la question, ainsi que l'appel qui persiste.

— J'ai besoin de savoir qui a récupéré cette affaire du côté américain, qui pouvait être impliqué, qui…

— Stop, Tremblay. Pourquoi je ferais ça ? Je répète, car vous êtes obtus : quel est le foutu rapport avec notre enquête ?

Bernard sourit. La réaction de Raymond est prévisible, après tout.

Il sort l'image qu'il a imprimée et la lui tend.

Steve la prend en main et aspire sur sa cigarette. Son visage grimace sous la lueur rougeoyante.

— Merde, lâche-t-il.

Le téléphone vibre à nouveau.

Cette fois-ci, Tremblay répond.

Révélations

Sophie attend que Clémence se manifeste, mais son regard est resté fixé sur l'image, elle pourrait presque l'entendre réfléchir. Ses doigts squelettiques jouent avec les deux élastiques, elle a coincé sa lèvre supérieure entre ses dents.

— Noah Wallace, finit-elle par dire, presque dans un murmure.

Sophie acquiesce d'un lent mouvement de la tête.

— Oui, c'est bien lui, plus jeune, le visage plus dur, pas la même coupe de cheveux, mais aucun doute possible.

— Mais comment ? souffle Clémence.

La question est d'abord destinée à elle-même. Ses yeux sont toujours rivés sur la photographie. Ses mains décrivent des moulinets rapides, ses zygomatiques s'agitent.

— Je me suis demandé pourquoi, moi aussi, répond Sophie. Cela ne peut pas être le fruit du hasard. Pas avec ce que l'on sait sur lui et sur sa connexion avec le tueur.

— Pour moi, deux scénarios sont possibles. Le premier, c'est que Noah nous ment depuis le début.

Il travaille de concert avec la CIA et fait partie des acteurs du projet MK-Ultra. Le deuxième, le plus probable, est qu'il est manipulé, sous contrôle. Sauf que cela ne colle pas avec ce que j'ai sous les yeux, puisque ce n'est pas lui qui tire. Il y a forcément une logique, il faut étudier le dossier expédié par mon oncle pour en apprendre plus.

— C'est à ça que j'ai consacré mon temps, Clémence. Le dossier monté par ton oncle est solide.On peut facilement le connecter à MK-Ultra. C'est encore l'histoire d'un pauvre type utilisé pour commettre un meurtre. Un fusible. D'après ce qui est écrit, le tueur était un touriste américain, souffrant de schizophrénie. Ton oncle a été stoppé dans ses investigations, mais il a néanmoins réussi à collecter des informations à son sujet. Et parmi les plus troublantes, le type a été interné au Vermont State Hospital en 2007. Mieux encore, Weinberger y officiait toujours à cette époque.

— Une fois de plus, on retrouve la même clique. Weinberger, Duval. Et la victime ? Ils devaient avoir une raison de l'éliminer.

— Ton oncle a aussi enquêté sur lui. Mais il n'a pu formuler que des hypothèses. Je n'ai pas tout lu, car il y a trop de données à analyser. En revanche, je sais que le type vivait à Ottawa et que son appartement a été cambriolé la veille de sa mort. À mon avis, il devait détenir des informations compromettantes et a été éliminé pour cela.

— Le schizophrène en tueur manipulé, le journaliste en victime. Quel rôle pouvait donc avoir Noah ?

— C'est un mystère, justement. J'avais déjà fait des recherches sur Noah Wallace avant de devoir partir en cavale. On ne trouve rien sur lui, juste des choses banales. Doctorat à vingt-deux ans, enseigne à l'université de Pennsylvanie, quelques ouvrages sur le *profiling*, mais pour le reste, rien. Pas même une photo dans un trombinoscope. C'est plus facile quand une personne possède un compte Facebook ou Twitter. Pour autant, je ne me suis pas laissée abattre. J'ai choisi un autre angle : Margaret Connelly. Et c'est là que cela devient intéressant.

Clémence se détourne de la photographie. Ses yeux se plissent et un sourire fleurit sur ses fines lèvres.

Sophie a réussi à capter son attention.

— Premier fait troublant : Maggie a été infirmière au Vermont State Hospital. En revanche, elle n'y travaillait plus l'année de son accident. Elle avait démissionné trois mois auparavant. Aucune trace d'un mariage, c'était donc plus sa petite amie que sa femme. Et difficile de dire depuis combien de temps ils étaient en couple, le compte Facebook de Maggie a été supprimé. J'ai pu retrouver quelques amies et accéder à leur profil public. Il y a quelques allusions à sa rencontre avec Noah, et bien sûr des messages de condoléances après l'accident. Dans l'idéal, il faudrait aller voir du côté de la famille et des amis proches. J'ai fait une liste, peut-être pourrais-tu t'en charger ?

Clémence a les yeux fixés sur elle mais ne la regarde pas, elle observe un silence, fait claquer un élastique et le pose sur la table de camping.

— Si Noah est contrôlé, j'ai du mal à imaginer qu'il puisse avoir eu une vie normale. Il doit forcément y avoir eu des garde-fous, des gens pour le surveiller. D'ailleurs, lui-même pense qu'il est une personne différente de celle qu'il était avant son accident. Il l'appelle l'Autre.

— Justement, parlons-en de l'accident, poursuit Sophie.

Le sourire imprimé sur le visage de Clémence s'élargit davantage.

— Si ton but était de m'impressionner, je crois que tu as réussi. Tu as trouvé quelque chose de louche ?

— Je ne sais pas trop quoi en penser. Cela concerne Steve Raymond, en fait. Tu vois son gabarit, plutôt bien en chair, la tête ronde et rouge. Eh bien, il y a cinq ans, avant l'accident, il était plutôt athlétique. Genre il avait toujours le cou taurin et sa tête de buffle, mais plus dans le genre bodybuilder que sumotori.

Clémence hausse les épaules.

— Mouais, rien d'étonnant. Avec un ami entre la vie et la mort, il a peut-être déprimé. La prise de poids est fréquente dans ces cas-là.

— Probable, et il y a sans doute du vrai dans ce que tu dis. Mais je pense que c'est plutôt dû à ses séquelles, car apparemment, il a morflé aussi.

— Attends, je ne te suis plus. On parle toujours de Steve ?

— Oui, de son accident. Steve et Noah étaient les seuls survivants et…

Clémence lève son index et l'agite comme si elle le faisait taper contre un mur invisible.

— Non, non, non. Steve n'était pas dans l'accident. Ça ne colle pas, rétorque Clémence.

— Comment ça ?

— Pendant une réunion à Lac-Beauport, Noah nous a raconté son histoire. Il se rappelle que le tueur avait embarqué sa femme – Maggie –, et qu'il l'avait pris en chasse. À l'issue de sa course-poursuite, sa femme et le tueur seraient morts et Noah gravement blessé. Steve n'était pas du tout impliqué dans le récit. De plus il était présent pendant que Noah nous racontait son histoire, et il n'a rien relevé. Pourquoi avoir menti ?

— Regarde.

Sophie navigue vers un article et le pointe du doigt.

— Tu vois, par exemple, cet article mentionne bien quatre personnes. Deux morts et deux rescapés. Et attends, ce n'est pas fini.

En quelques clics de souris, elle se retrouve sur la page Facebook d'un collègue de Steve. Elle remonte l'historique jusqu'à 2011.

— «Bon rétablissement l'ami. Courage, tu nous manques », bla bla… Bon, c'est un des seuls que j'ai pu trouver et je suis étonnée que des journaux comme le *Vermont Daily News* ou le *Burlington Free Press* n'aient rien relayé. On parle juste de la mort du Démon du Vermont dans une course-poursuite, sans mentionner les détails de l'accident.

— C'est quand même étrange qu'on ne retrouve rien dans les archives des journaux, sauf si…

— … on veut cacher la vérité. Mais pourquoi ? Je veux dire en quoi le fait que Steve…

Les deux filles s'observent en silence.

— Et si… lâche Clémence.

— … on voulait maintenir Noah dans le mensonge, empêcher qu'il se rappelle cette nuit-là ? Cela colle avec la théorie du contrôle, non ?

Sophie hoche la tête et ajoute :

— Si c'est le cas, cela signifie également que Steve est complice. Sinon, pourquoi ne lui révèlerait-il pas la vérité ?

Sophie blêmit, et ses yeux s'écarquillent.

— Un problème ? interroge Clémence.

— Ton oncle. Il a rendez-vous avec lui. Il a laissé un message sur le forum, il est censé rencontrer Steve et venir nous voir après. Il t'a mentionnée également dans le message. Tu n'es pas au courant ?

— J'ai oublié mon cellulaire dans ma voiture, elle est garée à une quinzaine de minutes d'ici. Si ce que tu dis est vrai, il faut le prévenir tout de suite.

Sophie considère ses options. Elle a bien un nouveau téléphone, mais si Bernard Tremblay est sous surveillance, un appel risquerait d'attirer l'attention sur son appareil.

Quel loup allez-vous nourrir, mademoiselle Lavallée ?

Bordel, Cadwell, toujours là à me faire la morale ?

— Clémence, tu le connais par cœur, le numéro de ton oncle ?

Maggie

Bernard raccroche le téléphone et le range d'un geste lent.

C'est bientôt le moment de vérité, sa partie avec Steve va pouvoir commencer.

Il serre sa mâchoire, plonge sa main droite dans la poche de sa veste et empoigne la crosse de son pistolet.

Il sait que tout peut basculer à n'importe quel moment face à un fauve comme Raymond.

À quelques mètres de lui, le flic a toujours les yeux rivés sur la photographie. Il la tient à bout de bras, des deux mains. La feuille de papier sur laquelle elle est imprimée se plie et virevolte au gré des rafales. Il ne lit rien sur son visage, pas de surprise, pas de colère. Aucune émotion.

Bernard revient vers le lieutenant, qui lui tend l'image.

— Vous comptez faire quoi de ce truc, inspecteur Tremblay ? demande-t-il.

— C'est à vous qu'il faut le demander. C'est vous le flic du Vermont, pas moi. Et c'est votre collègue que l'on voit sur cette photographie, pas le mien.

Les traits de Steve s'agitent sur son visage couperosé. Il était resté calme jusqu'alors, mais Bernard perçoit les prémices de la colère dans les remous.

— Vous voulez quoi au juste, Tremblay ? Vous êtes là, à me demander mon aide, et vous me balancez une image de Noah Wallace. Et elle date de quand, votre affaire ? Huit ans ? On était donc en 2008. Je ne le connaissais pas à cette époque.

— Et cela ne vous intrigue pas, même un petit peu, de savoir que votre ancien collègue était présent précisément à cet endroit, pile au moment où le journaliste s'est pris une balle en pleine tête, abattu par un type à qui on avait lavé le cerveau ?

Steve a toujours le bras tendu, la photo à la main. Bernard ne fait aucun geste pour la prendre. Sa main n'a pas quitté la crosse de son pistolet.

C'est le moment d'avancer quelques pions, estime-t-il.

— Vous savez, Noah pense qu'il n'est pas vraiment lui-même, qu'une deuxième personnalité est enfouie dans son esprit. Il l'appelle l'Autre.

Les yeux de Steve grossissent, il serre les dents.

— Il a passé pas loin d'un an à l'hôpital. Quand je l'ai revu la première fois, il balbutiait et éructait des mots, des phrases sans queue ni tête, il pissait dans un haricot en métal et hurlait en bavant, bordel de merde ! Ce type avait le cerveau en compote ! Évidemment qu'il n'est plus le même. Mais putain, je l'ai aussi vu se redresser, se remettre sur pied, et même s'il n'est plus l'homme que j'ai connu, il reste brillant. Plus que moi… Plus que vous !

Presque à point. Il sera bientôt prêt, observe Bernard.

Tremblay secoue la tête.

— J'ai eu l'occasion de lui parler, vous savez. La mémoire lui revient petit à petit, il sait qu'il a été traité par le docteur Weinberger durant son enfance. Vous vous souvenez de lui ? L'une des victimes que l'on a retrouvées ?

— Trevor Weinberger ? La victime du Démon ? Franchement, je ne sais pas de quoi vous parlez, Tremblay. En fait, vous avez l'air d'en connaître plus sur Noah que moi.

Il a l'air sincère, constate Bernard. Mais sa tension a augmenté d'un cran.

C'est peut-être le moment d'y aller au bluff et de lâcher ce que Sophie vient de lui apprendre.

— Et aussi… il sait… pour l'accident. Pour Maggie. Et… pour vous.

Steve ouvre la bouche, une lueur fugace – un doute – traverse ses yeux.

Il lâche la feuille. Elle s'envole, balayée par le vent.

Puis il ricane. Un rire sec, nerveux.

— Vous devez me prendre pour un imbécile, Tremblay. Oh, pas la peine de le nier, je le vois dans votre regard. J'imagine très bien ce que vous pensez de moi. Colérique, têtu, imbécile… et vous vous demandez comment j'ai fini lieutenant.

Bernard reste silencieux. Il le toise, il tente de lire sur son visage, cherche à anticiper la moindre de ses réactions.

— Et là, vous vous dites : prenons encore une fois ce bon vieux Steve pour l'abruti qu'il est. C'est un Américain en plus, con par définition, par essence même. Sa culture doit se limiter à quelques épisodes

des Simpson ou d'*American Dad*, devant lesquels il doit s'empiffrer de hamburgers et de pizzas. Le genre à boire de la Budweiser le matin et noyer son chagrin dans un bourbon bon marché le soir. Tellement paumé qu'il doit pleurer sa solitude à chaudes larmes, parce que ce gros porc dégueulasse n'est pas capable d'avoir une foutue vie de couple. Putain de Canadien condescendant !

Bernard ne bouge toujours pas. Il laisse le pus s'écouler de l'abcès.

— J'ai un scoop. C'est vous l'idiot, Tremblay. Vous croyez que je ne vous vois pas venir ? La main crispée sur votre flingue ! Vos manœuvres à la con pour me faire parler. Vous pensez être le seul flic ici ? Le seul capable de réfléchir ? D'observer ? Vous vous pensez intelligent, vous l'êtes sûrement d'ailleurs, mais vous êtes aussi un putain de livre ouvert. Vous voulez me faire dire quoi, au juste ? Pourquoi ne pas simplement poser votre question ? Plutôt que de me faire vos prises de kung-fu mental avec votre air de rapace supérieur. Espèce d'hypocrite !

— Je veux juste défaire les nœuds, monsieur Raymond. Et vous avez tort, je ne vous prends pas pour un imbécile, même si je confesse volontiers que c'est l'impression que vous m'avez donnée à notre première rencontre. Non, je pense plutôt que vous utilisez et entretenez cette image pour leurrer votre entourage. C'est pour cette raison que je pointe bien une arme sur vous. Car je ne vous fais pas confiance.

— Réfléchissez, Tremblay, je suis lieutenant de police. Vous me menacez. Vous…

— Je n'ai rien à perdre, coupe Bernard. Vous avez vu ma tête ? Je suis bon pour le musée Grévin. Ma femme croit que je vais m'en sortir avec une opération miracle, mais j'ai déjà un pied dans la tombe. Alors vu que je pense que vous n'êtes pas innocent, je n'aurai aucun scrupule à tirer. Et ça, ce n'est pas du bluff.

La colère quitte peu à peu le visage de Steve, remplacée par l'amertume.

— Je suis désolé de l'apprendre, inspecteur. Un cancer, j'imagine ? Foutue maladie… Pensez de moi ce que vous voulez, Tremblay, mais je ne suis pas le salaud que vous croyez. Tout ce que j'ai fait… c'est pour mon père. Un homme à qui je dois tout, qui nous a élevés seul, quitte à cumuler plusieurs emplois pour nous mettre de la bouffe dans l'assiette, à moi et à mon ingrat de frère. Un homme qui a été attaqué, mais qui s'est défendu et a combattu ce foutu crabe pendant des années, avec pour seule aide ce bon vieux Steve qui s'est ruiné pour que son brave papa survive à la maladie, tandis que son parasite de frangin dilapidait son fric mal acquis. Et pendant qu'il sniffait de la cocaïne entre les seins de ses pouffiasses, j'étais dans les toilettes à tenir la tête du paternel qui dégobillait sa chimio. Il a fini par le battre, mais le crabe est revenu et s'est logé dans sa gorge. Sauf que là, j'étais rincé, je n'avais plus un sou. Alors quand un type de la CIA m'a contacté pour me proposer un deal, j'y ai vu un signe de la providence, et j'ai accepté sans savoir que…

Steve marque une pause.

— … sans savoir qu'il y aurait un prix à payer.

Nous y voilà. Il est mûr.

— Quel deal, Steve ? Je vois bien que vous n'êtes pas quelqu'un de mauvais. Soulagez votre conscience, délestez-vous de ce fardeau.

Le lieutenant ne l'écoute plus. Les larmes embuent ses yeux gonflés, il fixe le sable durci.

— Je savais que Wallace était différent. Déjà, il avait été parachuté dans mon service et mon contact à la CIA m'avait chargé de lui faire des rapports sur la moindre de ses activités et sur la traque du Démon du Vermont. Mais il n'y avait pas que cela. En sa présence, on se sentait petit, minable même. J'avais l'impression d'être à côté d'un extraterrestre, capable de tout décrypter. Et puis de victime en victime, je l'ai vu changer, douter, s'effriter. Au fur et à mesure que l'enquête progressait, les scènes de crime l'affectaient, l'ébranlaient de plus en plus. Évidemment, je mentionnais tout cela dans les rapports que je fournissais à la CIA. Avec le recul, j'aurais dû fermer ma grande gueule. Dans le même temps, je me suis lié d'amitié avec lui. Si l'on faisait abstraction de son côté robot, c'était un drôle de type, bourré d'humour. On a passé de bons moments ensemble. C'est la dernière victime du tueur qui a tout fait basculer. Après l'inspection de cette scène, Noah s'est renfermé et a cessé de collaborer. Je l'ai vu s'éteindre, quelque chose est mort en lui ce jour-là. Quelques jours plus tard, la CIA me disait qu'il était devenu dangereux et qu'il fallait protéger sa femme. Ils m'ont envoyé la chercher. Sur le coup, je n'ai pas cherché à comprendre. Je savais que quelque chose n'était pas clair, mais bon sang, on ne déconne pas avec la CIA, pas vrai ?

— C'était le soir de l'accident, c'est ça ?

Steve Raymond hoche la tête et essuie ses yeux d'un revers de manche.

— Je ne sais pas ce qui s'est réellement passé. J'ai emmené Maggie, elle était paniquée, j'ai dû la traîner jusqu'à ma voiture, mais elle n'a rien fait pour m'en empêcher. Je pense que même elle sentait que quelque chose d'anormal s'était passé. Le reste…

Steve sort une autre cigarette et demande l'aide de Bernard d'un signe de la tête.

Bernard hésite, puis desserre la crosse et tend son briquet.

Raymond inspire une bouffée.

— Noah m'a vu embarquer Maggie. Au départ, je n'avais pas remarqué que quelqu'un était avec lui. Putain, j'aurais dû… arrêter. Mais j'ai écouté les consignes. J'ai fui. L'accident… c'est une putain de perte de contrôle. Je ne sais pas comment je m'en suis sorti. J'étais brisé, fractures multiples, hémorragie, on a dû me désincarcérer de la voiture. Maggie est morte sur le coup. C'est plus tard que j'ai appris que Noah avait aussi eu un accident, provoqué par le mien, et qu'il n'était pas seul dans la voiture. Le tueur était avec lui. Je n'ai aucune idée de ce qui s'est passé. Durant toutes les années qui ont suivi, je me suis dit qu'il devait être sous la menace de ce taré. Mais maintenant, je n'en suis plus sûr.

— J'imagine que la CIA a fait disparaître les preuves.

Steve acquiesce et expulse de la fumée par les narines.

— L'identité du tueur n'a pas été révélée, les rapports d'autopsie ont été falsifiés. J'ai été promu lieutenant pour avoir réussi à attraper le Démon du Vermont. Et j'en ai eu pour des mois de rééducation.

— Pourquoi avoir caché la vérité à Noah et dissimulé votre accident ?

Steve ouvre la bouche, amorce une réponse, puis écarquille les yeux.

— Tremblay, à terre ! hurle-t-il.

Puis il plonge dans le sable.

Bernard fronce les sourcils et ne réagit pas sur le coup.

Mais il virevolte lorsqu'une balle se fiche dans son omoplate gauche.

La douleur, atrocement vive, ne parvient à son cerveau qu'une demi-seconde plus tard.

Il éprouve l'impression que sa peau est en feu puis qu'une décharge lui paralyse le bras.

Il saisit son pistolet, se retourne et cherche son agresseur du regard. Une deuxième balle l'atteint au ventre.

Il recule d'un pas.

Le rythme de son cœur s'accélère.

Il vient de comprendre. Il est touché. Peut-être gravement blessé.

Tremblay a juste le temps d'apercevoir une silhouette au niveau des arbres avant de tomber sur les genoux.

Silencieux, réalise-t-il.

Il passe la main sur son flanc, puis la place sous ses yeux. Elle est poisseuse de sang.

Putain, pourquoi je ne sens rien ? L'adrénaline… Le choc.

Bernard sourit benoîtement, c'est la première fois qu'il se fait tirer dessus en presque trente ans de carrière.

Le monde tourne autour de lui. Sa vision se trouble. Le son des battements de son cœur emplit son crâne.

Tremblay... à terre...

La voix de Steve lui semble lointaine. Un écho.

Une balle fait voler du sable à quelques centimètres. Il reçoit des grains dans l'œil et dans la bouche, il cligne des paupières.

Et la douleur arrive finalement, aiguë, elle irradie dans son bas-ventre, comme si des milliers de couteaux lui labouraient les intestins.

Fuck... je suis mort... je suis...

... Tremblay, bougez votre cul putain !

Steve est allongé, il tend ses bras, vise en direction des bois et tire deux coups de feu.

Bernard est figé, il sent son énergie quitter son corps, il vacille et chute en avant. Sa tête se plaque contre le sol, son nez se fiche dans le sable humide et glacé.

Non... il faut que...

Le téléphone. L'enregistrement. Il veut sortir l'appareil, mais son bras gauche ne répond pas.

La douleur dans l'omoplate irradie dans tout son corps.

— Rampez vers la chaise, hurle Steve.

Le flic progresse à reculons tout en restant allongé – un serpent obèse – et tire une fois de plus. Une balle siffle tout près de ses oreilles et fait jaillir une gerbe de sable.

Tremblay se retourne en ahanant, prend appui sur son coude droit et tente de se diriger vers le flic. Sa douleur au ventre lui arrache une grimace.

Ne fous pas tout en l'air…

Steve est parvenu jusqu'à la chaise, mais elle fait une maigre couverture. Il se met en position accroupie, à peine caché derrière les fines pattes en métal, et cherche sa cible. Son bras fend l'air.

— Où es-tu, sale enculé ?

Bernard réussit enfin à saisir son téléphone. Il faut qu'il télécharge l'enregistrement. Coûte que coûte. Il appuie sur l'icône de l'application Red Onion, puis rejoint le forum privé.

Une balle l'atteint à la cuisse, déchire le tissu musculaire.

Il laisse échapper un hurlement entre ses dents serrées.

Allez Bernard. Encore un effort.

La sueur froide abonde sur son front. Son rythme cardiaque s'affole.

Hémorragie. Je perds mon sang, je vais bientôt crever.

Steve tire une fois de plus.

Tremblay poste l'enregistrement sur le forum. Une goutte de sueur tombe sur l'écran.

Puis il rampe vers le lieutenant, la bave aux lèvres, à la force de son coude. Impossible de se lever, la douleur est trop intense.

Une balle atteint la chaise. Des étincelles jaillissent dans l'obscurité, le tintement du métal résonne dans la nuit.

Un autre projectile est tiré, mais cette fois-ci le bruit de l'impact est sourd, étouffé.

Bernard lève la tête et aperçoit Steve qui lâche son pistolet et agrippe sa gorge à l'aide de ses deux mains, il entend un gargouillis étranglé, puis il voit le sang s'écouler sur ses doigts et par sa bouche. Le flic le regarde, incrédule, avant de s'effondrer.

Bernard consulte l'écran. L'enregistrement est téléchargé.

Bien.

Il mobilise ses dernières forces et lance son téléphone vers le lac.

Puis, vidé, il s'effondre. Son oreille est collée sur le sable froid. Il se sent apaisé, prêt à dormir. Il n'a même plus mal.

Le sol tremble. Il capte les vibrations. Quelqu'un court vers lui.

Les bruits de pas se rapprochent.

Alors que lui s'éloigne déjà.

Les images se succèdent. Par flashs.

Josée qui lui sourit en découpant une part de tarte.

Étienne qui lui sourit et promet de finir son puzzle.

Clémence, inquiète, qui l'appelle tonton Bernie. Et même sa sœur à onze ans, lorsqu'il l'avait sauvée de la noyade.

Le tireur est là, désormais. Bernard pourrait tourner la tête. Voir à quoi ressemble son agresseur, regarder la camarde en face, mais il est trop las, et ses paupières se ferment déjà. Sa vision se trouble.

Et puis un dernier sourire naît sur ses lèvres lorsqu'il voit Steve étendu, son visage mafflu écrasé contre le sable, le regard perdu dans le néant.

Étrangement, la vision du lieutenant plus jeune, gesticulant, avec à la main sa verge qui pisse le sang et arrose le t-shirt d'une fille, s'impose à son esprit.

Il hoquette et sa bouche reste ouverte.

Il sent la pression d'un pied sur son dos. Et entend la culasse d'un pistolet.

Mais il meurt avant que le tueur ne tire.

Figé dans un sourire.

Déréliction

Le taxi est parti depuis quelques minutes déjà.

Noah observe les lieux, immobile. Il tente de faire correspondre ce qu'il a devant les yeux avec les visions et les flashs qu'il a ressentis la nuit précédente.

Pas de doutes, c'est bien cet endroit qu'il a vu lorsqu'il était à la morgue.

Le domaine a bien sûr perdu de sa superbe avec les années. La lourde porte grillagée noire et le panneau Raven Institute ont disparu, les murs qui ceignaient le terrain ont été abattus. Il n'y a plus trace non plus de l'allée en gravier qui serpentait sur une cinquantaine de mètres vers les doubles portes surplombées par un préau monté sur colonnes. La pelouse rase et les parterres fleuris ont cédé leur place aux herbes hautes et rebelles. Les balançoires, les bacs à sable et les tourniquets ont été arrachés à la terre et ne sont plus qu'un vague souvenir.

Les érables sont toujours debout, le saule pleureur, dépouillé de sa parure, évoque une hydre décharnée aux formes torturées.

La bâtisse, immense manoir victorien en bois, trône encore sur ces terres écorchées, mais sa façade est échevelée, toutes les fenêtres sont condamnées par des planches.

L'institut n'est plus qu'une ruine à l'abandon. Pourtant, dans son ombre, il distingue encore les racines noirâtres se gorger des vies qu'il a brisées.

Un vent de biais vient le saisir. Humide et glacé, il s'infiltre jusque dans ses os.

Noah frissonne et regrette de ne pas s'être vêtu plus chaudement ; sa veste imperméable échancrée au col et sa chemise en coton sont un bien maigre rempart contre ce froid hivernal.

La température doit être proche de zéro, les herbes gélives étincellent sous le nimbe d'une lune presque pleine.

Noah décrispe sa main droite engourdie, en fait un poing et la porte à sa bouche. Il souffle dessus à trois reprises pour la réchauffer.

L'autre main s'est déjà lovée dans la tiédeur accueillante de sa poche.

Puis il prend appui sur sa canne et avance vers la demeure.

Il sait que le tueur l'attend là-bas.

D'ailleurs, un sillon est gravé dans les herbes folles.

Quelqu'un a tracé un chemin.

Lorsque Noah progresse, les souvenirs lui viennent par bribes.

Les rires des enfants dans les aires de jeux, le tintement de la cloche qui annonce la fin de la récréation, l'odeur de l'herbe coupée.

Et les pleurs aussi. Les sanglots des enfants que l'on isolait.

L'institut était un monstre à deux têtes. Il ressent autant la joie que la douleur.

Les images et les sons continuent d'affluer, quelques bribes de souvenirs remontent à la surface.

Parvenu devant l'entrée, son cœur se serre.

Que m'est-il arrivé ici ?

Pourquoi ressent-il cette noirceur abyssale le happer comme un trou noir ?

La porte est entrouverte, scellée par une lourde chaîne enroulée autour des doubles poignées.

Mais le cadenas qui les maintient est ouvert.

Près de l'embrasure, quelques cartons humides, canettes de bière et emballages de chips sont éparpillés.

Ce lieu a dû servir de squat, réalise Noah. Depuis combien de temps est-il à l'abandon ?

Noah déroule la chaîne qui tombe à terre dans un bruit métallique, pousse la porte à double battant et s'engouffre dans les entrailles du manoir.

Les gonds grincent.

Une forte odeur de bois vermoulu et de moisissure emplit ses narines.

Noah extirpe la Maglite de la poche de son imperméable et balaie la pièce de son faisceau.

Le vestibule. De nouvelles images lui reviennent en mémoire.

Autrefois, cet espace était luxueux. Aujourd'hui, c'est un spectre écorché, ses murs ont été dépouillés de leurs tentures et tableaux, le lustre en cristal est encore accroché, mais il n'y a plus aucune ampoule et les fils électriques sont apparents.

Le parquet est défoncé, des morceaux de carton et des bâches maculées de boue sont étalés sur le sol.

C'était un lieu de passage, se rappelle-t-il, régulièrement emprunté pour rallier les salles de cours.

Le large escalier en T qui mène à l'étage doit être dangereux à emprunter, désormais. D'ailleurs il l'était déjà à l'époque, se souvient-il. Le tapis rouge qui recouvrait les marches pouvait être un véritable piège pour les pas pressés.

Noah fait quelques pas dans la pièce vide, chassant du bout de sa canne les détritus qui entravent sa progression. Le sol, jonché de morceaux de verre, craque sous ses pieds.

Sur sa droite, il reconnaît un corridor qui menait aux salles de cours.

Il s'arrête après quelques pas. La lumière de la lampe vient de capturer une anomalie dans son rayon.

Noah cligne des paupières et s'avance vers la flèche rouge, bien visible, dessinée sur le mur.

Elle a été peinte, constate-t-il. Elle pointe vers la porte d'en face.

La peinture est sèche, mais…

Il approche son nez.

L'odeur capiteuse ne trompe pas.

Elle a été tracée récemment. Est-ce à son attention ? Oui, forcément.

Il joue avec toi, Noah… Ne rentre pas dans son jeu.

Mais que pourrait-il faire d'autre ?

Hors de question de rebrousser chemin. Il est venu ici pour en finir.

Il glisse la main dans sa poche afin de s'assurer que le pistolet s'y trouve encore, puis il reprend sa marche, s'arrêtant à peine à chaque nouvelle flèche peinte.

Le chemin l'entraîne dans les artères et les veines de l'institut, dans ses corridors hantés, au plus profond de sa déréliction. Là encore, les images se superposent à sa vision, quelques échos et voix se mêlent aux râles des vents qui tourbillonnent et s'engouffrent dans les couloirs, ainsi qu'aux craquements et grincements des planches. Il se souvient d'un salon, de l'âtre de la cheminée, de la cantine.

La Maglite piège une ultime flèche dans son faisceau.

Elle pointe vers le bout du couloir. Derrière l'encadrement d'une porte, il distingue le vacillement d'une lueur jaunâtre qui fait danser les ombres sur les murs mis à vif.

Noah déglutit.

Quelqu'un est ici. Cette mise en scène lui est destinée.

Il fixe le faisceau vers l'encadrement et progresse lentement, en prenant soin de ne pas faire cogner le bout de sa canne sur le plancher.

Parvenu au bout du couloir, il débouche dans une petite pièce. Il ne tarde pas à apercevoir la source lumineuse, quelques cierges posés sur une table de camping.

Il m'attendait. Il doit être là quelque part, à m'observer, à m'épier. Il a fait ça pour moi.

À côté d'une boîte en carton disposée au centre de la table, un encensoir diffuse son parfum.

Une fragrance qu'il ne connaît que trop bien.

La myrrhe.

Une étiquette a été collée sur le couvercle de la boîte.

« Noah ».

Secrets

Sophie tourne une dernière fois le trombone dans la serrure. Un cliquetis métallique, et la porte s'entrouvre.

Clémence pose une main sur son épaule.

— Waow, bravo, c'était vraiment pas l'image que je m'étais faite de toi, commente-t-elle.

Décidément, elle insiste…

— Oui, comme tu peux le constater, les trombones ne servent pas qu'à faire des petits animaux.

Clémence ne réplique pas et se contente de réajuster son bonnet.

Sophie plaque sa main gantée sur la porte et exerce une légère pression, puis elle jette un regard dans l'entrebâillement.

— Sa veste et sa canne ne sont pas accrochées, commente-t-elle. Soit il est parti, soit…

— Ce qui explique certainement pourquoi il ne nous a pas ouvert et que nous en sommes réduites à rentrer chez lui par effraction, ironise Clémence.

Les deux filles passent l'embrasure et Sophie referme délicatement la porte derrière elles.

L'appartement est plongé dans l'obscurité, la lumière diffusée par les lampadaires à l'extérieur de la rue est bloquée par les couvertures qui recouvrent la fenêtre et seul un mince filet éclaire le sol.

Clémence s'apprête à actionner l'interrupteur, mais Sophie lui pose la main sur l'avant-bras.

Elle secoue la tête et murmure :

— Ce n'est pas le moment de nous faire remarquer, il doit bien y avoir quelques lampes de chevet ou lumières indirectes.

— J'ai une idée, réplique Clémence. Puis elle avance vers la cuisine et ouvre la porte du frigo en grand.

La lumière dévoile une table sur laquelle repose un plat de pâtes à moitié mangé.

— Il n'y a pas grand-chose là-dedans, quelques œufs et une bouteille de rouge. Tu veux un verre de vin ?

Sophie secoue la tête.

— Désolée, je veux juste en finir avec cette histoire. Je ne suis même pas sûre que ce soit une bonne idée d'être ici.

Clémence sort le vin et saisit un verre dans l'égouttoir, puis elle se sert généreusement.

— Personnellement, j'ai besoin de savoir. Tu n'es plus la seule à être mouillée jusqu'au cou. Et je…

Clémence s'arrête et prend une gorgée.

Sophie allume les toilettes et revient dans la cuisine.

— Tu voulais me dire quelque chose ?

— Rien d'important.

Elle pose le verre sur la table.

— OK, je vais aller fouiller dans la chambre. Je te laisse le reste, ça te va ? propose Sophie.

— Je prends la porte d'en face, c'est son bureau, j'y suis déjà allée.

Sophie ouvre la porte de la chambre à coucher. Comme le reste de l'appartement, la pièce est plongée dans la pénombre. Sophie actionne l'interrupteur de la lampe de chevet.

L'univers nocturne de Noah se révèle sous la faible lumière de l'abat-jour.

Le lit est défait.

Les draps sont humides, celui de dessous n'est plus accroché au matelas, la plus grande partie de la couverture est à terre.

Il doit suer en abondance et passer des nuits agitées, constate-t-elle.

La pièce est à peine meublée.

Une armoire, une commode et quelques cartons.

Noah vit plutôt sobrement. Ça va aller vite.

Sophie commence sa fouille par la table de chevet, un modèle classique en bois contreplaqué noir.

Elle ouvre un tiroir et y trouve quelques feuilles et des livres.

Sophie en saisit un et l'expose à la lumière.

Du côté de chez Swann, de Marcel Proust, aux éditions Gallimard.

Noah sait lire le français ? Pourquoi pas après tout, c'est bien mon cas aussi.

Normal, tu as vécu au Québec, ma princesse.

Elle le repose puis en pioche un autre.

Un tout autre registre, celui-ci : *Substance Mort*, de Philip K. Dick. Elle connaît l'auteur, elle a déjà vu quelques films tirés de ses œuvres, en revanche ce titre lui est inconnu.

Sophie lit la quatrième de couverture et esquisse un sourire amer. Le récit d'un type qui enquête sur lui-même, une histoire de drogue qui détruit l'identité.

Drôle de coïncidence, se dit-elle.

Elle tique une dernière fois en tombant sur la couverture d'un troisième livre.

Das Parfum, die Geschichte eines Mörders, de Patrick Süskind.

Il connaît l'allemand aussi ? Combien de langues ce type parle-t-il ?

Sophie s'attaque ensuite au reste de la chambre en commençant par la commode.

Les tiroirs recèlent les mêmes paires de chaussettes grises, les mêmes boxers unis noirs.

Noah est aussi coloré qu'une couverture de bible. La fantaisie, ce n'est pas son truc.

Elle finit par l'armoire.

Pantalons noirs, chemises blanches, vestes sombres.

Elle fait coulisser les vêtements sur les cintres et inspecte les quelques boîtes à chaussures. Sans succès.

Elle s'apprête à fermer la porte coulissante, mais s'arrête à mi-parcours.

Elle remarque une bosse qui déforme une pile de chemises, elle glisse sa main et en sort un livre. Elle l'inspecte.

Une étiquette est collée sur la couverture : « Chloé ». C'est un journal intime.

Pourquoi Noah l'aurait-il dissimulé ?

— Sophie, tu devrais venir voir, crie Clémence.

Elle réprime une grimace. Elle pourrait être plus discrète.

Sophie quitte la chambre avec le journal à la main.

Lorsqu'elle rentre dans le bureau, Clémence fait face à un PC portable.

— Il y avait un mot tapé à la machine juste à côté.

Elle lui tend la feuille.

« C'est triste d'oublier un ami.

Tout le monde n'a pas eu un ami. »

Sophie se raidit.

Elle l'a déjà lu ou entendu. Mais où ? Et quand ?

— J'ai fait une recherche rapide, c'est tiré du *Petit Prince* de Saint-Exupéry. Je pense que c'est un mot laissé par le tueur. Sinon, j'ai consulté son historique sur le navigateur et je pense savoir où il est allé. Tout à l'heure, dans la cave, je t'ai parlé de Raven School, tu te souviens ?

— Oui, quand même, je ne suis pas si sotte.

Clémence ne relève pas et continue.

— Il a recherché le 15 Howard Drive, Peru sur Google Maps. J'ai vérifié, et visiblement c'était un institut pour enfants surdoués qui a fermé en 1986. Je n'ai rien trouvé de plus, mais je ne serais pas étonnée de pouvoir le relier à Raven School et aux tests de QI. En tout cas, je ne pense pas que ce soit une simple coïncidence. Ah et aussi, je ne sais pas ce qu'il compte faire, mais il est armé.

Clémence pointe la boîte de munitions posée sur le bureau.

Sophie acquiesce, c'est le même genre de boîte qu'elle avait chez elle ou qu'elle utilisait sur les stands de tir avec son père.

— Du neuf millimètres. Il a dû s'acheter un pistolet, conclut-elle.

— C'est vrai que chez vous, cela s'achète aussi facilement qu'un hamburger.

— Cela dépend des États, mais dans le Vermont, oui, c'est assez facile de s'en procurer. Tu crois qu'il est parti faire quoi au juste, là-bas ?

Clémence se tourne vers elle.

— Boucler la boucle. Je pense qu'il est parti trouver le tueur. Et puis il y a cette date, 1986. L'année où Rebecca Law a tué le garçon en tricycle.

— C'est quoi cette histoire ?

— Je te raconterai en chemin. À moins que tu décides de ne pas venir, mais je pense t'avoir cernée.

Sophie sourit.

— Évidemment que je vais venir.

Puis elle se dirige vers les munitions et glisse quelques balles dans sa poche.

Clémence rabat l'écran du PC.

— Et de ton côté ? Tu as obtenu quelque chose dans la chambre ? demande-t-elle.

— Des livres en version originale. Noah parle plusieurs langues. Français, allemand… Et j'ai trouvé ceci.

Elle lui tend le journal.

— Chloé. C'est… Mince, il a dû trouver ça chez la famille Coté et il ne m'a rien dit. Pourquoi me l'avoir caché ?

Sophie hausse les épaules.

— Tu le connais mieux que moi.

— J'aimerais que ce soit vrai. La vérité, c'est qu'il ne se connaît pas lui-même.

Elle hoche la tête.

— C'est pour cela qu'il est parti à Peru.

— Et c'est pour cela qu'on va l'y retrouver, conclut Clémence.

Controuvé

Noah ôte le couvercle et le pose avec délicatesse.

Il soupèse la boîte.

C'est à la fois épais et lourd.

Il sort les chemises en carton, les photographies, quelques feuilles de papier. Et les dispose sur la table.

À la lueur des flammes vacillantes, il en détaille le contenu. Rapports d'activité, examens médicaux, dossiers militaires. Une partie de sa vie est à portée de sa main, une partie dont il n'a aucun souvenir.

Noah hésite. Le mystère autour de son identité est sur le point de se dissiper et sa curiosité le pousse à parcourir les pages, à s'aventurer sur le chemin de son passé, mais une partie de lui-même résiste et s'accroche à ce semblant de réalité dans lequel il s'est ancré, autour duquel il s'est construit.

Est-ce pour cela que le tueur s'en est pris à Rachel ? Pour lui ôter toute solution de repli ? Toute tentation d'abandonner ?

— C'est réussi, murmure-t-il en prenant entre ses mains les photographies rassemblées à son attention.

La première est ancienne, et les couleurs sont ternies. Elle montre un enfant, vêtu d'un costume d'écolier, il a peut-être cinq ans. De grands yeux verts et tristes perdus dans un visage impassible.

Il est flanqué d'une fille qui doit avoir dans les treize ans et d'un garçon plus âgé encore. Et à genoux devant lui, il y a un autre petit garçon, roux, ses joues constellées de taches de son.

Il reconnaît les plus grands. Ce sont ceux qu'il a visualisés dans la cave de la maison du Révérend. Ils ont quelques années de plus, mais il n'a aucun doute. Ces visages sont gravés dans son esprit.

Le garçon aux yeux verts, c'est lui-même. Impossible de se tromper là-dessus non plus.

Il retourne la photo.

Des inscriptions sont écrites à l'encre bleue sur le verso.

Richard, Amy, Liam, Noah. 1985. Raven Institute, Peru.

Projet : MK-Prodigy.

La mention « Top secret » est estampillée.

J'étais donc bien ici, ces souvenirs sont les miens. Je connaissais Amy Williams.

Comment le tueur a-t-il pu obtenir ce cliché ?

Un courant d'air glacial fait vaciller les flammes, mais elles ne s'éteignent pas.

Une autre photo.

Un jeune homme dans la jungle, en treillis militaire, un fusil M16 en main, un genou posé sur un tronc d'arbre à terre.

C'est lui, encore une fois, mais il ne se reconnaît pas immédiatement. L'expression faciale ne lui ressemble pas. L'homme fixe le photographe avec mépris, son visage est grave.

Est-ce que je suis cet homme-là ?

Il regarde fébrilement les autres clichés, de plus en plus vite. Tous exposent Noah dans différentes situations et tenues. En soldat dans le désert irakien, en smoking lors d'une soirée mondaine en Europe de l'Est. Coupe de cheveux différente, une barbe de temps en temps. Sur certaines, il a l'air joyeux. Sur d'autres, il fait peur à voir.

Ses mains tremblent. Les images qui circulent entre ses doigts sont à la fois hypnotiques et terrifiantes. Aucun de ses souvenirs ne vient corroborer ce qui défile devant ses yeux. Ces moments ne sont pas les siens. C'est comme s'il regardait des instants de vie de parfaits inconnus – sauf que leur visage est le sien.

Sa gorge se serre.

Qui es-tu, Noah Wallace ?

Qui est l'Autre ?

Non.

Qui sont *les* Autres ?

Noah range les photos dans la boîte et s'éponge le front, devenu brûlant.

Il saisit une épaisse liasse de feuilles. Ce sont des rapports. La première chose qu'il remarque, c'est la signature familière. Celle qui figurait sur chacune de ses ordonnances.

Celle de son ancienne psychiatre, le docteur Elizabeth Hall.

Mensonge.

Chacune de leurs séances est décrite minutieusement.

Noah fait glisser son index sur quelques lignes.

Ce qu'il lit le glace.

«… Les souvenirs de l'accident sont solidement enfouis. La médication à base de Nembutal associée au reste du traitement semble efficace, le patient n'a pas recouvré la mémoire… »

De quoi veut-elle parler ? Du tueur sans visage ?

«… Maggie revient en force, le patient n'a toujours aucune idée de ce qui s'est réellement passé ce soir-là. À chaque séance, il revisite l'événement et n'inclut jamais le passager. Je peux affirmer que le patient est sous contrôle… »

Il continue à tourner les feuilles et à lire les lignes.

Quel passager ? Noah se concentre et fait appel à sa mémoire, mais ce sont les mêmes souvenirs qui affluent. Le tueur n'est toujours qu'une ombre.

«… Le patient a relaté aujourd'hui des faits troublants. Maggie lui serait apparue sous forme de vision. Il l'attribue à une manifestation paranormale, ou autre activité médiumnique. J'ai répondu du mieux que j'ai pu, mais je reste perplexe. Je serais tentée de revoir la posologie… »

Je croyais que c'était une catharsis, docteur Hall. Même vous, vous n'y croyiez pas.

«… comme l'avait indiqué le docteur Weinberger, le patient conserve l'intégralité de sa mémoire musculaire et de ses acquis, comme le langage. Son handicap reste le seul facteur limitant, mais les quelques tests effectués sous couvert d'examen de routine ont été probants… »

C'est pour cela que j'ai pu lire l'hébreu… Que sais-je faire d'autre ?

« Après plusieurs séances, je suis en mesure de confirmer que les lésions provoquées par l'accident empêchent tout reconditionnement, ou nouvelle implantation. Le patient restera donc configuré autour de la personnalité de Noah Wallace. En outre, je précise que j'ai été contactée par le docteur Henry. Il ne semble pas poser de problème pour le moment, il voulait m'informer d'une possibilité de traiter la tumeur du patient. Il a tiqué sur l'utilisation de barbituriques, mais n'a pas insisté ni cherché à contredire ma prescription. Je vous tiendrai informé s'il présente un problème. »

Reconditionnement. Implantation. Configuré.

Les feuilles semblent soudainement peser trop lourd dans ses mains.

Alors je suis… qui ? Une enveloppe de chair ? Un jouet entre les mains de la CIA ?

Noah serre la mâchoire. Tremblay l'avait pourtant bien prévenu ; il a été le patient de Weinberger.

Personnalités multiples…

Combien d'Autres habitent le labyrinthe de son cortex ? Qui est le vrai Noah Wallace ?

Il range les feuilles dans la boîte, juste au-dessus des photographies.

La douleur dans sa jambe se réveille, et il n'a pas pris sa Vicodine. Il sait qu'elle ne fera que s'amplifier.

Il lui reste quelques feuilles glissées dans une chemise en plastique transparent.

Des conversations par mail. Imprimées.

« … j'ai pu prendre contact avec Noah. Il semble froid et distant, mais je pense pouvoir facilement le séduire. J'ai déjà remarqué la façon dont il me regarde. Je ne compte pas le brusquer, il faut que les choses se fassent naturellement. Je vous tiendrai informé de l'évolution de notre relation… »

Une main glacée lui contracte le cœur et les poumons.

Rachel, toi aussi ?

Des dizaines et des dizaines de mails, tous destinés à KarlBarns@gmail.com.

Certainement une adresse écran utilisée par un type de la CIA.

Les lignes suivantes lui font l'effet d'aiguilles chauffées à blanc qui s'enfonceraient dans son cœur.

« ... J'ai réussi à me rapprocher de lui. Nous sommes désormais en couple... »

Les images de leurs ébats défilent à la vitesse d'un stroboscope dans sa tête. Ses sourires, sa lèvre inférieure coincée sous ses dents.

Simulait-elle ? Combien était-elle payée ?

Il serre le pommeau de sa canne.

Bélial.

« ... Noah est instable. Il se lève la nuit, écrit dans son carnet comme le ferait un somnambule. Il parle dans ses rêves, parfois dans des langues que je ne comprends pas... »

Je suis désolée, Noah, il faut que tu me pardonnes, et sache que mon amour était sincère.

« ... Il s'est lié d'amitié avec une jeune femme canadienne. Je ne pense pas qu'elle représente un danger. Noah est totalement sous mon charme... »

Et franchement, vous pouvez vous bercer d'illusions tant que vous voulez, vous êtes trop différents pour que votre relation dure.

Clémence avait raison. Il s'est fait aveugler.

Rachel n'a jamais été un phare qui le guidait dans la brume.

Elle était comme lui, plongée dans les ténèbres depuis le début. Sa lumière était celle d'un poisson des abysses. Un leurre destiné à le piéger.

Était-ce aussi le cas pour Maggie ?

Comment le savoir ?

Noah passe la paume de sa main sur son visage, s'adosse au mur en bois et se laisse glisser.

Qui es-tu, Noah Wallace ?

Il laisse échapper un rire nerveux.

— Qui es-tu ? hurle-t-il, les yeux embués de larmes.

Le vent qui s'acharne sur les murs lui répond.

Un courant d'air, voilà qui tu es.

Il pourrait rester ici. Se laisser choir, s'endormir. Laisser le froid l'envelopper dans son linceul.

Il le voudrait, même.

Faire taire les spectres pour de bon.

Noah ferme les paupières.

Et alors que ses yeux sont mi-clos,

il aperçoit la lumière d'une lampe de poche braquée sur lui.

Le tueur. Il est là.

Le faisceau change de direction.

Noah distingue une silhouette. Ombre dans l'obscurité.

Immobile, il l'attend.

Noah se lève en grimaçant, sa cuisse lui expédie des salves lancinantes.

Il hésite. La silhouette est à une dizaine de mètres à peine. Dans un grand couloir, à sa merci.

Il pourrait tirer. Il a juste à lever le pistolet et à appuyer sur la détente. En finir, et pourquoi ne pas retourner l'arme contre lui.

Il sait qu'il pourrait l'atteindre.

Conserve l'intégralité de sa mémoire musculaire...

Si ça se trouve, le soldat qui est en lui pourrait facilement le faire, non ? Il aurait juste à lever l'arme et tirer. Combien de fois ce bras a-t-il exécuté ce geste ? Combien de fois son index a-t-il exercé une pression sur ce genre de pistolet ou sur une arme plus meurtrière encore, alors que lui a toujours détesté la violence ?

Pourquoi ne le fait-il pas ?

Parce qu'il veut comprendre. Il veut plus de réponses.

Alors il décide d'aller à sa rencontre.

Le Petit Prince

C'est triste d'oublier un ami.

Les phares avalent la route, et le Dodge Dart tient le cap malgré les rafales qui attaquent ses flancs. Clémence est concentrée sur sa conduite et n'a pas prononcé un mot depuis leur départ.

Sophie secoue la tête en silence, alors qu'elle parcourt de l'index les lignes écrites dans le journal de Chloé.

Une partie de son esprit vogue ailleurs, à la recherche de réponses.

La phrase laissée à Noah – certainement par le tueur – ne l'a pas quittée et tourne en boucle dans sa tête. Où l'a-t-elle entendue ?

Elle a bien lu *Le Petit Prince*, mais c'était il y a des années, elle était enfant.

Non, c'est ailleurs.

Clémence rompt le silence.

— Préviens-moi si tu trouves quelque chose d'intéressant dans le journal. Il ne l'a pas gardé par hasard.

Pour l'instant, elle n'a rien à se mettre sous la dent, c'est un journal d'ado, tout ce qu'il y a de plus banal. Amour, colères, coups de gueule.

Mais elle a raison. Noah ne l'aurait pas dissimulé sans une raison valable, il faut continuer à creuser.

La voiture fait une embardée. Sophie laisse échapper un cri aigu.

— Ne t'inquiète pas, je gère.

Sophie force un sourire sur ses lèvres et continue son exploration du passé de la jeune fille.

— Ah, je tiens peut-être quelque chose. Elle a découvert que son grand-père était Harris McKenna. Tu crois que c'est ça qu'il voulait cacher ?

Clémence se cale au fond du siège, comme si elle venait de recevoir un coup.

— Sérieux ? Alors Noah savait ! Il m'a laissé croire que j'étais à l'origine de cette découverte. Pourquoi ? Cela n'a pas vraiment de sens.

— Sauf s'il avait des raisons de ne pas le révéler…

Elle pourrait presque entendre Clémence prononcer : quelles raisons ?

Mais elle reste silencieuse.

Sophie réprime un bâillement et cligne des yeux. La conduite de nuit, le va-et-vient des essuie-glaces, le ronronnement du moteur, la route déserte ; toutes les conditions sont réunies pour la faire sombrer dans le sommeil.

D'après ce qu'elle a lu dans le journal, McKenna aurait donc organisé sa disparition.

Ce qui prouve qu'il avait les contacts nécessaires pour le faire. CIA aux États-Unis, CSIS de l'autre côté, certainement pour lui construire une vie canadienne.

Mais pourquoi en 1992, alors que les meurtres ont commencé il y a cinq ans ? Qu'est-ce qui aurait pu provoquer cette décision ?

Clémence coupe le chauffage et entrouvre la vitre de la portière.

Une vague de froid s'engouffre dans l'habitacle et vient la saisir jusque dans ses os.

— Je vois que tu piques du nez. Je tiens à ce que tu sois éveillée, le Démon du Vermont est sûrement sur place, et je doute qu'il soit heureux qu'on se joigne à leur petite réunion.

Elle n'a pas tort, ma princesse.

Sophie ferme le journal et le pose sur ses genoux.

— D'ailleurs, continue Clémence, tu peux essayer de rappeler mon oncle ? Ça serait quand même bien de l'avoir à nos côtés.

Sophie sort le cellulaire et rappelle le numéro qu'elle avait composé dans la cave.

— Je suis tombée sur le répondeur.

Clémence se rembrunit.

— J'espère que tout va bien de son côté.

Sophie reste silencieuse. Elle pourrait la rassurer, mais elle sait que ses paroles n'auraient aucun effet. Et surtout, elle sait que ce n'est pas vrai.

Tout le monde n'a pas eu un ami.

— Tu sais tirer ?

— Pardon ?

— Non, je demande, car la dernière fois tu as dégommé une fenêtre.. et ton poursuivant est reparti tranquillement au volant de sa Camaro.

— Je tire depuis que j'ai l'âge de soulever une carabine, je n'ai arrêté qu'au début de mes études de journalisme. Mais c'est comme le vélo. Et s'il est encore capable de conduire, c'est que je l'ai bien voulu. Désolée, impossible pour moi d'ôter la vie à un être humain.

Clémence se tourne vers elle et lui lance un regard glacé.

— Te faire tirer dessus ne te suffit pas ? Tu as eu de la chance avec ton oreille, à quelques centimètres près tu étais morte. Alors j'espère sincèrement que tu n'auras pas à regretter ton acte de « charité » et que ta compassion ne causera pas la mort de quelqu'un que j'aime.

Sophie voudrait lui répondre qu'il était de dos au moment où elle l'avait en joue, mais elle ne le comprendrait pas.

Il n'est pas toujours facile de distinguer le bon loup du mauvais loup, mademoiselle Lavallée.

Oui, comment savoir ?

Faut-il parfois causer le mal pour faire le bien ? Aurait-elle dû trahir ses principes ?

Qu'en pensez-vous, Cadwell ? C'est vous le spécialiste.

C'est triste d'oublier un ami. Tout le monde n'a pas eu un ami.

Ça y est.

Elle se souvient enfin où elle a entendu cette phrase.

Et cela ne peut pas être une coïncidence.

En fait, c'est même une évidence.

— *Yes !* lâche-t-elle.

— Ça fait plaisir de voir que quelqu'un est heureux ici. Il y a une raison ?

Sophie sourit.

— Je sais qui est le tueur, déclare-t-elle. Je connais l'identité du Démon du Vermont.

Ilotisme

Noah n'a rien dit.

Il est resté cloîtré dans sa bulle de silence et a suivi la silhouette sans broncher.

Sa main n'a pas quitté sa poche, il est prêt à intervenir au cas où les choses tourneraient mal.

Le tueur n'a pas parlé non plus. Il s'est contenté de marcher sans chercher à l'agresser ni à se protéger.

Il l'a guidé à la lueur de sa lampe, dans les entrailles de l'institut, puis l'a entraîné dans les sous-sols, là où ses souvenirs deviennent plus clairs, plus vifs, plus douloureux.

Et alors qu'il marche à un mètre de lui, sur le sol inondé, arpentant les couloirs d'un complexe souterrain à l'abandon, les images se reconstituent.

Ce labyrinthe sombre bétonné, envahi par les eaux pluvieuses, dans lequel il déambule était un laboratoire, installé en dessous de l'école.

C'est ici, loin de la lumière du jour, qu'il passait le plus clair de son temps. En compagnie de médecins en blouse blanche et d'autres enfants.

Le tueur s'arrête, les pieds dans une flaque, et pointe sa lampe en direction d'un espace vide. Les marques des anciennes cloisons sont visibles sur le sol craquelé.

— Il n'y a plus aucune trace de cette pièce, les murs ont été abattus, mais c'est ici qu'on s'est rencontrés la première fois, Noah. Tu venais juste de débarquer, tu avais cinq ans. Cela te revient ?

Noah tressaille.

C'est une voix de femme. La cinquantaine environ, d'après son timbre légèrement voilé. Un ton autoritaire, déterminé ; quelqu'un qui ne doute pas.

Oui. Il se souvient. Une image se forme dans son esprit, celle de trois enfants et d'un médecin, une femme habillée en blanc, aux lèvres pincées, ses cheveux gris coiffés en chignon.

Quant à cette voix, il sait désormais à qui elle appartient. Et ce n'est plus une silhouette qu'il a devant les yeux, mais une fille. Celle qu'il a vue dans la cave du Révérend, celle de la photographie.

Il la fixe un court instant et cligne des yeux avant de sortir de sa torpeur.

— Amy ?

La silhouette se retourne et lui fait face.

— Oui, c'est bien moi.

Amy Williams.

Les questions se bousculent dans sa tête, toutes veulent franchir le seuil de ses lèvres en même temps, mais elles restent scellées.

Il reste un court instant à dodeliner, ne sachant pas laquelle poser en premier.

Et tout ce qu'il trouve à dire est :

— Pourquoi ?

Amy braque le faisceau lumineux vers lui, sur son visage.

Il masque ses yeux du revers de sa main.

— Je vais tout t'expliquer, depuis le début. Suis-moi.

Elle redirige la lumière de sa lampe et pendant un moment fugace, Noah capte les traits de son visage.

Et voit ses grands yeux hallucinés, trop longtemps restés ouverts sur l'horreur. Des brasiers ardents, où la haine est un charbon qui alimente en continu les flammes noires qui brûlent dans ses prunelles.

Elle est folle, réalise-t-il. Sa colère l'a entièrement consumée.

Noah rapproche sa main de son pistolet.

— Quelques années avant que tu intègres le projet MK-Prodigy, Liam, Richard et moi étions déjà sortis d'un enfer, la cave du Révérend, pour plonger dans un autre, pire encore. Je n'aurais jamais pu imaginer que des êtres plus vils que le Révérend aient pu exister… et pourtant.

La vision de la fille prisonnière du carcan reflue dans sa mémoire.

Il détourne la tête pour chasser l'assaut des images.

Amy fait quelques pas de plus et pointe un mur du doigt, puis elle se tourne vers lui.

— Tuer le Révérend n'a fait que renforcer leur intérêt pour nous, mais bien que tu nous aies rejoints plus tard, tu es vite devenu leur jouet favori… ce qui n'était pas une bonne chose pour toi. Tu passais plus de temps entre leurs mains. Les caissons d'isolement étaient juste là, près du mur. Je me souviens encore de l'odeur du sel dans mes narines, pourtant les premières immersions n'étaient pas désagréables. Sais-tu que c'est utilisé contre le stress, pour réduire la tension ou améliorer les capacités cognitives ? On doit ces saloperies à John Cunningham Lilly qui les a développées dans les années cinquante. Mais, dans ce laboratoire, l'usage en était bien différent. Nous étions plongés pendant des heures, privés de nourriture, gavés de drogues, LSD en tête.

De nouveaux souvenirs refont surface.

La peur, la perte de contrôle, l'abandon. Et aussi les sons, les paroles répétées et répétées encore.

Formules mathématiques, physiques, langues étrangères, mots complexes.

Amy braque la lampe vers lui et, comme si elle avait deviné ses pensées, lui explique :

— Ils s'en servaient pour nous laver le cerveau et nous faire apprendre de force, une vision très particulière de l'éducation, bien loin du cocon que tissent les parents autour de leurs enfants, bien loin de la ouate qui feront d'eux les moutons consuméristes et égoïstes de cette génération.

Amy s'agenouille et mime une caresse sur le front d'un enfant imaginaire : « Oh, tu es spécial mon chéri, tu es destiné à de grandes choses, tu auras un impact sur le monde, mon petit millénal adoré. »

Elle rit, l'écho de sa voix démente résonne entre les murs. Elle se relève puis s'adresse de nouveau à Noah.

— Oui, nous étions destinés à être spéciaux, nous aussi… même s'ils nous ont réduits en miettes et ont sacrifié notre enfance pour parvenir à leurs fins. Et encore, les caissons, la drogue, le gavage de connaissances, ce n'est rien par rapport à tout ce qu'ils nous ont fait subir pour annihiler notre volonté. On te doit beaucoup, tu sais. Sans toi, que serions-nous devenus ?

Nous ?

Noah sort de son mutisme :

— Je ne comprends pas. Je me souviens des caissons, des enregistrements audio, des sons, des ondes binaurales, je crois.

Il ferme les yeux, comme pour mieux invoquer les souvenirs qu'il extirpe des brumes tissées dans son esprit.

Il se revoit face à un homme. Il le reconnaît, c'est Trevor Weinberger. Il s'est donné pour mission de lui faire apprendre l'intégralité du dictionnaire et l'interroge sur la définition des mots.

À chaque erreur, il lui assène un coup de règle en fer sur les articulations des doigts. Il entend des cris et des pleurs d'enfants dans la salle d'à côté. Derrière lui, adossée au mur peint en blanc, le médecin au chignon prend des notes, les lèvres pincées.

Il ouvre les paupières.

— Je me rappelle de Weinberger et d'une femme, plus âgée.

Les traits d'Amy se tordent de colère.

— C'est cette saloperie de Grady. On l'a eue, tu sais, peu avant que…

Elle se tait puis continue :

— Tout va te revenir Noah. Je ne sais pas exactement ce qu'ils t'ont fait subir toutes ces années. Mais je sais que tu es toujours là, quelque part, prisonnier dans ta tête ; endormi et phagocyté par les couches de mensonges. Mais tu t'es libéré, il y a cinq ans. Nous avions réussi.

Nous.

— Comment ça… nous ?

Amy le fixe quelques secondes.

— Je vais y venir. Mais il faut que je te montre quelque chose avant. Prépare-toi, car ce qui t'attend risque d'être douloureux. Ces souvenirs-là dorment au plus profond de toi, dans une antichambre de ton inconscient.

D'instinct, Noah sait déjà de quoi elle parle. Cela lui était venu par vagues, par flashs. Les hommes en toge, la croix renversée. L'enfance sacrifiée, l'enfance pervertie.

Alors il redoute déjà ce que sa mémoire s'apprête à régurgiter.

— Amy Williams ? Celle des visions de Noah ? Celle dont tu suivais la piste ?

Sophie hoche la tête :

— Oui, c'est la note que l'on a retrouvée près du PC de Noah qui m'a mise sur la voie. Cette citation du *Petit Prince*, je l'avais déjà entendue, mais je n'arrivais pas à mettre le doigt dessus. Et puis, cela m'est revenu. C'était chez Stephen Cadwell, lors de mon entretien. Il m'avait raconté que la petite Amy était une dévoreuse de livres. Et ce qu'on a trouvé imprimé chez Noah, c'est mot pour mot ce qu'elle lui avait dit avant d'être enlevée par les sbires de la CIA.

Clémence opine.

— Effectivement, les chances sont minces pour que ce soit une coïncidence. Cela voudrait donc dire que la petite a survécu à l'enfer de la cave. Noah a parlé des garçons qui avaient fini par tuer le révérend McKenna. Elle devait être avec eux. Je me demande ce qui s'est passé après.

— Les dates concordent. En 1977, elle quitte la maison des Cadwell. Elle avait cinq ans à l'époque. Le Révérend est mort en 1980. Elle a très bien pu rester chez lui pendant ces trois ans.

— Quand même, j'ai du mal à imaginer trois enfants tuer un type et parvenir à s'échapper, et surtout survivre. Et puis il y a ce lien avec l'institut. Non, quelque chose cloche dans cette histoire.

— Oui, certaines parties sont encore floues. Mais pour le reste, cela correspond. La fille se venge.

Clémence secoue la tête.

— Et le rapport avec Noah ? Ils ne sont pas vraiment de la même génération. Amy devrait avoir quoi, quarante-quatre ans ? Noah a presque dix ans de moins. Et il y a l'accident aussi, dans lequel le Démon du Vermont est supposé avoir péri. Et pourquoi attendre si longtemps pour se venger ?

— OK, OK, j'ai compris, coupe Sophie. Je n'ai pas toutes les réponses.

Réfléchis, Sophie...

— On n'est plus très loin de Peru. Bientôt le moment de vérité, qui sait ?

Sophie ne répond pas, elle continue la lecture du journal.

Squalide

Noah voudrait que cela s'arrête.

Mais les vannes de sa mémoire sont ouvertes et il ne peut endiguer le flot d'images et de sons qui déferlent dans sa tête.

La chapelle.

Les rituels.

L'horreur.

Il se souvient de tout.

Amy se tient au centre de la pièce. À l'endroit exact où les indicibles monstruosités se répétaient plusieurs fois par semaine.

Noah la distingue à peine. Il est emporté ailleurs, prisonnier du torrent ; le sol humide et les murs effrités ont laissé place à la lumière tamisée, aux cierges, et aux tentures carmin. Il visualise la croix installée pour la cérémonie. Il peut à nouveau respirer les volutes de fumée qui s'échappent des encensoirs où brûle la résine de myrrhe.

Il peut également entendre les psalmodies des disciples, vêtus de robes rouge et noir, ces prédateurs silencieux rongés par le vice.

C'est ici que l'enfance était profanée. C'est ici que très tôt son innocence lui a été arrachée.

La voix d'Amy le ramène dans les sous-sols humides.

— La chapelle. C'est là que nous étions jetés en pâture à ces pervers, transformés en bourreaux puis livrés à leurs appétits sexuels alors que nous n'étions que des enfants. Certains ont payé, d'autres sont encore sur ma liste. Timothy Carter a été le premier, il y a cinq ans. Tu te souviens de lui, j'en suis sûre ; c'était un régulier. Cette ordure ne se contentait pas de faire le tour des orphelinats, des hôpitaux ou des familles défavorisées à la recherche de nouveaux sujets pour Grady ou Weinberger. Non, il participait lui aussi, bien à l'abri derrière son masque, un sans visage parmi les robes rouge et noir. Mais il ne pouvait pas se cacher de moi. Comment aurais-je pu l'oublier : c'est à cause de lui que je me suis retrouvée ici, exécutrice, tortionnaire et poupée de chair soumise aux caprices de ces porcs affamés. L'odeur de son aftershave et le son de sa respiration haletante si proche de mes oreilles sont gravés au fer rouge dans ma mémoire.

Elle se cogne la tête d'un coup de paume, comme si elle voulait expulser ces souvenirs de sa boîte crânienne.

Puis elle recommence à parler, mais le son de sa voix se perd alors que Noah replonge dans le flot de ses souvenirs.

Un cercle s'est formé autour de lui. Il revoit les hommes en robe qui l'encouragent, le maître de cérémonie qui se tient à ses côtés et le pousse à égorger un homme au regard suppliant, puis dans la même soirée à en étriper un autre avec une serpe.

Il se souvient que les noms de certains démons étaient prononcés pendant qu'ils le forçaient à torturer les victimes attachées à la croix. Et plus ils hurlaient, plus les psalmodies grondaient dans l'assemblée.

Certaines fois, la chair humaine était consommée.

Et puis, alors que la victime était retirée de la croix et que son sang maculait encore le sol, les orgies commençaient et les murmures et cantiques étaient remplacés par les grognements.

Noah sent les mains qui enserrent ses hanches et son corps devenir un jouet, un pantin inarticulé…

— Non, hurle-t-il.

Ses jambes flageolent. La bile reflue dans son œsophage. Il ressent. D'abord la peur et le choc. Pire encore, le détachement, la volonté qui s'échappe, drainée peu à peu de son corps alors que son âme d'enfant s'habitue à l'horreur comme des yeux plongés dans le noir se font à l'obscurité.

La voix d'Amy redevient audible.

— … Il a fini par payer. *« Puisse ton âme brûler en enfer… »* C'est moi qui lui ai tranché le sexe et le lui ai fait bouffer et c'est Richard qui l'a fait parler. C'est comme cela que nous avons obtenu des noms, des adresses… et qu'on a pu traquer les autres. La suite, tu la connais. Le Démon du Vermont, qu'ils nous appelaient. Les démons c'était eux, pas nous.

Richard ? Le garçon de la cave ? Celui qui avait refusé de torturer Trout ? Le garçon sur la photo ? Alors ils étaient deux.

— Nous n'avons pas eu de mal à trouver Antonio Da Silva. Celui-là officiait comme chauffeur pour l'institut et servait de gardien. Il travaillait quelques jours à l'usine, une couverture. Et tout comme Carter, il participait aux cérémonies.

Noah réprime une grimace. Il se souvient d'Antonio, de la façon qu'il avait d'appuyer sur ses épaules, de son rire gras et de sa main qui fouillait dans ses cheveux.

— Mais nous l'avons transformé et révélé au monde sa vraie nature de démon, nous avons tué son fils devant ses yeux, avant de le renvoyer en enfer, là d'où il venait.

Da Silva. Sa deuxième enquête sur l'affaire. Mais comment être sûr désormais ?

Était-ce sa véritable identité, est-il profileur ou a-t-il été créé de toutes pièces ?

— Hélas, nous n'avons pas pu atteindre Harrington. Ce monstre était déjà mourant. Ce bon vieux voisin sans histoire, toujours prêt à rendre service… et pédophile de la pire espèce.

À l'évocation de Harrington, un frisson lui parcourt le corps.

Ce type aimait faire mal, frapper, tordre les bras. Il se régalait des pleurs et des larmes.

— Je n'ai pas eu de plaisir à tuer Iris et Lucas, tu sais, continue Amy. Mais il le fallait, il était important qu'il ressente la douleur, avant de partir pour l'enfer.

L'enfer ? C'était ici. Noah doit prendre appui sur sa canne pour ne pas tomber. Il suffoque.

Amy se rapproche de lui. Elle est à moins d'un mètre.

Son visage est sans vie, juste éclairé par des billes brûlantes. La haine est ce qui la fait tenir, lui donne un but.

Je pourrais la tuer à cette distance, réalise-t-il. Malgré ce qu'elle a subi, elle doit être arrêtée.

Dans un sens, il la comprend. Traquer les responsables, les faire payer, oui… mais leurs enfants ? Ils étaient innocents et n'avaient pas à mourir.

Et sa psychiatre… et Rachel. À quel point étaient-elles impliquées pour mériter un tel châtiment ?

— Et voilà, Noah. J'espère que tu as compris, comme il y a cinq ans. Peut-être aurions-nous pu pardonner les caissons, les expériences, la drogue. Mais pas ce que nous avons subi dans la chapelle. Ils nous ont brisés, ont extirpé notre âme de nos enveloppes, pour faire de nous leurs soldats obéissants. Nous devions être capables d'endosser plusieurs rôles, pour nous infiltrer et exécuter leurs ignobles missions et revenir vers eux comme des chiens dociles… prêts à recommencer.

Amy recule de quelques pas et éclate d'un rire sans joie, mâtiné d'amertume.

— Et le pire, c'est que cela a fonctionné. En quelques années à peine, je parlais une quinzaine de langues, j'étais rompue à plusieurs techniques d'interrogatoires, je savais tirer au fusil de précision. Nous avions été sélectionnés pour nos capacités hors norme, ils les avaient sublimées en effaçant notre humanité. Peu avant l'incident, j'ai été envoyée en mission-test pour exécuter un homme d'affaires influent. Qui aurait pu se méfier d'une fillette de treize ans ? Je me souviens encore de la surprise dans ses yeux alors que je plaçais le silencieux sous son menton.

Une machine à tuer. L'assassin parfait. C'est pour cela qu'elle a su déjouer les caméras et échapper à la surveillance de la police. Est-ce mon cas aussi, alors ? Combien de vies ai-je ôtées ?

— Et sans doute serions-nous encore à leur service si tu n'étais pas intervenu. Nous te devons tellement, Noah.

Amy s'avance vers lui et, pour la première fois, le touche en posant sa main sur son épaule.

Il ne cherche pas à s'écarter.

— C'est grâce à toi si nous avons pu nous en sortir. Grâce à ta découverte. À notre petit secret.

C'est un secret. C'est notre secret.

Les murmures d'enfants perçus dans le labyrinthe de maïs, le tricycle rouge.

Noah en comprend désormais le sens.

Sophie referme le journal et reste un instant immobile.

— Ça va ? demande Clémence. J'ai l'impression d'avoir une statue sur le siège passager.

— C'est ce que je viens de lire, tout à la fin du journal. Elle l'a vu.

— Qui ça ?

— Le tueur à la Camaro. Elle a écrit avoir croisé « un homme d'une cinquantaine d'années à la mine patibulaire, garé à quelques pas de la maison, au volant d'une Camaro noire », puis elle a continué son chemin.

— Cela date de quand ?

— C'était le 3 novembre 2016.

— La veille de notre descente chez les Coté. Il a dû les tuer pendant la nuit.

Encore une victime. Elle a eu de la chance d'avoir pu lui échapper. Un miracle, même. Ce gars est un tueur à gages, un nettoyeur.

— On est bientôt arrivées au manoir, déclare Clémence, toujours prête à jouer les héroïnes ?

Sophie rejette sa tête en arrière.

— Oui, j'en ai fait une affaire personnelle. Mais toi, rien ne t'oblige à me suivre. Tu peux m'attendre dans la voiture.

— T'es folle ! Ne compte pas sur moi pour manquer la fin de l'histoire. Et je saurai bien me rendre utile, tu ne me connais pas encore.

— Ah bon, tu sais te servir d'une arme ?

Clémence se fend d'un sourire.

— J'ai déjà tiré au pistolet, oui. Mais je vais te laisser t'occuper de ça, juste parce que je suis curieuse de savoir si tu peux exploser autre chose qu'une fenêtre. J'ai un tas d'autres compétences très utiles, c'est l'avantage d'avoir une intelligence hors norme.

Elle lui adresse un clin d'œil.

Cette fille respire la modestie, il n'y a pas à dire.

— Je me trompe ou tu as l'air de t'amuser ?

Clémence ne répond pas, esquisse un sourire en coin et écrase l'accélérateur.

Vulnéraire

Le secret.

Un don ? Une capacité ?

Noah se souvient de sa première manifestation, avec une surprenante acuité, presque comme si le souvenir datait d'hier. Pourtant, c'était il y a trente ans, en 1986.

Il avait six ans et avait déjà passé près d'une année dans l'enfer des sous-sols de l'institut.

Ce jour-là, il venait de sortir du caisson et passait une série de tests avec le docteur Grady.

Alors qu'elle prenait des notes dans la pièce exiguë et que lui remplissait un questionnaire à choix multiples, il l'avait fixée droit dans les yeux et lui avait déclaré sur un ton détaché :

— Vous allez bientôt mourir, docteur, je l'ai vu dans la cuve.

Passé la surprise qui avait marqué son visage de vipère l'espace d'un instant, elle n'avait pas cherché à en savoir davantage et avait vite recouvré son air impassible ; son regard reptilien s'était de nouveau braqué sur lui. Sans doute avait-elle mis cette remarque sur le compte des dix heures qu'il venait de passer dans le sel d'Epsom, sous LSD. Un délire sous psychotropes.

Une semaine plus tard, les enfants du projet s'étaient réunis dans un espace alloué à leurs travaux personnels. Une pièce borgne de trois mètres sur cinq, aux murs blancs, éclairée aux néons. Ici, ils pouvaient s'adonner au dessin, à la sculpture, ou bien résoudre des casse-tête. C'est dans cet endroit qu'ils passaient le plus clair de leur temps ensemble lorsqu'ils n'étaient pas plongés dans des caissons, ne subissaient pas d'apprentissages forcés ou ne s'aguerrissaient pas aux arts martiaux.

Quant aux séances à la chapelle, elles s'étaient espacées. Pour certains, comme Liam, elles n'étaient plus nécessaires.

Tous, hormis Noah, étaient déjà devenus des enveloppes veules, de la terre glaise entre les mains des responsables du projet.

Et d'ailleurs, bien qu'étant réunis dans le même espace, ils quittaient rarement leur apathie, ils étaient vissés à leurs pupitres et les interactions étaient souvent limitées à quelques signes de la main ou mots lâchés du bout des lèvres.

Pourtant ce jour-là, alors qu'il travaillait le dessin, il se souvient avoir ressenti des sensations inexpliquées. Des visions, des voix, des odeurs. Il pouvait presque entendre des bribes de pensées. Elles émanaient de Richard.

Noah se souvient s'être levé et avoir progressé lentement vers lui. Et alors que son camarade était occupé à construire un puzzle, il lui avait posé la main sur l'épaule.

Ce simple contact a été une révélation. C'est là qu'il a vu le révérend McKenna pour la première fois, à travers les pensées de Richard. Liam qui l'incitait à copier sur lui, Trout attaché au poteau, et Amy entravée puis abusée.

L'espace d'un instant, il avait pu créer un lien et ressentir les émotions d'un autre. Il avait ouvert une fenêtre sur son passé et vu à travers.

Richard l'avait senti. Et les larmes longtemps retenues prisonnières de leur gangue de noirceur s'étaient mises à inonder ses joues.

Noah ouvre les yeux. Il est de nouveau avec Amy. Les pieds dans l'eau et dans l'obscurité des sous-sols.

— Richard… murmure-t-il.

Amy hoche la tête.

— Depuis le jour où tu l'as touché, les choses ont changé à l'institut. Tu venais de créer une brèche et avais fait entrer de la lumière dans la noirceur. Tu as su trouver le chemin dans nos ténèbres intérieures et extraire peu à peu la pelote d'ombre qui nous lestait le cœur. Et plus nous nous réunissions, plus la brèche s'élargissait et laissait couler le fiel. Pendant un mois, nous nous sommes réunis dans la salle pour échanger. C'est là que tu as entendu nos histoires, ce que nous avions vécu avant d'arriver ici. Les lettres que tu as reçues, elles en empruntent une partie. Pour nous, ces moments étaient… magiques. Enfin, pour Richard et moi surtout. Liam était plus hermétique. Il se contentait d'observer. Dans un sens, il était déjà perdu.

Oui, c'était le plus âgé et Noah se souvient qu'il était hors de sa portée, il s'était drapé d'ombres.

— Nous avions juré de n'en parler à personne. Liam aussi, même s'il s'était tenu à l'écart de nos réunions. C'était devenu notre secret.

Amy marque une pause, et son visage se rembrunit.

— Mais la lumière n'avait pas sa place dans les sous-sols de l'institut. Alors, un mois plus tard, les ténèbres ont réclamé leur dû.

Oui, les choses ont empiré lorsqu'ils ont su pour lui et ses facultés. Noah n'était plus seulement un assassin programmé par et pour la CIA. Il était… autre chose. Une anomalie qui devait être étudiée, encore et encore. Les docteurs voulaient comprendre. Pourquoi avait-il pu manifester de telles capacités ? Était-ce en rapport avec ses immersions sous LSD ? Plusieurs spécialistes sont venus le consulter. Voyants, médiums, neurologues…

Pour Noah, les choses étaient plus simples : dans son esprit d'enfant, une rose blanche avait éclos sur un tas d'immondices.

— Les séances à la chapelle ont repris de plus belle. Sauf pour Liam. Je pense qu'il a fini par nous trahir. L'institut s'est inquiété de nous voir échapper à leur contrôle. Pendant un mois, l'enfer s'est déchaîné sur nous. Te rappelles-tu de ce qui s'est passé en août, le jour où tout a basculé ?

— Oui, répond Noah. Je me souviens.

Recru

La prédiction de Noah s'est finalement réalisée et Esther Grady est morte un matin d'août 1986.

Les circonstances de son décès et la succession d'événements qu'il a provoqués lui reviennent en mémoire.

Et alors qu'il visualise l'instant où les gardes l'extirpent brutalement du caisson et le traînent de force vers la salle de jeux, il se demande quel aurait été son destin si Liam avait été présent plutôt qu'assigné à une mission, si Amy n'était pas intervenue, ou simplement si Grady n'avait pas ordonné le châtiment.

Mais dans un sens, avec le recul, il réalise qu'elle n'avait pas vraiment le choix. En tant que responsable du projet MK-Prodigy, elle avait des comptes à rendre à ses supérieurs. Et non seulement Noah demeurait une énigme insoluble, mais il représentait un danger pour les autres enfants du projet.

Alors elle devait agir.

Ces souvenirs-là sont morcelés, confus. Il était encore sous l'effet de la drogue, et les images et les sons sont des filaments de brume.

Mais la phrase prononcée par le docteur alors qu'il est immobilisé par deux gardes, la tête plaquée sur la table et les bras déployés, résonne encore dans son esprit.

« Tranche-lui un doigt, on va commencer par le petit », avait-elle prononcé sur un ton monocorde.

Il se souvient avoir grogné et levé les yeux. Amy se tenait entre le docteur et lui, un couteau énorme dans sa petite main tremblotante. Son visage ruisselait de larmes et grimaçait de chagrin. Derrière Grady, proche de la porte, Richard était maintenu par deux hommes en noir. Un des sbires lui avait placé un pistolet sur la tempe.

« Si tu ne le fais pas, Richard mourra et ce sera ta faute », avait-elle ajouté sur le même ton.

Elle bluffait bien sûr, il s'en rend compte désormais, mais à l'époque Noah ne pouvait pas le deviner. Pas plus qu'Amy, qui l'avait prise au sérieux.

Noah ouvre les yeux. Il se rend compte qu'il vient de parler à haute voix. Amy a toujours une main posée sur son épaule. Sa prise est ferme.

— Je me souviens qu'à ce moment-là, tu m'as regardé droit dans les yeux, dit-il. Tu m'as fait un clin d'œil et tu m'as dit, presque dans un murmure…

— … Tout va bien se passer, Noah, complète-t-elle.

Amy esquisse un sourire, son visage est plus apaisé et le brasier derrière ses yeux est presque éteint.

Tout va bien se passer, Noah.

Ce qui ne fut pas le cas pour Esther Grady.

Dans les secondes qui ont suivi, elle a appris de la façon la plus brutale qu'une arme est toujours à double tranchant. Car si l'institut avait fabriqué des machines à tuer, il avait commis l'erreur de retirer leurs laisses.

Amy a fait un premier pas vers Noah, puis s'est retournée vers le docteur et, sans l'ombre d'une hésitation, a plongé la lame du couteau dans son ventre, puis sous son menton.

Dans le même temps, Richard a profité de la surprise pour se dégager de l'emprise de l'homme et, d'une clé, lui a soutiré son arme. Deux coups de feu ont été tirés, et les sbires se sont écroulés.

Certainement pas préparés à gérer une telle situation, les deux gardes qui maintenaient Noah n'ont pas réagi tout de suite. Et le temps que leurs mains plongent vers leurs armes de service, Richard leur avait déjà logé une balle dans le front.

La vision de Noah était altérée et les sons étaient distordus, tantôt stridents, tantôt sourds et étouffés comme s'il était encore plongé dans le caisson. Tout ce qu'il voyait, c'était une fille de treize ans qui s'acharnait sur une femme en blouse blanche gisant à terre. Son bras qui montait et s'abattait sans discontinuer, et les gerbes rouges qui giclaient.

La main quitte son épaule et Amy essuie une larme sur sa joue.

— Tout est allé si vite après, dit-elle. L'alarme s'est enclenchée et nous avons dû tuer encore pour nous frayer un chemin hors des sous-sols. Et toi, tu étais si faible. Tu avais à peine mangé et tu étais encore sous l'emprise du LSD. On a dû te traîner, peut-être que si tu avais eu tous tes moyens…

Ses souvenirs sont vagues et flous, il se souvient de coups de feu, de cris.

— On a réussi à atteindre l'entrée principale, continue-t-elle. À l'extérieur, c'était le chaos. Des élèves couraient dans le jardin en direction de la grille qui était restée grande ouverte. Certains sont passés à côté de nous, sans nous voir.

Amy marque une pause et s'humecte les lèvres.

— C'est à ce moment-là qu'on m'a tiré dessus. J'ai été touchée à l'épaule, juste ici. Une blessure superficielle, mais suffisamment douloureuse pour que je te lâche et que tu tombes. Tu as roulé jusqu'en bas de l'escalier et puis, comme si une mouche t'avait piqué, tu t'es levé et mis à courir sans regarder derrière toi. J'ai crié pour te dire de revenir. En vain ; tu étais ailleurs.

Oui, il peut encore entendre la voix d'Amy, d'autres coups de feu et Richard qui hurle :

— Amy, viens Amy… On reviendra le chercher, il faut qu'on se sauve.

— C'est la dernière vision que j'ai eue de toi, reprend-elle. On ne t'a jamais retrouvé. Et il a fallu attendre pas loin de trente ans pour que nos chemins se croisent à nouveau.

Malgré le froid et l'humidité, Noah suffoque, le col de sa chemise est un collet. Son subconscient se déleste d'un poids, mais son corps lutte contre l'afflux de souvenirs.

Il fait quelques pas en direction du mur puis se fige.

La scène longtemps retenue prisonnière dans les recoins de son cerveau se libère d'un coup. Les images explosent sur sa rétine, les sons emplissent ses oreilles.

Il court parmi les balançoires et les bacs à sable. Personne ne prête attention à lui. En temps normal, le spectacle insolite d'un enfant de six ans qui sprinte nu dans les jardins de l'école ne serait pas passé inaperçu, mais la panique règne dehors.

Le soleil d'août cogne dur, même à cette heure. Il ressent déjà sa chaleur écrasante sur son front.

Des coups de feu retentissent, alors qu'il continue de courir.

Devant lui, à quelques mètres de l'entrée, collés à un des bancs qui bordent l'allée, il aperçoit deux tricycles.

Sans réfléchir, Noah presse le pas, enjambe le plus proche et se met à pédaler vers la grille.

Ses jambes d'enfant s'activent sur les petites pédales, le décor tourne autour de lui, les rayons lumineux du soleil lui font plisser les yeux, il est à bout de souffle.

Peu importe, il veut quitter cet enfer, fuir les monstres de la chapelle, et c'est sa seule chance de réussir. Alors, il puise dans ses dernières forces, serre sa mâchoire et pédale.

Il dévale Howard Drive, passe à côté des grandes maisons, les arrosoirs automatiques tournent déjà, leurs puissants jets d'eau humidifient les pelouses.

Il est concentré sur la route. Son monde se résume aux rayons du soleil qui, voilés par le feuillage des arbres, se plaquent par intermittence sur son visage, et au raclement des roues en plastique sur l'asphalte.

Il est dans Haynes Terrace désormais, le tricycle s'emballe, la rue descend, sa pente est de plus en plus marquée, il n'a plus besoin de pédaler, il prend de la vitesse.

Noah a atteint ses limites, il est sur le point de s'évanouir et peine à maintenir le cap, le tricycle commence à zigzaguer. Ses petites mains agrippées au guidon se desserrent peu à peu, ses yeux sont mi-clos. Sa tête penche sur le côté.

La trajectoire du tricycle oblique et…

Un bruit de tôle. Le crissement des pneus. La sensation de s'élever du sol, le choc lorsqu'il retombe sur l'asphalte, le craquement de ses dents qui percutent le sol, la douleur qui irradie de sa poitrine, le goût métallique du sang dans sa bouche.

Un filet rouge qu'il voit s'échapper de son corps. Le claquement d'une portière de voiture. Un cri, arraché à la gorge d'une jeune fille. Les « Oh mon Dieu » qui se multiplient autour de lui, avant de baisser de volume.

Puis plus rien. Le noir.

Noah fait quelques pas et pose sa paume contre un mur. Il s'agenouille et essuie un filet de morve qui coule sur ses lèvres.

Le tricycle rouge…

— On a pensé que tu étais mort. C'est ce que la presse locale a raconté. « Un accident tragique cause la mort d'un enfant. » Nous aurions dû deviner que cela les arrangeait de faire croire que tu avais perdu la vie. Ces monstres n'en avaient pas fini avec toi, tu étais si spécial. Quant à notre évasion et le chaos engendré, il a été dit qu'un des gardes avait pété un câble, aurait tiré sur ses collègues et se serait suicidé. Fin de l'histoire. L'institut Raven School a fermé ses portes, mais aucune investigation n'a été menée pour faire la lumière sur ce qui s'y était réellement passé.

J'étais l'enfant sur le tricycle rouge... l'enfant renversé par Rebecca Law.

— Richard et moi avons fui. Des enfants normaux n'auraient jamais pu survivre à une telle cavale, surtout sans soulever de questions. Mais nous étions tout sauf normaux. Nous étions entraînés et nous avions une adresse, un refuge que m'avait indiqué Trout peu avant qu'il ne meure dans la cave du Révérend. Je n'en avais jamais parlé aux autres. À quoi bon, quelles étaient les chances qu'on s'évade ? Nous avons essayé de nous reconstruire, tu sais. D'avoir une vie normale, de mettre ces horreurs derrière nous. On est restés soudés, on est devenus amants. On s'est insérés comme on a pu. D'un côté, c'était facile, nous avions des facilités et des connaissances, de l'autre, nous ne ressentions plus rien. Difficile de s'intégrer quand on ne sait pas quand rire ou s'émouvoir. On a appris à faire semblant. Et bien sûr, nous ne pouvions pas avoir d'enfants. Ces porcs de la chapelle m'avaient bousillée.

Et moi ? Que m'est-il arrivé pendant toutes ces années ?

— Nous aurions très bien pu mourir de vieillesse dans notre maison de l'Ohio. Mais un jour, nous t'avons vu. C'était en 2009, une simple photo dans le *Vermont Daily News*, au côté de Jim Douglas, le gouverneur de l'époque. C'est Richard qui t'a reconnu. Au départ, je lui ai dit qu'il se trompait, que tu étais mort il y a des années. Mais va savoir pourquoi, il était obsédé par cette idée. Nous ne devions pas rester dans le Vermont, mais nous avons pris une chambre d'hôtel. Richard avait raison. Nous t'avons retrouvé et pisté quelques jours, il ne nous en a pas fallu plus pour comprendre. Le programme avait continué et tu étais devenu un de leurs jouets. Richard avait promis de revenir pour toi et trente ans après, il était temps de payer notre dette, et en même temps, de régler nos comptes. Nous avions parié que, s'ils se sentaient en danger, ils joueraient leur meilleur atout : toi. Et cela n'a pas loupé. J'ai commencé par Timothy Carter, et la suite, tu la connais.

En partie, réalise Noah. Ces cinq dernières années sont plus floues que les images de son enfance remontées à la surface.

— Nous exécutions, tu nous traquais, nous tentions de te déprogrammer. La myrrhe, les démons de la chapelle. Nous avions lu les ouvrages scientifiques de Weinberger et Duval, nous avons même assisté à quelques-uns de leurs colloques. Et l'avantage d'être des petits génies et d'avoir une mémoire photographique, c'est que l'apprentissage est rapide. Nous avons réussi et tu as fini par te réveiller, comme aujourd'hui. Et nous t'avons retrouvé.

— Je ne m'en rappelle pas, répond Noah.

Amy ignore sa remarque et poursuit.

— Tu nous as dit que tu étais surveillé et tu as insisté pour aller chercher ton amie… Maggie.

— Ma femme, rectifie Noah. C'était ma femme.

— Richard t'a accompagné. J'ai tout perdu ce jour-là. Richard, toi… Je me suis retrouvée seule.

Non.

Impossible.

— Non… Richard avait pris Maggie… Je la vois encore…

— Richard était à tes côtés. Tu ne te souviens vraiment pas ?

Noah fait glisser la paume de sa main sur son visage. Il ferme les yeux et tente d'invoquer les souvenirs de cette nuit-là.

En vain.

Cette partie de sa mémoire reste inaccessible.

La silhouette est toujours sans visage. Seul émerge celui de sa femme qui l'implore.

Amy le fixe, des flammes dans les yeux.

— Malgré la mort de Richard, je ne pouvais pas arrêter. J'étais folle de chagrin. Je voulais que le monde brûle sur-le-champ.

Vésanie...

— Mais j'ai patienté, reprend-elle avec plus de calme dans la voix. Et j'ai repris les investigations. Le Démon du Vermont était officiellement hors d'état de nuire, alors je n'avais plus la police, les fédéraux ni la CIA sur le dos. Blackburn m'a permis de retrouver la trace de cette ordure de McKenna, Duval et Weinberger étaient faciles à trouver, mais le travail n'était pas fini et...

Amy plaque la main dans son dos et lui susurre à l'oreille.

— Suis-moi, nous ne sommes pas seuls.

Brandons

Sophie n'arrive pas à détacher son regard de la Chevrolet Camaro noire garée dans l'herbe.

— Changement de plan, déclare Clémence. On dirait bien que ton pilote de *muscle car* te fait des infidélités.

Sophie lui jette un regard chargé d'éclairs.

Comment cette fille peut-elle prendre la situation à la légère ? Ses yeux éclatent de malice et elle ne s'est pas départie de son sourire narquois.

— À mon avis, il a suivi Noah, continue Clémence. Ce qui veut dire qu'en ce moment même, notre ami est pris en sandwich entre deux tarés. Il est possible qu'on arrive déjà trop tard.

Sophie ne répond pas et accélère le pas en direction du manoir.

Fais attention, princesse. Ces gens sont dangereux… et entraînés.

Je ne compte pas me jeter dans la gueule du loup sans réfléchir, papa, s'entend-elle lui répondre.

Sophie franchit la porte d'entrée, ses deux mains serrées sur la crosse du Glock. Derrière elle, Clémence braque la lampe de poche.

— J'espère que tu n'hésiteras pas à tirer cette fois-ci.

Elle ne répond pas. L'idée d'ôter la vie la révulse. Elle n'utilisera le pistolet qu'en ultime recours.

Elle souhaite juste ne pas en arriver là.

— Eux n'hésiteront pas, ajoute Clémence.

Noah avance du mieux qu'il peut. Mais pour suivre la cadence imposée par Amy, il a pris appui sur son épaule afin d'éviter de trop solliciter sa jambe droite. Ils évoluent dans l'obscurité, sans qu'il ait la moindre idée de leur destination.

— Tu as dû être suivi. C'était prévisible, la CIA t'a dans le collimateur. À leurs yeux, tu restes leur meilleur atout pour me coincer. C'est pour cette raison que j'ai placé des capteurs dans la maison, reliés à mon téléphone, je me doutais bien que cela pouvait se produire. Une des alarmes vient d'être activée. Quelqu'un est dans le sous-sol. Il faut qu'on avance plus vite.

Noah souhaiterait pouvoir accélérer, mais chaque appui sur sa jambe lui expédie des décharges électriques dans le corps.

Amy passe son bras derrière son dos et l'agrippe par l'épaule. Sa poigne est ferme. Elle le tire puis presse le pas. Il a l'impression d'être un poids mort, une poupée désarticulée.

La vie serait-elle une boucle ?

Les voici, trente ans plus tard, dans la même situation. Lui, perclus, et Amy qui tente de l'extirper des entrailles du manoir, un pistolet à la main.

Sauf qu'elle est seule, qu'elle a un tueur expérimenté à ses trousses et qu'elle évolue dans le noir total.

— Ne t'inquiète pas, Noah, je connais bien les lieux. Il y a plusieurs accès et il faut qu'on remonte à l'étage. Contente-toi de me suivre et fais-moi confiance.

A-t-il le choix ? Utiliser sa lampe ferait d'eux des cibles et sans elle, il n'a aucune chance de sortir d'ici. Mais comment savoir s'ils sont vraiment suivis ? Il tente d'isoler les bruits et concentre son audition sur son environnement. Il ne perçoit que leurs halètements, les clapotis que font leurs pas dans les flaques d'eau et le son de sa canne qui cogne et racle le béton.

Alors il se laisse guider, et grimace pour contenir la douleur. Il serre les mâchoires et endure.

Amy l'entraîne pendant quelques minutes dans ce labyrinthe obscur, puis s'arrête et le fait adosser contre un mur.

Deux mètres plus haut, Noah distingue une faible source lumineuse.

— C'est un ancien monte-charge, il était connecté à l'entrepôt de l'institut. Ils y stockaient de la nourriture et du matériel médical pour le laboratoire. J'ai accroché une corde à l'étage. Reste en bas, je reviens.

Noah masse sa jambe pour chasser les ondes de douleur.

Une corde… Comment vais-je pouvoir grimper là-haut ?

Amy redescend en rappel quelques secondes plus tard.

— C'est bon, murmure-t-elle. Donne-moi ta canne et accroche-toi à la corde. Tu peux prendre appui sur le mur, au moins avec une jambe ?

— Aucune idée, je vais essayer.

— Tu vas placer tes cuisses sur mes épaules, je vais te pousser. Tu en es capable, Noah.

Le soldat Wallace qu'il a aperçu sur les photos, à l'aise dans la jungle ou dans le désert, certainement. Mais l'infirme ?

— Ne t'inquiète pas, la corde est solide. Voilà, prends appui sur mes épaules.

Noah noue ses doigts autour du cordage en nylon, place sa jambe gauche sur le mur et tire sur ses bras.

Amy pousse au même moment. Son pied dérape sur le mur humide, mais il réussit à se stabiliser. Il expulse l'air de ses poumons.

— Allez, tu vois, on va y arriver, dit Amy en haletant.

Puis elle grogne.

Noah ahane, le visage crispé sous l'effort. Mais pas à pas, avec l'aide d'Amy, il réussit à conquérir la paroi.

Arrivé à l'étage, il place son coude sur le rebord et dans un ultime effort, prend appui dessus pour s'extirper de la cage du monte-charge. Il rampe sur le sol, puis s'adosse à un mur, le souffle court.

Amy émerge à son tour et s'agenouille à son niveau.

Dans cette semi-obscurité, il la distingue plus nettement.

Le visage émacié et strié de rides, une allure spartiate renforcée par une tenue militaire et des cheveux rasés de près. C'est une combattante, une machine à tuer.

Elle lui tend sa canne.

— Allez, Noah, ce n'est pas fini, il reste à sortir du manoir.

Et après, quoi ? Va-t-elle lui demander de partir avec elle ? De finir sa croisade insensée ? Et lui, va-t-il lui tirer dessus et mettre fin à sa folie meurtrière ?

Rachel... elle ne méritait pas de mourir. Même si elle l'avait trahi.

Amy est folle, oui. Mais je compte pour elle. Peut-être est-ce même la seule personne qui tient à moi, qui m'est fidèle ?

Noah saisit la canne puis s'agrippe au bras tendu pour s'aider à se relever.

Une fois debout, il hoche la tête pour signifier qu'il est prêt à continuer.

Et c'est à ce moment précis qu'il remarque le point rouge qui oscille sur le front d'Amy.

Sophie s'immobilise.

— Éteins la lampe, intime-t-elle à voix basse.

— Quoi, un problème ?

— Une silhouette, au fond du couloir. Je jurerais l'avoir vue tourner vers la gauche. Tu n'as rien vu ?

Clémence coupe le faisceau de la lampe et s'approche d'elle à pas feutrés.

— Non, j'étais occupée à mémoriser le trajet et la topographie des lieux. Je n'ai pas fait attention.

— Attends, tu as quoi ?

— Réfléchis, imagine que l'on soit dans le noir et privées de lampes, c'est un labyrinthe ici. Alors je fais rentrer toutes les informations que je collecte dans ma tête.

Elle tape sur sa tempe avec son index.

— J'ai même mémorisé les trous dans le plancher, les tas de graviers… juste au cas où.

— Waow…

Est-ce possible de faire ça ? se demande Sophie. Si elle était encore dans son appartement, face à sa boîte mail, elle l'aurait sûrement classée dans son dossier « Geeks & Freaks ». Si elle n'était pas si arrogante, elle aurait plu à Blake.

En pensant à son ami, elle resserre la crosse.

— Si c'est vraiment quelqu'un que j'ai vu au bout du couloir, il va falloir couper la lumière et se faire le plus discret possible.

— Et faire attention, car s'il n'avait pas de lampe lui-même, c'est qu'il est capable d'évoluer dans l'obscurité sans problème.

— Oui, j'ai pensé la même chose.

Coercition

Amy hoche lentement la tête. Elle n'a pas eu besoin de voir le pointeur pour comprendre la situation. Pourtant, elle ne cède pas à la panique, son visage reste de marbre. Noah s'apprête à réagir, mais une main se pose sur son avant-bras.

— Ne fais rien, on serait déjà morts s'il avait voulu nous tuer.

Puis elle ajoute à son oreille :

— Attendons qu'une opportunité se présente.

Noah laisse choir son bras le long de sa jambe, remonte discrètement sa main et la glisse dans la poche de sa veste.

Le pistolet y est toujours.

Une voix éraillée jaillit de l'obscurité à quelques mètres d'eux, dans son dos.

— Voyons Amy, tu pensais vraiment pouvoir me semer ici ?

Les yeux sombres d'Amy s'écarquillent, sa bouche s'entrouvre et laisse échapper un hoquet de surprise.

Elle le connaît...

— Quant à toi Noah, pas de gestes brusques si tu ne veux pas avoir la cervelle de ton amie collée au visage. Alors retire la main de ta poche de manière à ce qu'elle soit bien visible.

La voix est plus forte. Il s'est rapproché. Deux mètres, peut-être moins.

Le point rouge n'a pas bougé de place. Il la maintient en joue.

— Liam, murmure Amy.

Et son visage s'assombrit.

— Dommage que Richard ne soit plus de ce monde. J'aurais aimé voir les quatre prodiges réunis trente ans plus tard, dit-il sans sarcasme. Son ton est celui d'un robot, uniforme.

Un nuage de colère passe sur le visage d'Amy. Elle serre les lèvres pour la contenir, Noah voit le brasier enflammer son iris.

Liam se rapproche encore, il est à moins d'un mètre désormais.

— Bien. Nous avons peu de temps. Alors je vais vous expliquer ce qui va se passer dans les prochaines minutes. Amy, tu vas me tendre ton bras. Avant que tu ne meures, j'ai besoin d'obtenir des réponses et comme je ne suis pas aussi cruel que toi, je vais juste avoir recours à une bonne dose de thiopental sodique. Bien sûr, si tu décidais de faire quoi que ce soit de stupide, je logerais une balle dans la tête de notre ami.

— Ne l'écoute pas, répond Noah. Je n'ai plus rien qui me retienne ici.

Liam l'ignore et se place à sa gauche. Ses bras sont tendus vers la tête d'Amy, l'embout du silencieux est placé à quelques centimètres de son front. Le tueur est enfin visible dans les faibles rayons de lune que laissent filtrer les planches qui condamnent les fenêtres, mais Noah ne distingue que sa mâchoire carrée. Le haut de son visage est recouvert par un casque infrarouge.

— La balle est dans ton camp, Amy. Tu peux écouter Noah, et je t'abats sur-le-champ et lui dans la foulée, ou coopérer. Je ne le tuerai que si cela est nécessaire. Tu sais que j'ai intérêt à le ramener. Pour toi, c'est trop tard, tu le sais aussi.

Amy reste stoïque, mais darde un regard assassin vers lui.

— Comment peux-tu ? Après tout ce qu'ils t'ont fait subir ? Après tout…

Liam plaque le silencieux sur sa tempe.

— Chut. Ton bras. Je ne suis pas là pour débattre de la notion du bien et du mal avec toi. Mais réfléchis. Ai-je l'air d'être manipulé ? Nous étions l'élite, Amy, nous avons été choisis pour être en haut de la pyramide. Pas des zombies comme ces pauvres hères du projet Monarch. J'ai travaillé dans les quatre coins du globe, j'ai un compte en banque bien garni et je suis un marionnettiste, pas une marionnette.

Amy tend son bras et le défie du regard.

— Et tous ces porcs de la chapelle, tu leur pardonnes, tu…

— Ils étaient un mal nécessaire, coupe Liam. Nous avons connu le pire de ce qui peut arriver à un enfant, ils nous ont brisés, arraché notre innocence et notre compassion. Mais il fallait bien abattre ces cloisons, pour mieux nous reconstruire, pour faire mourir l'agneau et faire naître le loup. Par ailleurs, le projet avait besoin de financement. Crois-tu que la CIA au complet était derrière ? Non. C'était une opération clandestine et son financement était privé. Alors quelques riches hommes d'affaires et politiques influents ont injecté de l'argent et dans le même temps, ils ont pu satisfaire leurs bas instincts, dans l'anonymat le plus total, derrière un masque. *Win-Win.* Mais assez parlé de tout cela. Tu ne peux pas comprendre les enjeux et les parties jouées en haut lieu. Nous sommes toujours en guerre froide, et tu ne penses égoïstement qu'à l'histoire tragique de quelques enfants des rues, des rebuts qui auraient peut-être pu mal tourner. Regarde-toi. Que t'a apporté ton exil ? Un loup ne trouve jamais sa place parmi les agneaux. Tu es passée à côté de ta vie, tu aurais pu être du bon côté du miroir, devenir plus riche que tu ne l'as jamais imaginé, servir ton pays et faire ce pour quoi tu avais été formée… Quel gâchis.

Liam sort une seringue et l'injecte dans le bras d'Amy. Elle ne sourcille pas quand l'aiguille s'enfonce. Son regard est braqué sur lui.

Fais quelque chose, Noah. Tu ne peux pas le laisser faire. Tu ne peux pas les laisser gagner. Une occasion va forcément se présenter, saisis-la.

Il faut attendre. Observer.

Liam retire la seringue et la range dans une poche de son treillis.

— Bien. Noah, tu vas prendre l'arme que tu as dans ta poche et la faire glisser à terre, vers moi. Amy, tu vas faire pareil, et ensuite tu vas t'adosser contre le mur.

Noah pourrait tirer, l'arme de Liam est toujours pointée vers Amy. Tout pourrait se jouer en quelques centièmes de seconde.

Conserve l'intégralité de sa mémoire musculaire.

Non. Trop risqué. Ce type est comme Amy, peut-être même plus redoutable. Un vétéran. Un assassin aguerri. Combien d'hommes a-t-il tués ?

Noah prend le pistolet et le fait glisser d'un coup de pied. Amy fait de même puis, comme il l'a ordonné, elle s'assoit sur le sol et s'adosse au mur.

Liam se tourne vers lui, il a baissé son pistolet mais le tient toujours à bout de bras, au niveau du bassin.

— Le sérum va bientôt faire effet, et je vais pouvoir commencer mon interrogatoire. Ne sois pas jaloux, j'ai aussi un petit quelque chose pour toi, Noah.

— Bas les pattes, ne le touche pas… je te jure… je te jure… que… grogne Amy.

Elle commence à partir, constate Noah. La drogue fait effet.

— Tu vois, si elle avait continué le programme elle aurait pu résister à ce genre d'injection. Quelque part, c'est ta faute, tu l'as rendue faible.

Liam sort une autre seringue et la place juste devant son nez.

— Cette petite merveille, c'est le fruit de longues années de recherche. Lorsque je vais l'injecter dans tes veines, je vais te parler, tu vas t'habituer au son de ma voix. On appelle cela le calibrage. Ensuite, je vais te donner une série d'ordres que je vais associer à des mots. Lorsque je prononcerai le bon mot, tu exécuteras le bon ordre, quel qu'il soit. Et ce qui est drôle dans cette histoire, c'est que c'est en partie grâce à toi qu'ils ont pu le développer.

— Je vais te tuer, réplique Noah. Tu ne t'en sortiras pas. C'est une promesse.

Un sourire de guingois étire les fines lèvres de Liam.

— Quelqu'un va mourir de ta main, oui, mais ce n'est pas moi.

Il tourne la tête vers Amy, dont la bave écume à la commissure des lèvres.

— Une fois que j'en aurai fini avec elle, tu vas la tuer pour moi. Une fin parfaite pour le Démon du Vermont et son poursuivant. Ensuite, tu iras rejoindre un hôpital psychiatrique, peut-être même seras-tu un voisin de Rebecca Law, qui sait.

Noah pourrait résister. Tenter quelque chose, refuser d'obtempérer. Qu'a-t-il à perdre ? Pourtant, il tend son bras et il le fixe, droit dans les yeux, un sourire triomphant aux lèvres.

— Il y a trois personnes. Difficile de les distinguer, il n'y a qu'un mince filet de lumière. Ils sont près d'un monte-charge, tu les vois ? Noah est certainement là, mais comment savoir où il se trouve ?

Sophie se tourne vers Clémence, et manque de crier sa surprise.

La jeune fille est en train de sortir un micro-canon d'un stylo qu'elle vient de dévisser, puis elle le branche à son téléphone.

— Qu'est-ce que… pourquoi tu as ça sur toi ? J'ai l'impression d'être une amatrice à côté.

— Je t'ai dit que j'étais une fille pleine de ressources, non ? Et tu as envie d'entendre ce qu'ils se disent, ou pas ? Ça ne t'intéresse pas d'enregistrer ?

Bien sûr qu'elle le souhaite. Mais quelque chose cloche. Ce genre de matériel n'est même pas en vente libre.

Cette fille n'est pas ce qu'elle prétend être, ma Sophie, méfie-toi.

— OK, mais on aura une petite discussion après.

Si on s'en sort, ajoute-t-elle dans sa tête.

— Je suis d'accord, mais uniquement parce que je t'aime bien. Mais pour l'instant je voudrais que tu restes concentrée. Pointe ton pistolet et tiens-toi prête à intervenir au besoin.

Le monde est devenu un carrousel.

Noah est ailleurs, dans une antichambre de ses pensées, là où le temps s'égrène lentement dans un sablier invisible. Sa réalité s'est déjà dissoute et n'a laissé qu'une trace floue à l'orée de son iris. Des bribes de mots et des murmures s'entrechoquent dans sa tête.

La voix de Liam semble provenir de toutes les directions en même temps. Chuchotements, hurlements, cris aigus, déclamations graves. Les sons se superposent, se chevauchent et emplissent son esprit de mots. Chaque syllabe prononcée est martelée et s'imprime au fer rouge dans son esprit. Il en ressent les vibrations dans tout son corps.

Des images défilent à la cadence d'un stroboscope et résonnent à l'unisson avec les phrases que prononce le tueur.

Amy qui s'acharne sur les yeux de Rachel, encore et encore. Lui qui brandit un pistolet et tire, encore et encore. Les séquences se répètent en boucle.

« Tue Amy. » « Venge Rachel. »

Mais parmi la déferlante, d'autres sons et images apparaissent en flashs. Des signaux subliminaux, qu'il parvient à comprendre.

Il voit Steve qui embarque Maggie dans la voiture. Plus tard, la visibilité est mauvaise et Richard, à ses côtés, lui demande de rester calme tandis qu'il appuie sur l'accélérateur et qu'il serpente entre les voitures. Il aperçoit Maggie qui plaque ses mains sur la vitre arrière, il ressent l'horreur lorsque le SUV de Raymond bascule et pique vers la berge. Le temps qui se fige, son cœur qui s'arrête et la seconde d'inattention qui précède le fracas, puis le froissement de la tôle et le noir.

Changement de décor, il se revoit sous un soleil d'été dans les rues engorgées du vieux Québec. La foule est compacte. Il s'entend donner l'ordre à un homme de faire feu sur un autre. L'exécution par balle, les cris d'horreur et de panique.

Des dizaines d'autres flashs se succèdent. La jungle, le désert, les villes orientales. Des échos de son passé.

C'est trop pour son cerveau.

L'acouphène commence par un léger sifflement pour finir en cacophonie dans ses oreilles. Il hurle, mais aucun son ne sort de sa gorge, ses tempes menacent d'exploser. Puis, plus rien.

Retour au manoir, les membres engourdis et le cœur au bord des lèvres. Les voix tournent encore en boucle dans sa tête, un bruit de fond qu'il ne peut faire taire.

Il bat des paupières et tourne sa tête. Liam fait face à Amy.

Il veut parler, mais les muscles de sa mâchoire ne lui obéissent pas.

— Ça va être court, dit Liam. Je dois juste m'assurer de certaines choses.

— As-tu des documents exposant notre activité en ta possession ?

— Oui, articule Amy.

— Où ça ?

— Ici, dans le manoir.

— Est-ce que ce sont les cartons que tu as laissés à l'attention de Noah ?

Amy hoche la tête.

— Oui.

— Mis à part Noah, es-tu entrée en contact avec d'autres personnes auxquelles tu aurais parlé de l'institut et du programme MK-Prodigy ?

— Non.

— Dernière question : comptes-tu continuer à traquer et tuer ceux qui sont associés de près ou de loin aux activités de l'institut et du programme ?

— Oui.

Amy laisse échapper un rire saccadé.

— Plus que jamais, ajoute-t-elle.

Liam reste silencieux quelques secondes, puis il se relève et se tourne vers Noah.

— Bien, c'est à toi de rentrer en scène.

Clémence abaisse le micro et tourne sa tête vers Sophie.

— Tire, c'est le moment.

— C'est trop dangereux, je ne vois rien, je pourrais toucher Noah. Éclaire-moi.

Clémence hésite puis secoue la tête.

— Non, il est de dos, il va repérer le faisceau. On manquerait l'effet de surprise. Écoute, j'ai une idée. Fais ce que tu sais faire de mieux, tire en l'air et prépare-toi à tirer de nouveau à mon signal.

Sophie pointe le pistolet en direction du plafond et appuie sur la détente.

À quia

La détonation éclate, son écho se répercute dans l'entrepôt et vient briser le flot de murmures qui embrouillait encore les pensées de Noah.

Liam se retourne d'un geste vif, plonge sur le sol et tend ses bras pour viser.

Au même moment, la puissante lumière d'une lampe déchire l'obscurité et se braque sur le tueur, le prenant au piège dans son faisceau.

Liam pousse un hurlement de rage et plaque une main sur son visage, aveuglé.

Bien joué… Son casque s'est retourné contre lui.

— Maintenant ! hurle une voix que Noah reconnaît.

Clémence… et Sophie… elles l'ont retrouvé.

Une détonation explose à nouveau et Noah entrevoit le visage de Sophie l'espace d'un éclair de feu.

L'impact de la balle produit un bruit métallique et arrache un cri de douleur à Liam. Il roule sur le côté pour se mettre à l'abri derrière une poutre en brique. Une fois adossé, il arrache son masque désormais brisé. Il le fait d'une main, l'autre semble blessée.

Il a posé son pistolet. La voilà, ton occasion.

Noah tente de se lever, mais ses jambes flageolent. Il grimace, pousse sur ses mains, retombe.

Le faisceau lumineux balaie l'espace par intermittence.

Elles se déplacent... Malin.

La lampe s'allume...

Noah aperçoit Amy qui rampe en direction des pistolets.

... puis s'éteint.

Noah pousse sur ses paumes pour se décoller du sol. Ses muscles répondent enfin à son injonction, il parvient à se soulever de quelques centimètres.

La lampe s'allume...

Liam a déjà son arme en main et fait feu en direction de la source lumineuse. Pas de détonation. Juste un son sec étouffé par le silencieux... ponctué par un hurlement.

Un cri de douleur, une des filles est touchée.

La lampe tombe à terre et roule sur une dizaine de centimètres, les ombres dansent dans son faisceau. Elle finit sa course braquée vers eux.

Dans le cône de lumière, il aperçoit Amy poser une main sur un pistolet et amorcer un mouvement du bras en direction de Liam.

Noah est en position accroupie, prêt à bondir, il contient les décharges expédiées par sa jambe en se mordant la lèvre inférieure.

Sophie tire, le coup de feu fait voler des éclats de brique au-dessus de la tête de Liam. Noah reçoit de la poussière sur le front et les cheveux.

Amy a le bras tendu, elle met Liam en joue d'une main tremblotante.

Trop lente…

Liam a déjà pointé son arme vers elle et tire trois coups.

Trois bruits.

Pew. Pew. Pew.

Suivis de trois bruits sourds, et trois soubresauts.

Elle s'écroule face contre terre et laisse tomber le pistolet.

— Non ! hurle Noah.

Il se propulse et plonge la main vers l'arme laissée à terre.

Mémoire musculaire…

Liam fait feu à nouveau.

La balle l'atteint aux fesses et perfore ses muscles. Une douleur atroce.

Mémoire musculaire…

Noah a le pistolet en main et roule sur le côté.

Mémoire musculaire…

Liam appuie sur la détente encore une fois.

La deuxième balle l'atteint au ventre, au flanc gauche.

Sophie tire à son tour et atteint le tueur à la main. Le pistolet arraché à sa prise voltige dans les airs et s'écrase contre le mur.

Noah vise.

Fumier…

Noah tire.

Clémence pousse un grognement.

— Allons voir ce qui se passe.

— J'appelle une ambulance, répond Sophie. Et toi, tu tiens le coup ?

— Le bras, la balle n'a pas traversé, la rassure-t-elle.

— Je m'occupe d'appeler les secours, va plutôt voir si tu peux les aider. Je n'en serais pas capable dans mon état.

Clémence sort son téléphone portable et Sophie se précipite vers Noah.

L'odeur de poudre sature l'entrepôt. Dans la fumée, la scène se dévoile dans la lumière blanche et crue de la Maglite restée à terre.

Le faisceau capte d'abord un corps allongé sur le ventre, immobile, baignant dans une flaque de sang qui se propage sur le sol.

Certainement Amy.

Elle reconnaît l'homme qui repose contre la poutre à la manière d'un pantin désarticulé, sa tête est inclinée, sa mâchoire carrée ouverte touche sa poitrine, ses grands yeux clairs fixent le vide. Un trou lui orne le front. Ses mains, paumes orientées vers le plafond, touchent le sol.

Puis elle aperçoit Noah.

Couché sur le dos. La main sur son flanc. Son ventre se soulève au rythme de ses respirations rapides.

Elle s'agenouille au niveau de sa tête.

Il a les yeux ouverts et malgré la douleur qui déforme ses traits, il lui sourit.

— J'ai pris une balle dans la fesse. Je n'aurais jamais cru que cela ferait si mal.

Sophie lui rend son sourire.

— C'est fini. Tenez bon, les secours sont en route.

Elle place son index et son majeur sur la carotide.

Le pouls est rapide… et une sueur froide perle sur son front.

Hémorragie, d'après ce qu'elle sait. Ce n'est pas bon.

Clémence apparaît dans la lumière. Le bras gauche ballant. Sa main est poisseuse de sang.

Elle tend son téléphone à Sophie.

— Tiens, prends ça, tu y trouveras l'enregistrement de ce soir… et d'autres choses encore. Si jamais mon oncle est encore en vie… tu lui diras que je suis désolée.

— De quoi tu parles ? Et pourquoi tu ne lui parlerais pas toi-même ?

— Longue histoire. Cela fait deux ans que je travaille pour le CSIS. J'ai été placée auprès de lui, et je devais faire des rapports sur l'avancée de l'enquête. Noah, le tueur. Les services canadiens étaient très intéressés par cette histoire, et franchement je ne veux plus rien avoir à faire avec tout ça. Ce que je suis en train de faire là, c'est de la haute trahison, mais je n'ai pas de regret. Il n'y a qu'une chose que j'exige en retour. Fais tomber des têtes. Braque un projecteur médiatique sur ces saloperies. Aussi, dès que tu seras assurée que les secours sont sur les lieux, va fouiller la Camaro, à mon avis tu auras de quoi alimenter ton dossier.

— Je peux t'aider… à disparaître, répond Sophie.

— Je sais.

Noah pousse un gémissement.

Clémence s'agenouille et lui prend la main.

— Désolée de vous avoir menti aussi. Si j'avais su…

— Non, ce n'est rien… lâche Noah dans un souffle inaudible.

Ses yeux se ferment, et sa main se ramollit.

— Tout va bien se passer, Clémence…

Épilogue

La lumière est aveuglante.

Noah pose sa main au-dessus de ses yeux pour filtrer les rayons du soleil qui se sont frayés un chemin parmi les branchages des arbres arqués.

Son esprit s'égare un moment dans l'immense voûte feuillue qui le surplombe, jusqu'à ce qu'un rire d'enfant interrompe sa méditation silencieuse. Il baisse la tête et aperçoit une fillette, petite rousse à la chevelure bouclée, elle paraît à l'étroit dans un t-shirt « Dora l'exploratrice ». Elle lui adresse un sourire.

Noah la salue d'un hochement de tête, puis l'observe courir dans la grande allée passante bordée d'ormes américains.

Sophie revient s'asseoir et lui tend un sachet de frites qu'il décline de la tête.

— Ça a l'air d'aller mieux, lui dit-elle. Je viens de vous voir vous pencher sans grimacer.

— Les antalgiques font des miracles, et pour l'instant les docteurs me disent que je peux encore m'en gaver sans fusiller mes reins. Et sinon, tu as pu rencontrer ton mystérieux contact ?

Sophie plonge sa main dans le sachet et en extirpe une frite, qu'elle croque du bout des dents. Elle la repose et s'essuie les doigts dans une serviette en papier.

— C'est trop chaud… Oui, nous nous sommes vues hier. La rencontre a été émouvante, elle a fondu en larme lorsque je lui ai raconté notre histoire.

— Elle ?

— Oui, c'est la fille de Trout. Tout ce qu'elle voulait, c'était découvrir la vérité sur son père. Torturé à mort par des enfants. Je pense qu'elle s'attendait à tout sauf à ça. Elle travaille elle aussi pour la CIA. Elle avait des soupçons sur une vieille opération clandestine encore en cours, mais…

— Mais ? répète Noah.

— Elle ne pouvait pas agir sans risquer de se faire griller.

Sophie reprend une frite, souffle dessus et l'enfourne.

— Alors elle m'a jetée dans la gueule du loup… Vous êtes vraiment sûr de ne pas avoir faim ? Il y en a largement pour deux.

Noah sourit et pioche quelques frites.

— Des nouvelles de Clémence ? demande-t-il.

— Oui, j'ai fait un voyage jusqu'à Fort Lauderdale, je suis passée la voir. Dans un sens, je la comprends, quitte à se cacher, autant le faire au soleil. Oh, d'ailleurs elle m'a donné quelque chose pour vous.

Sophie plonge sa main dans la poche intérieure de sa veste en jean et en sort un petit objet métallique, un oiseau fabriqué en trombones.

Noah le prend dans ses mains et se fend d'un large sourire.

— Ça vous parle, on dirait ?

— Oui, il a deux ailes. C'est sa manière à elle de me dire que je suis guéri.

Sophie hausse les épaules.

— Elle ne s'est toujours pas remise de la mort de son oncle, ajoute-t-elle.

— Je suis allé à Québec, répond Noah. J'ai rencontré sa famille, son fils lui ressemble. D'ailleurs, il m'a demandé des nouvelles de sa cousine. La prochaine fois que tu la verras, dis-lui qu'il a complété le puzzle et qu'il voudrait la défier aux échecs.

— C'est injuste, ce qui lui arrive. Elle ne peut même pas rejoindre sa famille. Elle est en cavale, alors que nous…

— Oui. Dans cette histoire, je suis le profileur responsable de la fin du Démon du Vermont, et toi la courageuse reporter qui a dévoilé le complot. Et elle, une fugitive recherchée pour trahison par son gouvernement. Alors que les vrais responsables sont tranquillement à l'abri dans leurs tours d'ivoire, grillent leurs fusibles, et vont continuer à jouer aux policiers du monde.

— Justement, c'est aussi pour cela que je voulais qu'on se rencontre.

— Ah bon ? J'avoue que je suis déçu, j'ai vraiment cru que tu m'avais fait venir à New York pour me faire visiter la ville.

Elle élude la remarque et pose le paquet de frites sur le banc.

— Non, sérieusement. J'ai besoin de vous, mon travail n'est pas fini, loin de là. Malgré les arrestations des deux côtés de la frontière, nous n'avons fait qu'érafler le pied d'un géant. Le dossier de Tremblay, son enregistrement, celui de Clémence, les cartons, et ce qu'on a retrouvé dans la Camaro, tout cela n'a pas été suffisant pour faire tomber les têtes.

— Tu as fait ta part, coupe Noah. Et c'est un bon boulot, j'ai lu ton dernier article, celui où tu exposes le passé du juge McKenna.

— Oui, j'ai enfin pu trouver pourquoi il avait fui le pays en masquant sa mort. Cette ordure avait plusieurs plaintes pour pédophilie. Ce fumier a fait jouer ses contacts pour échapper à la justice et se reconstruire une vie au Canada. Mais il reste d'autres mystères à élucider dans cette affaire. Les traitements « miracles » de Weinberger, les autres caves, et sûrement d'autres instituts !

Noah pioche quelques frites dans le sachet.

— Tu t'es fait beaucoup d'ennemis, Sophie. Je pense que tu devrais lâcher du lest. Prends des vacances, passe à autre chose. Franchement, tu as eu beaucoup de chance… Ne tire pas davantage sur la corde.

— Je ne peux pas. Je sais que c'est dangereux et que mon père va finir par mourir d'une crise cardiaque à force, mais je le dois. À Blake et Benedict… et aux autres, comme l'inspecteur Tremblay.

— Maggie, Rachel… Oui. La liste est longue. Victimes directes et indirectes. Alors pas la peine d'ajouter une Sophie au tableau. Et puis il n'y a pas que ton père. Charlie… et même Grumpy.

Elle ne l'a pas écouté, son regard fixe l'allée.

— Mon chat a passé tellement de temps chez la voisine qu'il a presque fait la gueule en revenant à la maison. Je suppose que c'est surtout parce qu'il avait le droit à des bouts de viande plutôt qu'à des croquettes. Quant à Charlie… je ne sais pas. C'est un garçon formidable, mais je me sens en décalage. Je dois bientôt partir pour Los Angeles, je suppose que je verrai bien à ce moment-là…

Noah ne l'entend plus. La voix de Sophie n'est plus qu'un bruit de fond, un babillage qui a rejoint le brouhaha de Central Park. Son attention s'est déportée vers un petit garçon au casque bleu, habillé d'un t-shirt blanc et d'une salopette en jean. Le gamin suit son père, un grand blond aux cheveux courts, impeccable dans un costume gris, qui circule en trottinette dans Poets' Walk. Le garçon, à qui il donne trois ou quatre ans, pédale derrière lui, assis sur la selle d'un tricycle rouge.

Noah l'observe zigzaguer et sourit. Il balance sa tête en arrière, ferme les yeux, laisse le soleil réchauffer ses paupières et imagine ce que peut être la vie de ce petit gars.

Il visualise des descentes en toboggan dans les parcs et les chutes dans le bac à sable, les premières constructions de jouets sous le regard attentif d'un père attendri, les éclats de rire, la complicité et les questions, les bordées du soir, les câlins et les histoires. Il imagine sa petite main caresser le visage râpeux de son père, ses grands yeux aux longs cils qui s'écarquillent. Les traces de chocolat qui maculent ses joues, les petites quenottes qu'un large sourire dévoile.

Il perçoit une enfance déjà enracinée dans l'amour qu'on lui porte, et qui s'épanouit autour de piliers solides. Une mère, un père qui donneraient leur vie pour la protéger, pour qu'elle conserve ce qu'elle a de plus précieux, son innocence.

Ce trésor, cette gemme si brillante qu'elle est un phare capable de guider ceux qui sont égarés, si convoitée qu'elle attire à elle ceux qui l'ont perdue et voudraient la dérober.

Il s'accroche à ces images de bonheur, il voudrait les retenir le plus longtemps possible, en garder une trace, conserver cette lumière dans sa poitrine, mais elles finissent par s'estomper au moment où le soleil se voile de nuages gris et où la chaleur disparaît à la surface de ses paupières fermées.

Et ses pensées s'assombrissent.

Il revoit le petit enfant aux yeux tristes plongé dans une cuve, il ressent son angoisse lorsque les portes à double battant s'ouvrent et que son regard apeuré se pose sur la croix au centre de la chapelle. Il revit la douleur, les cris, et ressent la morsure des ombres affamées qui sans relâche, dans le vain espoir de combler les profondeurs insondables de leurs abysses, l'ont pillé, lui ôtant ce qu'il avait de plus précieux.

Amy, Richard, lui et même Liam. Quatre trajectoires de vie, quatre destins brisés.

Noah ouvre les yeux.

Sophie parle encore, ses lèvres bougent, ses mains gesticulent, la passion anime les traits de son visage.

C'est une brave fille. Et forte. Malgré la noirceur qui l'a engloutie, elle a su garder la gemme à l'abri dans son écrin.

Quel loup allez-vous nourrir, monsieur Wallace ? lui a-t-elle demandé après lui avoir raconté la légende cherokee.

Il voudrait dire le bon, bien sûr.

Mais la réponse est bien plus évidente.

Celui qui a faim.

Et là, Noah a faim de justice et de vérité.

D'autres enfants sont encore victimes, où les trouver ? Qui sont les dirigeants du programme encore en place ?

Parmi le foisonnement de questions, la seule qui n'a plus d'intérêt pour lui est pourtant celle qui l'a obsédé ces derniers mois.

Qui es-tu, Noah Wallace ?

Là encore, la réponse est simple : celui qu'il choisira d'être.

Sophie a cessé son monologue.

Elle se lève et l'invite à faire de même en lui tendant la main.

Il marque une courte pause, hoche la tête, saisit la main et s'extirpe du banc, presque sans douleur.

Oui, il va l'aider.

Le combat est loin d'être fini. Comme elle, il ressent le besoin de faire payer les responsables.

C'est pour cette unique raison qu'il a refusé que le professeur Henry lui ôte la tumeur.

Son don, cette façon de percevoir les choses, ne s'est pas manifesté depuis les blessures par balle qui l'ont cloué à un lit d'hôpital. Mais il a peur que l'opération lui ôte tout espoir de recouvrer ses facultés.

D'autres enfants sont captifs. Il n'a pas le droit de leur faire défaut.

Les nuages se sont épaissis, le soleil a disparu et Poets' Walk se perd dans des nuances de gris.

Noah marche aux côtés de Sophie qui continue de parler sans que lui n'écoute vraiment. Il pense aux loups, aux monstres tapis dans les recoins de chaque être humain. Il se demande à quel moment on peut devenir un Carter, un Harrington ou un Da Silva. Est-on programmé pour le devenir ? À quel moment bascule-t-on ?

Et tout en se perdant dans ses réflexions, il passe à côté du chariot ambulant « Central Park Snack Stop » vert et blanc.

Et parce qu'il est ailleurs, dans une bulle opaque de pensées, il n'aperçoit pas le père du garçon en tricycle sortir un billet de son portefeuille et désigner un article sur le panneau jaune. Pas plus qu'il ne voit le sourire du petit garçon s'illuminer lorsque le vieux vendeur lui tend une crème glacée.

Et alors qu'il acquiesce machinalement aux propos de Sophie sans leur prêter attention, il ne remarque pas l'affiche accrochée au chariot, sur laquelle on peut lire : « Missing Person : Lisa Clark, 5 ans, portée disparue depuis le 11 janvier 2016 ».

S'il l'avait aperçue, il aurait reconnu la petite fille de la photo.

Celle-là même qui, quelques minutes plus tôt, lui avait souri, avant de se dissiper sous un rai de lumière.

Cette fillette invisible aux yeux de tous, sauf aux siens.

REMERCIEMENTS

À ma femme Anne-Sophie pour son amour, son soutien indéfectible et ses encouragements au quotidien.

À mes deux enfants, Clément et Noah, qui donnent un sens à ma vie.

À ma mère, à qui je dois ma passion de la lecture et la découverte de Stephen King.

À ma cousine Sophie Leduc, pour sa relecture méthodique.

À tous les membres du jury du Prix du meilleur thriller français, et particulièrement à Michel Bussi, pour m'avoir fait confiance en choisissant mon texte.

À mon éditeur, Bertrand Pirel, pour nos échanges à la fois humains et professionnels.

À tous les lecteurs de la première heure sur Fyctia qui m'ont suivi, encouragé et m'ont fait part de leurs retours.

Le Livre de Poche s'engage pour l'environnement en réduisant l'empreinte carbone de ses livres. Celle de cet exemplaire est de :
450 g éq. CO_2
Rendez-vous sur www.livredepoche-durable.fr

Composition réalisée par PCA

Achevé d'imprimer en juin 2018, en France sur Presse Offset par
Maury Imprimeur – 45330 Malesherbes
N° d'imprimeur : 228327
Dépôt légal 1re publication : avril 2018
Édition 04 – juin 2018
LIBRAIRIE GÉNÉRALE FRANÇAISE – 21, rue du Montparnasse – 75298 Paris Cedex 06

27/0140/8